Les Rois
qui ont fait
la France

Collection
marabout université

GEORGES BORDONOVE

Les Rois
qui ont fait
la France

LOUIS XV
le Bien-Aimé

Le sang de nos ennemis est toujours le sang des hommes: la vraie gloire, c'est de l'épargner.

(Louis XV au dauphin, le soir de la victoire de Fontenoy.)

LES CEDRES ET LES ROSEAUX

Le samedi 15 février 1710, Louis XIV fut réveillé à sept heures. Il avait donné l'ordre qu'on entrât dans sa chambre dès que la duchesse de Bourgogne sentirait les premières douleurs. Les princes se tenaient pareillement sur le qui-vive; il importait en effet qu'ils fussent témoins de la naissance qui approchait, encore que la succession du trône fût largement assurée: mais qui pouvait prévoir l'avenir? Quelque incertaine que fût alors leur science, les médecins de la cour s'étaient persuadés que la duchesse était à terme; qu'elle accoucherait même plus tôt qu'ils ne l'avaient prévu, car elle avait éprouvé, à plusieurs reprises, les douleurs annonciatrices. Le vieux roi avait enfreint la sacro-sainte étiquette de Versailles et fait disposer ses habits dans sa chambre, «afin de gagner le temps qu'il aurait fallu pour donner les chercher dans la garde-robe». Donc, ce samedi 15, avant l'aube, à la lueur des chandelles, Louis XIV s'habilla sans cérémonie, en hâte, et se rendit chez sa petite-fille. L'enfant se présentait mal et l'on estimait que l'accouchement serait difficile. Mais le médecin Clément, réputé pour son expérience, plaça l'enfant dans une position normale, en sorte qu'à huit heures un quart tout était terminé. C'était un garçon. Le roi déclara qu'il porterait le titre de duc d'Anjou. Le cardinal de Janson, grand aumônier de France, ondoya le nouveau-né que Mme de Ventadour emporta aussitôt dans la chambre du petit duc de Bretagne, son frère aîné, âgé de trois ans. Le maréchal de Boufflers l'escortait.

Le plumitif de service au «Mercure» écrivit que les faiseurs d'horoscope seraient bien aises d'apprendre l'heure matinale de cette naissance. Il ajouta, cédant peut-être à quelque prémonition: «*Je vous dirai cependant, sans me vouloir mêler d'en faire, qu'il a de tout temps passé pour constant que les enfants qui naissaient le jour étaient plus heureux que ceux qui venaient au monde pendant la nuit. Comme ce prince est arrière-petit-fils du roi, rien ne marque mieux que le ciel bénit la postérité de ce monarque, et d'ailleurs il est très avantageux à un Etat d'avoir beaucoup de princes d'une même race, d'autant que, lorsqu'il passe d'une race à l'autre, il arrive souvent des démêlés qui causent de grands désordres.*».

Tel était bien l'avis de Louis XIV qui écrivait alors à M. de Noailles, archevêque de Paris: «*Je regarde comme une nouvelle et trop considérable bénédiction du Ciel la naissance de mon second arrière-petit-fils, le duc d'Anjou …*»

Elle était encore plus considérable qu'il ne le pensait, car, dès l'année suivante, les deuils commencèrent à accabler le vieux roi.

Le 8 avril 1711, celui que l'on appelait «Monseigneur» et qui aurait dû être Louis XV, autrement dit le Grand dauphin, mourut de la petite vérole. Son fils, le duc de Bourgogne, prit donc le titre de dauphin et fut désormais l'objet de toute la sollicitude de Louis XIV. Il avait pour frères le roi Philippe V d'Espagne et le duc de Berry, et pour femme, Marie-Adélaïde de Savoie, duchesse de Bourgogne, mère de deux enfants: le duc de Bretagne et le duc d'Anjou. La dauphine était folle de plaisirs; elle brûlait sa vie par les deux bouts, malgré les conseils de son entourage, de son époux, du roi et de Mme de Maintenon, voire de Boudin, son médecin personnel. L'automne de 1711 fut pluvieux et froid. Le mauvais temps n'empêcha point la dauphine de courre le cerf. Elle rentrait de chasse le plus souvent trempée et crottée et se riait des remontrances! Pendant l'hiver, il en fut de même. Elle montrait le même emportement à danser jusqu'au matin et à jouer aux cartes, trouvant encore le temps de faire sa cour à Louis XIV et à Mme de Maintenon. D'après le témoignage de la princesse Palatine, la dauphine eût déclaré, plusieurs fois:

«*Il faut bien que je me réjouisse, puisque je ne me réjouirai pas longtemps, car je mourrai cette année.*»

Et l'âme allemande de la Palatine de frémir:

«*Un savant astrologue de Turin avait fait à Mme la Dauphine son horoscope, où elle a trouvé tout ce qui devait lui arriver en sa vie, et qu'elle mourrait dans sa vingt-septième année. Elle en parlait souvent; un jour elle dit à son mari: «Voici le temps qui approche où je dois mourir; vous ne pouvez pas rester sans femme à cause de votre rang et de votre dévotion; dites-moi, je vous prie, qui épouserez-vous?» Il répondit: «J'espère que Dieu ne me punira jamais assez pour vous voir mourir, et, si ce malheur devait m'arriver, je ne me remarierais jamais, car dans huit jours je vous suivrais au tombeau.»*

Or, à la fin 1711, la dauphine se trouva assez «incommodée» pour ne pas pouvoir assister aux offices de Noël, sauf de la tribune. Le 18 janvier 1712, bien qu'elle souffrît cruellement d'une fluxion, elle voulut à toute force se rendre à Marly. Elle dut se coucher en descendant de carrosse, mais elle se releva dès sept heures pour jouer aux cartes. Le lendemain elle fut obligée de garder le lit. Puis son état parut s'améliorer. Le 28 janvier, les courtisans notèrent qu'elle avait eu l'honneur insigne de dîner avec le roi et Mme de Maintenon. Mais, le soir du 5 février, elle fut prise d'un brusque frisson, suivi d'une fièvre intense. Boudin estima tout bonnement que c'était l'effet de la fluxion. Sans s'émouvoir, il prescrivit de l'opium et du tabac «machicatoire» pour calmer la douleur, outre l'inévitable saignée pour apaiser la fièvre. Les malaises de la dauphine étaient si fréquents que personne ne s'inquiéta, hormis sans doute le dauphin, toujours éperdument amoureux! Le 9 février, des taches rouges apparurent et Boudin diagnostiqua la rougeole; il ordonna les remèdes habituels. Louis XIV vint voir la malade, pour juger par lui-même; il interdit les visites au dauphin. Le 10, la fièvre redoubla et Boudin déclara qu'il s'agissait d'une rougeole «maligne». Désespoir du dauphin privé de visites, obéissant à son grand-père, bien qu'il ne redoutât point la contagion, mais au contraire la recherchât de tout son cœur! Le lendemain, la tête de la dauphine s'enténébra. Cependant elle eut le courage de congédier son confesseur habituel, d'en exiger un autre. Louis XIV escorta le Saint-Sacrement jusqu'à la chambre de l'agonisante. Le 12 février, à huit heures du matin, elle était morte. Le dauphin, ravagé de douleur et semblable à un spectre en raison de sa pâleur, s'alita les jours suivants. La rougeole se déclara. Le 18 février, il mourait, lui aussi. On emporta les deux époux ensemble, à Saint-Denis. «Il a bien montré, écrivait la Palatine, que son amour pour elle était grand, car le bon sire est certainement mort de chagrin de la perte de son épouse, et il avait toujours dit qu'il *en serait ainsi.»*

Quant à Louis XIV, dominant sa douleur, il déclarait à l'archevêque de Paris: «Mon cousin, je viens de perdre en moins de six jours mon petit-fils le dauphin et ma petite-fille la dauphine. Un coup si accablant et si imprévu me cause une affliction d'autant plus grande que ce prince joignait à une piété exemplaire toutes les autres vertus dignes de son rang, et que la princesse sa femme avait justement acquis et partageait avec lui ma tendresse et mon estime …»

Comme un écho à la plainte royale, on lit cette phrase dans le mandement de l'archevêque: «Si les cèdres sont ainsi renversés en un instant, que deviendront les roseaux?»

Les «roseaux», c'étaient alors les deux petits princes orphelins, le duc de Bretagne, devenu troisième dauphin par la mort de son père, et le duc d'Anjou. Le 7 mars, des taches rouges apparurent sur l'aîné. On se hâta de baptiser les deux enfants, auxquels, par prudence, on donna le même prénom: Louis! Le marquis de Prie et la duchesse de La Ferté furent parrain et marraine du duc d'Anjou. Cinq médecins, appelés de la capitale, s'empressèrent d'aider les médecins de la cour à saigner copieusement le petit dauphin, et à le tuer. Il ne restait que le duc d'Anjou, lui aussi atteint de rougeole. Sa gouvernante, la duchesse de Ventadour, l'enleva de force à la Faculté, et le sauva. Mais cet enfantelet, sur qui, désormais, reposait l'espoir de la monarchie, n'était guère plus qu'un mort-vivant. Son souffle était un soupir à peine perceptible; personne ne croyait alors qu'il dût vivre! On lit, dans le «Mercure Historique» d'avril 1712: «Diverses lettres marquent qu'on compte si peu sur sa vie languissante que le roi n'a pas encore jugé à propos de lui donner publiquement la qualité de dauphin, quoique tout le monde le nomme ainsi.»

Si le duc d'Anjou était mort, le dauphin eût été le duc de Berry, frère du défunt duc de Bourgogne. Ce qui explique le mot de Louis XIV à ce dernier: «Je n'ai plus que vous!» Par ailleurs, dans l'hypothèse où le vieux monarque eût lui-même disparu, le duc de Berry fût devenu régent jusqu'à la majorité du duc d'Anjou, futur Louis XV. Mais la fortune, qui s'acharnait sur la famille royale, puissamment aidée par les médecins, en décida autrement. Le duc de Berry, enragé chasseur, fit une grave chute de cheval, en 1714. Il ne se rompit pas les os, mais un vaisseau.

Les pompeux médicastres prirent ses vomissements de sang pour «des nausées de chocolat» et s'alarmèrent trop tard.

Cette fois, il ne restait plus à Louis XIV que cet arrière-petit-fils, dont la chétivité, la fragilité, faisaient peur, et le duc d'Orléans, son neveu, qui deviendrait régent et que détestait le vieux roi. On comprend dès lors qu'il ait songé à ses enfants naturels et qu'il les ait légitimés : parmi ceux-ci, le duc du Maine, favori de Mme de Maintenon. Saint-Simon n'hésite pas à accuser le duc du Maine et la vieille fée d'avoir semé à la cour, pour discréditer le duc d'Orléans, un «bruit sourd, secret, à l'oreille», selon lequel le futur régent avait fait empoisonner le dauphin et la dauphine. Il fallut toute l'autorité du chirurgien Le Maréchal pour convaincre le roi de l'innocence de son neveu. Mais le mal était fait et, déjà, nombre de beaux esprits considéraient Orléans comme un assassin. Ces calomnies honteuses assombrissaient encore l'atmosphère de Versailles; elles aggravaient la détresse de Louis XIV, auquel il ne restait guère plus d'une année à vivre.

Le 18 novembre 1714, la princesse Palatine, venant de voir Anjou-Dauphin, le décrivait ainsi, précieux témoignage: «Le petit Dauphin a mauvaise mine lorsque les dents lui font mal, mais lorsqu'il se trouve bien, c'est un bel enfant; il a de grands yeux très noirs, le visage rond, une jolie petite bouche qu'il tient cependant un peu trop souvent ouverte, un nez si bien fait qu'il serait difficile d'imaginer mieux, de jolies jambes, ainsi que les pieds; en somme, il est plutôt joli que laid, et il a toujours été plus beau que son petit frère, mais celui-là était plus vif et plus fort. Des enfants uniques, lorsqu'ils sont délicats, sont mal élevés...»»

La Palatine ne dit point s'il ressemblait à son père ou à sa mère. Cependant les vieux renards de cour devaient bien se demander quelle sorte de roi deviendrait cet enfant; en tout cas, s'il était plus «savoyard» que Bourbon; mais, peut-être, pour complaire à Sa Majesté déclinante, se contentaient-ils de célébrer la beauté peu commune de l'ultime rejeton royal. A vrai dire les caractères de la duchesse de Bourgogne et de son époux formaient un tel contraste que les plus fins psychologues de la cour s'y perdaient. Il n'était pas jusqu'à leur fin romanesque, quasi romantique, qui ne déconcertât les raisonneurs habituels.

Ecoutons Saint-Simon, qui s'est surpassé dans ce portrait de la duchesse de Bourgogne: «...Le plus beau teint et la plus belle peau, peu de gorge mais admirable, le cou long, avec un soupçon de goitre qui ne lui séiait point mal, un port de tête galant, gracieux, majestueux, et le regard de même, le sourire le plus expressif, une taille longue, ronde, menue, aisée, parfaitement coupée, une marche de déesse sur les nuées. Elle plaisait au dernier point; les grâces naissaient d'elles-mêmes de tous ses pas, de toutes ses manières, et de ses discours les plus communs. Un air simple et naturel, naïf assez souvent, mais assaisonné d'esprit, charmait, avec cette aisance qui était en elle jusqu'à la communiquer à tout ce qui l'approchait. Elle voulait plaire, même aux personnes les plus inutiles et les plus médiocres, sans qu'elle parût le rechercher... Sa gaieté jeune, vive, active, animait tout, et sa légèreté de nymphe la portait partout, comme un tourbillon qui remplit plusieurs lieux à la fois, et qui y donne le mouvement et la vie. Elle ornait tous les spectacles, était l'âme des fêtes, des plaisirs, des bals, et y ravissait par les grâces, la justesse et la perfection de sa danse. Elle aimait le jeu, s'amusait au petit jeu: car tout l'amusait; elle préférait le gros, y était nette, exacte, la plus belle joueuse du monde... Elle n'épargna rien, jusqu'à sa santé, elle n'oublia pas jusqu'aux plus petites choses, et sans cesse, pour gagner Mme de Maintenon, et le Roi par elle... En public, sérieuse, mesurée, respectueuse avec le Roi, et en timide bienséance avec Mme de Maintenon, qu'elle n'appelait jamais que MA TANTE, pour confondre joliment le rang et l'amitié; en particulier, causante, sautante, voltigeante autour d'eux, tantôt perchée sur le bras du fauteuil de l'un ou de l'autre, tantôt se jouant sur leurs genoux, elle leur sautait au col, les embrassait, les baisait, les caressait, les chiffonnait, leur tirait le dessous du menton, les tourmentait, fouillait leurs tables, leurs papiers, leurs lettres, les décachetait, les lisait quelquefois malgré eux selon qu'elle les voyait en humeur d'en rire...»

Elle avait si bien apprivoisé Louis XIV et sa compagne qu'elle se permettait avec eux maintes privautés, témoin cette étrange scène : «Un soir qu'il y avait comédie à Versailles, la princesse, après avoir bien parlé toutes sortes de langages, vit entrer Nanon, cette ancienne femme de chambre de Mme de Maintenon dont j'ai fait mention plusieurs fois, et aussitôt s'alla mettre, tout en grand habit comme elle était, et parée, le dos à la cheminée, debout, appuyée sur le petit paravent entre les deux tables. Nanon, qui avait une main dans sa poche, passa derrière elle, et se mit comme à genoux. Le Roi, qui en était le plus proche, s'en aperçut, et leur demanda ce qu'elles faisaient là. *La princesse se mit à rire, et répondit qu'elle faisait ce qu'il lui arrivait souvent de faire les jours de comédie. Le Roi insista: «Voulez-vous le savoir, reprit-elle, puisque vous ne l'avez point encore remarqué? C'est que je prends un lavement d'eau. — Comment! s'écria le Roi mourant de rire, actuellement, là, vous prenez un lavement? — Eh! vraiment oui, dit-elle — Et comment faites- vous cela?» Et les voilà tous quatre à rire de tout leur cœur. Nanon apportait la seringue toute prête sous ses jupes, troussait celles de la princesse, qui les tenait comme se chauffant, et Nanon lui glissait le clystère… Ils n'y avaient point pris garde, ou avaient cru que Nanon rajustait quelque chose à l'habillement.»* (Saint-Simon).

Très éprise de son mari, en dépit de leurs différences de goût, elle avait souffert plus que quiconque de ses échecs militaires et s'était employée pour le remettre bien dans l'esprit du roi. Ce qui ne l'empêchait point, faisant allusion à la dévotion où le malheureux duc s'était jeté, de lâcher cette perle: *«Je voudrais mourir avec M. le duc de Bourgogne, mais voir pourtant ici ce qui s'y passerait; je suis sûre qu'il épouserait une Sœur grise ou une tourière des Filles de Sainte-Marie.»*

Louis XIV était enchanté d'être aimé par une jeune femme aussi vive, pétillante, enjouée et spirituelle. Il ne pouvait se passer d'elle. Il organisait fêtes et bals, chasses et promenades, uniquement pour la divertir, parce qu'elle en était la parure et que sa présence redonnait vie au trop vaste palais de Versailles. Mais, fine mouche, la princesse *«avait grand soin de voir le Roi en partant et en arrivant et, si quelque bal en hiver, ou quelque partie en état, lui faisait percer la nuit, elle ajustait si bien les choses qu'elle allait embrasser le Roi dès qu'il était éveillé, et l'amuser du récit de la fête.»*

Mais Saint-Simon s'étend encore plus longuement sur le duc de Bourgogne, dont chacun promettait merveilles, parce qu'il avait été l'élève attentif de Fénelon.

«Il était plutôt petit que grand, écrit-il, le visage long et brun, le haut parfait, avec les plus beaux yeux du monde, un regard vif, touchant, frappant, admirable, assez ordinairement doux, toujours perçant, et une physionomie agréable, haute, fine, spirituelle jusqu'à inspirer de l'esprit; le bas du visage assez pointu, et le nez long, élevé, mais point beau, n'allait pas si bien; des

cheveux châtains, si crépus et en telle quantité qu'ils bouffaient à l'excès; les lèvres et la bouche agréables quand il ne parlait point: mais quoique ses dents ne fussent pas vilaines, le râtelier supérieur s'avançait trop, et emboîtait presque celui de dessous, ce qui, en parlant et en riant, faisait un effet désagréable. Il avait les plus belles jambes et les plus beaux pieds qu'après le Roi j'aie jamais vus à personne, mais trop longues, aussi bien que ses cuisses, pour la proportion de son corps. Il sortit, droit[1], d'entre les mains des femmes. On s'aperçut de bonne heure que sa taille commençait à tourner: on employa aussitôt et longtemps le collier et la croix de fer, qu'il portait tant qu'il était dans son appartement…»

Le duc de Bourgogne n'en devint pas moins bossu d'une épaule et boiteux. Cependant, il ne voulut jamais admettre ces défauts de nature, ou n'en fut pas conscient. Ardent, sensible, passionné, aisément emporté par la colère, tout orgueil quand il était enfant, il se laissa pourtant façonner par les mains habiles de Fénelon et devint un prince affable, modeste, patient, sage et pieux. Au point de vue politique, l'influence de Fénelon fut encore plus déterminante. Il fit de son disciple un prince résolument pacifiste et indifférent au luxe. Les idées qu'il lui inculqua, se retrouvent dans le célèbre Télémaque. Cet ouvrage, décrypté, constitue le plus virulent pamphlet contre Louis XIV et l'absolutisme. Il préconise, sur un ton amusant, lénifiant aussi, une sorte de république universelle d'agriculture et de menus artisans. En tout cas, il ancra solidement dans la tête du futur dauphin cette maxime selon laquelle «les rois sont faits pour leurs peuples, et non les peuples pour les rois.»

En secret, le duc condamnait la politique de prestige de son grand-père, plus encore les plaisirs effrénés et coûteux de Versailles. Adorant sa jeune femme, il évitait pourtant le plus possible, de prendre part à ses plaisirs; pendant qu'elle courait les bals et les festins et jouait des fortunes, il restait enfermé dans son cabinet pour prier et s'instruire, plus que tout désireux d'apprendre son métier de roi dans le dessein de rendre son peuple heureux. Mais quelle sorte de roi eût-il fait, s'il avait accédé au trône? La piété, l'austérité, un pacifisme systématique, une humanité sincère s'accordent assez mal avec la politique! Déjà comme chef de guerre, il avait failli provoquer un désastre.

1. Saint-Simon veut dire non bossu.

Mais, omettant ce détail, emporté par un chagrin rétrospectif, Saint-Simon n'hésite point à écrire: «La France tomba sous ce dernier châtiment; Dieu lui montra un prince qu'elle ne méritait pas. La terre n'en était pas digne: il était mûr déjà pour la bienheureuse éternité.»

Tels avaient été les parents d'Anjou-Dauphin. Il importait de les connaître, si peu que ce fût. Le bel enfant, sur lequel s'attendrissait la grosse Palatine, avait-il hérité de la grâce et de la beauté de sa mère, ou de la bonté et de l'application de son père? Ce n'était pour l'heure qu'un orphelin, aux mains de la duchesse de Ventadour et de ses femmes. Le seul objectif de celles-ci n'était point de «l'élever», mais de le disputer à la mort.

PREMIÈRE PARTIE

LA RÉGENCE

1715-1723

I

LE TESTAMENT CASSÉ

Le 1er septembre 1715, après que le duc d'Orléans eut rendu les derniers devoirs à la dépouille de Louis XIV, il s'en fut chez l'enfant-roi dont le règne commençait. La foule des princes et princesses, ducs et pairs, évêques, «cordons-bleus» (dignitaires de l'Ordre du Saint-Esprit), maréchaux et officiers généraux, grands officiers, courtisans les plus en vue, grandes dames, l'accompagnaient, tous empressés de saluer le nouveau maître et, surtout, de flatter le futur régent. Le duc d'Orléans, les présenta en ces termes au petit Louis XV:

– Sire, je viens rendre mes devoirs à Votre Majesté, comme le premier de vos sujets. Voilà la principale noblesse de votre royaume, qui vient vous assurer de sa fidélité!

Sa Majesté de cinq ans et demi pleurait à chaudes larmes. Quand son chagrin fut un peu calmé, on le mena sur le balcon, afin de le montrer aux habitants de Versailles et aux Parisiens accourus de la capitale. A midi, cette foule fut admise à pénétrer dans les appartements et à contempler le roi mort. Le défilé dura jusqu'au soir, tant était vive la curiosité des badauds. Des témoins dignes de foi attestent que, de tous côtés dans Versailles, on entendait jouer les violons!

Dans le palais, le duc d'Orléans, était pour ainsi dire submergé par les flatteurs et les ambitieux. La régence lui revenant de droit, tous attendaient un changement de gouvernement et cherchaient à se placer, sans excepter ceux qui avaient le plus dénigré le duc! Certains rêvaient aussi de régler leurs comptes personnels. Il y avait tant de monde dans l'appartement que, selon Saint-Simon, on n'aurait pu «faire tomber une épingle par terre». Cependant Orléans ne perdait pas une minute, tout en écoutant, distraitement, les solliciteurs et les donneurs de conseils. Tablant sur sa longue fidélité, Saint-Simon s'était introduit dans son cabinet; il le pressa de prendre une décision, selon lui urgente, sur l'Affaire du Bonnet, et de réunir les Etats Généraux, ce qui, dans la conjoncture, était une double sottise. Orléans fit venir le cardinal de Noailles et l'entretint, ostensiblement, pendant une heure: cette audience avait pour but de gagner une large fraction du clergé parisien divisé par la bulle Unigenitus, qui avait empoisonné les derniers mois, et jusqu'aux derniers jours, du roi défunt. Pour accroître le nombre de partisans, Orléans multiplia les promesses: au duc d'Antin sa nomination au conseil des Finances, au maréchal de Villars la présidence du Conseil de la guerre, etc... etc...

Il envoya le duc de Noailles chez La Trémouille où les ducs s'étaient réunis, afin de les convaincre de n'occasionner aucun désordre dans la séance du Parlement prévue pour le lendemain, séance au cours de laquelle la haute assemblée se prononcerait sur la régence. Lui-même se rendit à Paris, en fin d'après-midi, sans escorte, pour y rencontrer d'Aguesseau et quelques parlementaires parmi les influents. Il était neuf heures du soir, quand il regagna Versailles. Il convoqua aussitôt Saint-Simon et les ducs et les pria, fort aimablement, mais fermement, de se tenir tranquilles. Saint-Simon ne peut s'empêcher de dire:

– Mais, Monsieur, quand les (affaires) publiques seront réglées, vous vous moquerez de nous et des nôtres!

Le prince se récria, donna sa parole qu'il trancherait l'Affaire du Bonnet aussitôt qu'il le pourrait. Les ducs acquiescèrent. Cependant, Saint-Simon, comme un petit coq dressé sur ses ergots, prétendit ouvrir la séance du Parlement par une protestation solennelle sur les droits de la pairie. Le prince céda, de guerre lasse. Ouvrons une brève parenthèse. Cette Affaire du Bonnet, violant, selon Saint-Simon, les privilèges de la pairie, eût été simplement burlesque; malheureusement, elle traduisait l'intransigeance, l'incompréhension, les prétentions et l'irréalisme politique de la haute noblesse. En effet, les ducs et pairs jugeaient inconvenant d'avoir à attendre le bon plaisir du Premier président du Parlement, lequel n'était que de noblesse de robe, c'est-à-dire d'extraction bourgeoise. Ce dernier détenait l'inconcevable privilège de questionner les ducs, et ceux-ci devaient se découvrir avant de répondre, alors que ce robin gardait son bonnet sur la tête! Les ducs avaient essayé d'obtenir du Roi-Soleil qu'il mît fin à de telles pratiques, mais le Roi-Soleil, quoique mal disposé envers les parlementaires, s'était bien gardé de prendre position. L'accession de Philippe d'Orléans à la régence leur paraissait une occasion inespérée, d'où l'insistance de Saint-Simon. Mais le futur régent avait davantage besoin des parlementaires que des ducs.

Pour lui l'enjeu était d'importance. En effet, si en raison de sa qualité de neveu de Louis XIV et d'oncle du petit Louis XV, la régence lui revenait de droit, on pouvait craindre que le défunt monarque eût avantagé, de quelque manière, dans son testament, le duc du Maine (fils de la Montespan et prince légitimé); on pouvait même redouter que ce dernier, qui commandait les gardes Suisses, ne tentât quelque manœuvre d'intimidation.

Le petit roi était si jeune et si fragile; il comptait si peu, encore que chacun prétendît agir en son nom et pour son service! C'est pourquoi le duc d'Orléans acheta 600.000 livres la complaisance du duc de Guiche, lequel avait disposé 3.000 gardes françaises en armes dans les abords immédiats du Palais de la Cité et sur les ponts qui y donnaient accès. Il fallut apaiser les parlementaires, inquiets à juste titre d'un pareil déploiement de forces. Convoqués de bon matin (pour six heures !), les graves magistrats écoutèrent d'abord le premier président (M. de Mesme) leur annoncer que les ducs se disposaient à perturber la séance avec l'Affaire du Bonnet. Ils décidèrent que l'on s'en tiendrait au règlement et que les voix des ducs qui refuseraient de se découvrir, ne seraient pas comptées: on le voit, en une circonstance aussi importante, la noblesse de robe n'était pas moins acharnée que la pairie à défendre ses prérogatives. On leur présenta ensuite une lettre de cachet, par laquelle l'enfant-Roi leur annonçait officiellement la mort de son arrière-grand-père et, selon l'usage, leur demandait de continuer leurs fonctions. Le Parlement résolut alors d'envoyer une délégation à Versailles pour saluer le nouveau roi et le prier de tenir son premier lit de justice.

Les ducs arrivèrent vers huit heures et s'installèrent à leur place, sans qu'il y eût d'incidents: chacun restait sur son quant à soi, sans arrêter pourtant de s'observer. Les princes, légitimes, et bâtards légitimés, firent alors leur apparition. Saint-Simon:

«M. du Maine crevait de joie. Le terme est étrange, mais on ne peut rendre autrement son maintien. L'air riant et satisfait surnageait à celui d'audace, de confiance qui perçait néanmoins et à la politesse qui semblait les combattre. Il saluait à droite et à gauche, et perçant chacun de ses regards. Entré dans le parquet de quelques pas, son salut aux présidents eut un air de jubilation…» Le duc d'Orléans entendait la messe à la Sainte-Chapelle. Une députation s'en fut le chercher. Il était finalement dix heures quand il entra dans la Grand-Chambre. En se rendant à sa place, qui était à droite du premier président, il jeta quelques mots aux ducs. La séance commença. L'archevêque de Reims, en sa qualité de premier pair de France, lut alors une déclaration préliminaire, déclarant que les ducs n'entendaient point retarder les travaux de la séance, mais pour autant ne renonçaient nullement à leurs prétentions. Le Premier président donna acte. Personne ne prêta attention aux cris aigrelets de Saint-Simon, trépignant sur son bac comme un «petit boudrillon».

Le Président de Mesme donna la parole à Philippe d'Orléans. Celui-ci lut, majestueusement, un fort beau discours dont chaque terme avait été pesé. En voici les passages essentiels:

«Messieurs, après tous les malheurs qui ont accablé la France, et la perte que nous venons de faire d'un Grand Roi, notre unique espérance est en celui que Dieu nous a donné; c'est à lui, Messieurs, que nous devons à présent nos hommages et une fidèle obéissance; c'est moi, comme le premier de ses sujets, qui dois donner l'exemple de cette fidélité inviolable pour sa personne, et d'un attachement encore plus particulier que les autres aux intérêts de son Etat. Ces sentiments, connus du feu Roi, m'ont attiré sans doute ces discours pleins de bonté qu'il m'a tenus dans les derniers instants de sa vie. Après avoir reçu le viatique[1], il m'appela et me dit: «Mon neveu, j'ai fait un testament où je vous ai conservé tous les droits que vous donne votre naissance; je vous recommande le dauphin; servez-le aussi fidèlement que vous m'avez servi, et travaillez à

---

1. Admirons ici l'habileté du régent, arguant d'une déclaration faite après confession!

lui conserver son royaume. S'il vient à manquer, vous serez le maître, et la couronne vous appartiendra.» A ces paroles il en ajouta d'autres, qui me sont trop avantageuses pour pouvoirs les répéter, et il finit en disant: «J'ai fait les dispositions que j'ai crues les plus sages; mais comme on ne saurait tout prévoir, s'il y a quelque chose qui ne soit pas bien, on le changera.» Ce sont ses propres termes. Je suis donc persuadé que, suivant les lois du royaume, suivant les exemples de ce qui s'est fait dans de pareilles conjonctures, et suivant la destination même du feu Roi, la régence m'appartient: mais je ne serai pas satisfait, si à tant de titres qui se réunissent en ma faveur, vous ne joignez pas vos suffrages et votre approbation, dont je ne serai pas moins flatté que de la régence même...»

Cette flatterie, assez basse, ne pouvait que toucher le cœur des parlementaires! Après avoir été si longtemps humiliés par le feu roi, voici qu'on leur demandait leur approbation comme une faveur suprême: le duc d'Orléans, était, certes, régent de droit; il n'en voulait pas moins tenir son pouvoir du vote des plus hauts magistrats de la nation ! Hélas! il renouvelait, purement et simplement, l'erreur d'Anne d'Autriche se faisant attribuer la régence par les parlementaires; il n'avait pourtant pas les mêmes raisons de la commettre ! Or, après avoir demandé que le Parlement délibérât sur le principe même de ses droits, il s'engagea à mériter les suffrages par son zèle envers le petit roi et son amour du bien public, «surtout aidé par vos conseils et par vos sages remontrances». C'était du même coup reconnaître ce fameux droit de remontrance qui avait naguère provoqué la Fronde et que Louis XIV avait réduit à néant. Le gouvernement changeait en effet; les roides magistrats pouvaient relever la tête: le bon temps promis par le régent, attendu depuis tant d'années, était enfin de retour! Sans désemparer, les promesses ne lui coûtant rien, Orléans affirma son intention de diminuer les dépenses afin de soulager le peuple, d'assurer la paix extérieure et intérieure et de rétablir la tranquillité au sein de l'Eglise.

L'avocat-général, Joly de Fleury, se lança dans un mirifique éloge du prince, affirmant avec superbe que le droit et la nature se conjuguaient pour l'appeler à la régence, tant ses qualités l'en rendaient digne. Il conclut en proposant que le Parlement délibérât sur le droit résultant de la naissance de Philippe d'Orléans, puis sur les dispositions particulières incluses dans le testament de Louis XIV.

On apporta le fameux testament enfermé dans un coffret et dûment scellé. Après avoir demandé que le Parlement délibérât sur le principe de la régence, avant lecture du testament, demande confortée d'ailleurs par les conclusions de l'avocat-général, le duc d'Orléans changea d'avis et laissa M. de Dreux lire le testament. Ce n'était là que le premier exemple de sa versatilité: les plus fins des parlementaires y virent un indice pour l'avenir... M. de Dreux avait le timbre haut et clair. On entendit:

«Ceci est notre disposition et ordonnance de dernière volonté pour la tutelle du Dauphin notre arrière-petit-fils et pour le conseil de régence que nous voulons être établi après notre décès pendant la minorité du Roi...»

Pour éviter le renouvellement des troubles qui avaient désolé sa propre minorité, et dont il gardait un cuisant souvenir, le vieux roi voulait doter le petit roi, jusqu'à sa quatorzième année (qui était l'âge de la majorité des rois), d'un conseil de régence «composé du duc d'Orléans, chef du conseil, du duc de Bourbon quand il aura vingt-quatre ans accomplis, du duc du Maine, du comte de Toulouse, du chancelier de France, du chef du conseil royal, des maréchaux de Villeroy, de Villars, d'Huxelles, de Tallart et d'Harcourt, des quatre secrétaires d'Etat et du contrôleur général des finances».

Le jeune roi devait être sous la tutelle et garde de ce conseil; cependant c'était le duc du Maine qui était spécialement chargé de sa sécurité et de son éducation, et, à ce titre, recevait le commandement de sa maison civile et militaire, le maréchal de Villeroy étant désigné comme gouverneur. En cas de décès du duc du Maine, le comte de Toulouse (autre fils de la Montespan, autre bâtard légitimé) le remplacerait.

Toutes les affaires devaient être délibérées en conseil de régence et les résolutions prises à la majorité des suffrages, «sans que le duc d'Orléans, chef du conseil, puisse seul et par son autorité particulière, rien déterminer, statuer et ordonner, et faire expédier aucun ordre au nom du roi mineur autrement que suivant l'avis du conseil de la régence». Toutefois, en cas d'égalité des suffrages, l'avis du duc d'Orléans prévaudrait.

Le conseil devait se réunir quatre ou cinq fois par semaine, le matin, dans l'appartement du jeune roi, lequel, à partir de dix ans accomplis, pourrait assister aux séances, non pour délibérer ni décider, mais pour s'instruire. La composition du conseil ne pouvait être modifiée. Cependant, un membre décédé pouvait être remplacé, mais à la suite d'une délibération du conseil.

Ainsi, nonobstant les bonnes paroles dispensées à son neveu (à supposer d'ailleurs qu'elles eussent été prononcées), le vieux roi ne lui confiait point de titre de régent, mais de chef du conseil de régence, par surcroît en le subordonnant entièrement à ce conseil!

Subsidiairement, il confirmait l'édit de juillet 1714 conférant à ses bâtards, le duc du Maine et le comte de Toulouse, vocation à hériter du trône dans l'hypothèse où le petit roi et son oncle d'Orléans mourraient! Il recommandait aussi à l'attention du conseil de régence l'Hôtel royal des Invalides, où l'on hébergeait les vieux soldats, et la maison de Saint-Cyr fondée par la chère Maintenon.

Ce testament, daté du 2 août 1714, était suivi de deux codicilles, l'un chargeant le maréchal de Villeroy de conduire le jeune roi à Vincennes (il était du 13 avril 1715), l'autre nommant Fleury, ancien évêque de Fréjus, précepteur, et le père Le Tellier confesseur de l'enfant (il était du 23 août de la même année).

L'assistance était abasourdie, à l'exception du duc du Maine et de ses partisans qui triomphaient, un peu trop vite! Quant au duc d'Orléans, il aurait dit: «Il m'a trompé», d'après le témoignage de l'avocat Mathieu Marais. Qu'était-ce en effet qu'une régence sans régent, sans autre direction qu'un conseil dont le chef ne détenait aucun pouvoir propre? Cependant, Orléans déclara simplement qu'il avait lieu d'être surpris devant des dispositions si peu conformes au droit acquis par la naissance, plus encore aux intentions que le défunt roi semblait avoir exprimées dans ses derniers moments. Il demandait en conséquence que la Cour prononçât sur la régence, avant de débattre des clauses du testament.

L'avocat-général appuya sa démarche et le fin renard suggéra de «s'attacher plutôt à l'esprit qu'à la lettre du testament», ce qui autorisait toutes les interprétations. Et puisque le duc d'Orléans se recommandait de la confiance du Parlement, sol-

licitait même ses avis et ses remontrances, il demandait que la
Cour lui conférât sur-le-champ la régence. La délibération
commença, mais les intrépides maîtres des requêtes empêchèrent que l'on recueillît posément les votes. Ce fut par acclamations que la régence fut accordée au duc d'Orléans.

Cependant, ce dernier n'avait gagné que la première manche! Il en était parfaitement conscient et, pour achever d'éliminer son rival, il affecta le désintéressement et la modestie,
méthode éminemment payante au sein des asemblées. Faisant
patte de velours il prononça quelques mots à la mémoire de
Louis XIV et reconnut volontiers l'utilité de la Maison de
Saint-Cyr. Il donna son approbation quant aux personnes char-
gées par le défunt d'assurer l'éducation du petit roi. Il dit encore que le système de régence prévu par le testament convenait
à un prince rompu aux affaires et déjà expérimenté en matière
de gouvernement, mais non pas au débutant qu'il prétendait
être: tout au contraire, il se proposait de recourir aux lumières
de plusieurs conseils particuliers avant de soumettre les projets
au conseil. Il demanda également l'admission immédiate du
duc de Bourbon, avant l'âge requis, et la nomination du prince
de Conti, très probablement oublié par le vieux roi. Cette manœuvre habile visait à annexer le parti, toujours redoutable,
des Condé.

Après quoi il entra dans le vif du sujet. Se tournant vers le
duc du Maine, il déclara:

– Le conseil de régence est choisi à l'avance; je n'ai aucune
autorité; cette atteinte portée au droit de ma naissance, à mes
sentiments d'attachement pour la personne du Roi, à mon
amour, à ma fidélité pour l'Etat, est incompatible avec la
conservation de mon honneur. J'ai lieu d'espérer assez de l'estime de toutes les personnes ici présentes que ma régence sera
déclarée telle qu'elle doit être, c'est-à-dire entière, indépen-
dante, avec la faculté de désigner les personnes dont j'aurais à
prendre les avis. Je suis loin de disputer au conseil le droit de
délibérer sur les affaires; mais si je dois le composer de personnes ayant l'approbation publique, il faut qu'elles aient aussi ma
confiance.

Ensuite, il attaqua de front:

– L'éducation du Roi est remise en bonnes mains, celles du
duc du Maine, mais un régent ne peut consentir à déférer à

personne le commandement des troupes de la maison du Roi, que les nécessités de la défense du royaume peuvent l'obliger à mettre en mouvement; de plus, le grand-maître de la maison du roi ne doit pas se trouver dans la dépendance du duc du Maine.

Celui-ci voulut répliquer, mais le régent l'invita, sans ménagement à parler à son tour. Le duc de Bourbon, qui n'était autre que le grand-maître en question, déclara alors qu'il n'entendait pas en effet recevoir les ordres du duc du Maine. Il demanda aussi à assumer les fonctions de chef du conseil, en l'absence du régent, charge que son bisaïeul, le Grand Condé, avait remplie pendant la minorité de Louis XIV.

Le duc du Maine put enfin prendre la parole. Il donna lecture de trois pages in-folio, donc Buvat, sous-bibliothécaire du roi, prit copie:

– Messieurs, je suis persuadé, ou du moins, je veux me flatter qu'en ce qui peut avoir rapport à moi dans la disposition testamentaire du feu Roi, de glorieuse mémoire, M. le duc d'Orléans n'est pas blessé du choix de ma personne pour l'honorable emploi auquel je suis appelé... J'avais bien senti, et même j'avais pu le représenter au Roi, lorsqu'il me fit l'honneur de me donner, peu de jours avant sa mort, une notion de ce qu'il me destinait, que le commandement continuel de toute sa maison militaire était fort au-dessus de moi, mais il me ferma la bouche en me disant que je devais toujours respecter ses volontés; je ne crois donc pas devoir m'en désister...

Il se disait prêt néanmoins à sacrifier ses intérêts au bien et au repos de l'Etat, et demandait au Parlement d'établir un règlement fixant ses prérogatives par rapport au régent et au grand-maître.

Le duc de Bourbon ayant été nommé, par acclamations, chef du conseil de régence, le Parlement décida de renvoyer à l'après-midi la grave question de l'éducation de l'enfant-roi.

Plein de déférence envers la cour, le duc d'Orléans avait demandé si cette seconde séance, dans la même journée, ne gênerait pas les affaires en cours. A quoi le Premier président répondit qu'aucune affaire n'était plus importante que celle-ci. Soudain, le régent reprit son attaque contre le duc du Maine:

– Les clauses du testament ont paru si étranges aux personnes qui les avaient suggérées que, pour se rassurer elles-mêmes, elles ont voulu devenir les maîtres de la personne du Roi, du régent, de la Cour et de Paris. Si la Compagnie a senti combien mon honneur était blessé par les dispositions du testament, il est impossible qu'elle n'apprécie pas à quel point toutes les lois et toutes les règles sont violées par les dispositions des codicilles. Ils ne laissent en sûreté ni ma liberté ni ma vie. Ils mettent le Roi dans la dépendance absolue de ceux qui ont osé profiter de la faiblesse d'un roi mourant.

Le duc du Maine perdit contenance. Il rétorqua qu'il ne pouvait répondre de la sécurité du roi, s'il ne commandait pas sa maison civile et militaire. S'ensuivit entre les deux partenaires une altercation assez âpre, pour qu'il parût décent de les isoler dans une pièce voisine. Saint-Simon, qui connaissait de longue main le caractère du régent, s'en fut le rejoindre pour le ramener dans la Grand-Chambre. Il estime avoir joué dans cette circonstance un rôle déterminant. En réalité, cependant que les deux rivaux disputaient, la pièce s'était remplie d'officiers de la maison du roi (gardes françaises et chevau-légers) protestant qu'ils n'avaient d'ordres à recevoir que du roi ou du régent. Sur ces entrefaites, la séance fut levée.

De retour au Palais-Royal (au milieu des vivats), le régent s'entretint avec d'Aguesseaux et le procureur général, et déjeuna avec plusieurs ducs, dont Saint-Simon qui se prenait un peu pour le *deus ex machina* de cette journée historique. A quatre heures, la séance reprit. Fidèle à sa méthode et s'enfonçant plus encore dans la démagogie, le régent fit part à la Cour de son intension d'adjoindre plusieurs conseils spécialisés au Conseil de régence, un pour la guerre, un autre pour les finances, un autre pour la marine, un autre pour les affaires étrangères, un autre pour le «dedans» (l'intérieur) et même un conseil de conscience. C'était laisser l'espoir à nombre d'ambitieux, voire de trublions en puissance, de jouer un rôle politique. Mais aussi se donner les moyens de gouverner en divisant les factions! Suprême habileté, il exprima, timidement, le vœu que le Parlement ne lui refuserait pas le concours de quelques-uns de ses membres connus pour leur capacité. Il se disait aussi résolu à se soumettre aux votes du conseil de régence, mais souhaitait qu'on lui laissât la libre disposition des grâces, des charges et des emplois. La main sur le cœur, ce parfait tribun, ajouta qu'il consentait à être lié par le conseil pour ne pouvoir

faire de mal à quiconque, et ne réclamait que la liberté de faire
le bien! On imagine les applaudissements... Après cette déclaration de foi, il revint au point essentiel: le commandement de
la maison civile et militaire du roi. Sans méconnaître les bonnes
intentions du duc du Maine, il ne pouvait s'empêcher de voir
dans cette division du commandement un risque de troubles
civils.

Passons sur les détails de procédure, et d'autant que, d'ores
et déjà, le siège du Parlement était fait. Le duc du Maine,
sentant la partie perdue, tenta une ultime et maladroite manœuvre: il n'était pas de taille à lutter contre son rival et il
n'avait plus Mme de Maintenon pour le conseiller et le soutenir. Il dit que, si la Cour lui retirait le commandement de la
Maison du Roi, il ne pourrait assurer la sécurité de celui-ci. Il
demandait donc qu'on le déchargeât de tout, plutôt que de lui
laisser un titre sans pouvoir. Joly de Fleury proposa une délibération sur ce désistement. Le duc du Maine insistant pour que
la Cour se prononçât, le régent lui jeta:

– Eh bien, Monsieur, on vous décharge!

Le désistement fut voté, par acclamations! Un vent de folie
passait sur les robes rouges et les hautes perruques des premiers magistrats. Tout ce que le régent demandait fut acquis,
approuvé, d'enthousiasme. On oublia même de désigner celui
qui se chargerait de la sûreté du petit Louis XV. Le régent
répondit qu'il s'en chargerait lui-même. Ne restait au duc du
Maine que le vain titre de Surintendant de l'éducation du roi,
avec le maréchal de Villeroy pour adjoint.

Ainsi le Parlement avait-il cassé le testament de Louis XIV,
comme il l'avait fait naguère du testament de Louis XIII, et
réduit à néant la position du duc du Maine. Or il y avait à peine
plus d'un an (le 2 août 1714) qu'il avait enregistré, sans sourciller, l'édit royal appelant à la succession de la couronne le même
duc du Maine, le comte de Toulouse et leurs enfants mâles, à
défaut de princes du sang.

On peut dire que de cette journée du 2 septembre date la fin
réelle du XVIIe siècle et d'une époque qui avait vu la grandeur
de la France portée à son zénith. Le système de gouvernement,
si péniblement élaboré par les rois Bourbons et imposé par
Louis XIV, était d'ores et déjà révolu. Les manœuvres démagogiques du régent ouvraient les premières brèches dans le

vieil édifice monarchique. Leur succès n'était qu'un leurre. En promouvant Philippe d'Orléans, les parlementaires recouvraient du même coup leur droit de remontrances, et leurs prétentions à «officialiser» le pouvoir, donc à exercer sur lui une sorte de droit de contrôle au nom de la nation. La création de multiples conseils ouvraient la voie à la brigue, à l'intrigue et au trafic d'influences. Il ne manquait plus qu'un désastre financier pour achever de ruiner cette ombre d'un pouvoir apparemment absolu...

Il faut, pour revivre ces heures capitales de notre histoire, se replonger dans le reportage incisif, éclatant de Saint-Simon. Il connaissait tous les protagonistes; il guettait leurs réactions; il lisait leurs pensées les plus secrètes; mais il aimait tant le régent qu'il faisait de la défaite de son rival une affaire quasi personnelle! Il s'y engagea avec toute la fougue dont il était capable, se croyant plus subtil et plus déterminé que le duc d'Orléans. Mais les grands écrivains n'ont pas la tête politique. Saint-Simon n'apercevait point les conséquences effarantes de cette séance: il est vrai que l'Affaire du Bonnet l'obnubilait un peu! Et, surtout, bien qu'il se flattât d'être alors l'intime confident du régent, il ignorait que ce dernier connaissait à peu de chose près la teneur du testament de Louis XIV avant la mort de celui-ci. Il ignorait aussi que le régent avait fait remettre, dès le 30 août, pendant l'agonie du feu roi, un mémoire au Premier président, mémoire dans lequel il exposait ses intentions quant au conseil de régence, à la nomination du duc de Bourbon au commandement unique des troupes, à l'éviction du duc du Maine et au rétablissement du droit de remontrances. S'il avait eu vent de cette duplicité, «le petit boudrillon» enragé d'honneur eût fustigé le nouveau maître. Mais il n'était pas dans le secret des dieux, encore qu'il crût l'être. Tel n'était pas le cas du Premier président ni des magistrats auxquels on donna connaissance du fameux mémoire. On imagine ce qu'ils durent penser de «la surprise», puis de la feinte colère du régent à la lecture publique du testament! Après cette comédie, quelle autorité prétendait-il encore exercer?

II

LE NOUVEAU JOAS

L'euphorie était générale. Chacun se promettait «d'heureux changements«. A vrai dire, le régent incarnait, provisoirement, une double réaction, fort semblable à celle qui avait suscité la Fronde: réaction que l'on peut qualifier de «démocratique» et qui était à la fois celle du Parlement et du peuple, et réaction aristocratique des grands seigneurs avides de recouvrer leur ancienne importance. L'une et l'autre confluaient dans la haine de l'absolutisme imposé par Louis XIV. Le régent avait été longtemps écarté des affaires, malgré ses capacités ou, peut-être précisément, à cause d'elles: il était plus intelligent et plus instruit que ne l'avaient été le Grand dauphin et le duc de Bourgogne. Victime de Mme de Maintenon, du duc du Maine et de la coterie des bâtards légitimés, il avait dû défendre âprement les droits que la naissance lui conférait. Mais, pour l'emporter sur son rival, il lui avait fallu affaiblir le pouvoir qu'il convoitait, et promettre ce qu'il était incapable de tenir. Recherchant un peu trop la popularité, ne s'était-il pas engagé à diminuer les impôts? Inféodé au Parlement dont il avait acheté la complaisance, au parti des ducs dont, quoique libéral, il partageait les prétentions, passant pour l'ami des jansénistes (depuis la rentrée en grâce du cardinal de Noailles) bien que la religion le laissât indifférent, ami des libertins et de ceux qu'on appelait «les roués» et qui étaient des viveurs sans foi, sans loi et sans scrupule, bien qu'il fût résolu à s'appliquer aux affaires et à sortir le royaume du marasme, que pouvait-il faire d'autre qu'une politique de bascule entre les factions? Il tombait sous le sens que son gouvernement serait celui d'une continuelle

improvisation, de gadgets et de poudre aux yeux, de mesures
apparemment audacieuses et fallacieusement mûries, aussitôt
retirées ou abrogées, pour être remplacées par des innovation
tout aussi aléatoires. Qu'il y eût laissé sa popularité serait san
importance, puisque la régence n'était après tout d'un gouver
nement provisoire, ou si l'on veut, un mal nécessaire ; mais la
déliquescence progressive et les contradictions du système de
vaient, inévitablement, porter un coup fatal au régime. On ne
peut s'empêcher de rapprocher le rôle du régent de celui de son
petit-fils, le fameur Philippe-Egalité, pendant la Révolution !

Pour l'heure, la régence n'en était qu'à ses premiers pas.
convenait que le petit Louis XV la légalisât en tenant son pre
mier lit de justice, car, en droit et en fait, Philippe d'Orléan
devait tenir le pouvoir, non du Parlement, mais du roi. De
même le jeune Louis XIV était-il venu jadis en la Grand
Chambre nommer régente sa mère, Anne d'Autriche. Philipp
d'Orléans, malgré sa victoire sur le duc du Maine, attendai
impatiemment cette cérémonie. Une inquiétude vague, infor
mulée, n'était pas étrangère à cette insistance. Il aurait voul
que le Lit de justice eût lieu le 6 septembre, qui était un vendre
di. Mais Mme de Ventadour et les dames de la cour firen
valoir que le vendredi était un jour de malheur et qu'en consé
quence on ne devait rien entreprendre de grand ou de solenne
par révérence envers la crucifixion de Notre-Seigneur. C
n'était là que superstitions pour Philippe d'Orléans qui, san
être athée, se satisfaisait d'un vague déisme ; mais il n'osa pas
ser outre et renvoya la cérémonie au lendemain. Nouveau con
tretemps : le matin du 7 septembre, les parlementaires en gran
costume, les princes, les ducs et pairs s'étant assemblés, on vin
leur annoncer que le roi était indisposé et que la séance étai
remise. Certains s'offusquèrent de l'inconvenance du procédé
la plupart s'inquiétèrent de la maladie de l'enfant. Le peupl
qui s'était massé sur tout le parcours pour le voir passer, s
dispersa déçu. Que s'était-il passé en réalité ? Mme de Venta
dour adorait l'enfant royal et, tremblant toujours pour sa vie
n'osait le contrarier : sa reponsabilité l'écrasait. Elle fut incapa
ble de le décider à se rendre à Paris pour la cérémonie. Il faisa
semblant d'être malade, boudait, tapait du pied, refusait d
manger. De guerre lasse, la gouvernante le mena à Trianon.
y retrouva dans l'instant appétit et gaieté. On le vit gambade

parmi les fleurs avec un enfant de son âge, qu'il appelait son houzard. Pendant ce temps, ces messieurs de la judicature et de la pairie murmuraient, n'osant toutefois manifester leur mécontentement.

Fureur du régent, qui se souvint alors, fort à propos, d'un des codicilles du testament: le transfert du petit roi à Vincennes. Mais, comme certains courtisans prétendaient que Versailles était «l'air natal» de l'enfant, il fit, par prudence, venir six médecins de Paris pour les confronter avec ceux de Versailles, Mme de Ventadour et le maréchal de Villeroy. Ainsi, quoi qu'il advînt ensuite de la santé de Louis XV, sa responsabilité serait sauve. Ici se place une scène pénible et assez honteuse, car nul ne se souciait vraiment du petit roi; au contraire, chacun des protagonistes émit une opinion conforme à son intérêt personnel. Ceux qui avaient leur logement au palais, parmi lesquels l'illustre Boudin, vantèrent la qualité de l'air que l'on respirait à Versailles. Les médecins de Paris, n'ayant rien à gagner au séjour de Versailles, se moquèrent de leurs confrères versaillais; ils insistèrent lourdement sur les miasmes exhalés par le canal et les bassins, et sur le fait que trois dauphins étaient morts en ce lieu malsain; ils rappelèrent que défunt roi avait été élevé à Vincennes, y gagnant une constitution «qui l'avait fait vivre soixante-dix-sept ans». Le régent partagea cette opinion, d'autant que le voyage de Paris à Versailles lui pesait et qu'il haïssait ce palais rempli pour lui d'humiliants souvenirs. Saint-Simon est encore plus catégorique en écrivant qu'il préférait Paris, «où il avait tous ses plaisirs sous sa main». Or, effectivement, si le régent avait résolu de s'appliquer au gouvernement, il n'entendait point renoncer pour autant à ses débauches. Le départ fut décidé à la majorité de six voix contre trois. Il fallut que Mme de Ventadour expliquât à l'enfant l'imminence et les raisons de ce départ. Il est peu de dire que Louis XV fût un orphelin! Il n'était qu'un symbole nécessaire! Il n'avait, en cet âge si tendre, que l'affection inquiète de sa gouvernante. Il n'est pas étonnant que ce roi, plus tard tellement adulé, entouré, flagorné, devînt en son fort intérieur un solitaire et un mélancolique.

Le 9 septembre offrit aux Parisiens le double sepctacle d'un cortège de gloire et d'un cortège de mort. Le petit Louis XV quitta Versailles, à deux heures de relevée. Le cortège, formé de cinq carrosses, avec une escorte de gardes du corps, de gendarmes royaux et de chevau-légers, arriva dans la capitale vers quatre heures. Il suivit le Cours jusqu'à la Porte Saint-Honoré, traversa Paris et ressortit par la porte Saint-Antoine en direction de Vincennes. Sur le parcours, il y avait une infinité de voitures et se pressait une foule compacte. Le peuple parisien criait de tout son cœur: «Vive le Roi!», en apercevant l'enfant assis entre la duchesse de Ventadour et le régent, et lui-même, ne sachant trop à qui s'adressaient les vivats, criait à tue-tête: «Vive le Roi!», comme avait fait son arrière-grand-père en pareille occasion. On le trouvait beau, mais un peu pâlot, et les cœurs féminins se prenaient de tendresse pour ce «nouveau Joas!». Il portait un justaucorps noir, avec le cordon bleu et la plaque du Saint-Esprit brodée en fils d'argent, un chapeau noir sans ornement. Un moment, il eut faim et le régent fit arrêter le carrosse derrière le jardin de l'hôtel de Conti. Pendant qu'il se restaurait:

– Sire, lui dit son oncle, voyez bien combien votre peuple de Paris vous aime et comme il prend plaisir à vous voir; il est bon que vous lui en sachiez gré, ainsi, saluez-le.

Le pauvret s'exécuta de bonne grâce, car, en dehors de ces moments de «mutinerie», c'était le plus charmant enfant...

Le même jour, à sept heures du soir, le cercueil de Louis XIV fut descendu de son lit de parade et placé sur le char funèbre qui attendait dans la cour de marbre. A huit heures, l'énorme convoi s'ébranla : pauvres de service tenant des flambeaux, officers et gens de livrée, carrosses des dignitaires de la Maison du roi, maîtres des cérémonies, mousquetaires noirs et gris en grande tenue, aumôniers, carrosses des princes, des ducs, des gentilshommes de la Chambre, du Grand Ecuyer, trompettes à cheval, gardes du corps avec leur capitaine... Le palais du Roi-Soleil se vidait; il allait, pendant des années, rester quasi désert, s'endormir dans le silence! Le convoi traversa le pont de Sèvres et le bois de Boulogne, puis se dirigea vers Saint-Denis. Des milliers de torches éclairaient les carrosses arrêtés de part et d'autre du chemin. Mathieu Marais dit que «le peuple regardait cela comme une fête et, plein de la joie d'avoir vu le Roi vivant, n'avait pas la douleur convenable». Pourtant nous sommes loin de la licence effrénée décrite par Duclos dans son histoire prétendument secrète, de la populace chantant, buvant, dansant et vomissant les injures les plus grossières, sur le passage du char funèbre, bref de la légende scandaleuse si complaisamment reprise par tant d'historiens! Mais ce qu'il y a d'exact, c'est que l'on fabriqua des chansons sur la mort de Louis XIV, des épitaphes humoristiques, les pamphlétaires se croyant assurés de l'impunité sous le nouveau régime. Les jours suivants, le lieutenant de police d'Argenson, outré de colère, vint trouver le régent. Il se déclara «scandalisé des discours qui se tenaient dans le public contre la mémoire du feu roi». Le régent voulut connaître ces discours, insista. D'Argenson finit par dire qu'on traitait le défunt de banqueroutier, de voleur, d'homme qui avait emporté le bien de ses sujets. Il proposa des arrestations.

– Vous n'y entendez rien, lui dit le régent; il faut payer les dettes du défunt et tous ces gens-là se tairont.

Le 12 septembre, le petit roi partit de Vincennes, en grand cortège, pour se rendre du Parlement et tenir le lit de justice tant attendu par son oncle. Quatre présidents à mortier et six conseillers vinrent l'accueillir à la Sainte-Chapelle et le conduisirent à la Grand-Chambre splendidement décorée de velours violet fleurdelisé à bandes pourpres, et garnie, selon un cérémonial aussi compliqué qu'inflexible, de robes rouges et d'habits d'apparat...

Mais pourquoi ne pas vous faire partager la joie que j'ai éprouvée à découvrir la relation de la marquise de Créquy, qui assistait à cette grandiose cérémonie? A des années de distance, la plume de cette grande dame frémit encore. Quel dommage que personne ne lise plus les sept volumes qui composent la chronique de sa vie [1].

«... Le jeune Monarque fut apporté par le Grand Ecuyer depuis son carrosse jusqu'à la porte de la grand-chambre du Parlement, où le duc de Tresmes, faisant l'office de Grand Chambellan, reçut le Roi dans ses bras et fut le porter sur son trône, au pied duquel était assise une de nos tantes, c'est-à-dire la duchesse douairière de Ventadour, gouvernante de S.M., personne admirablement bien appropriée pour la circonstance, en ce qu'elle était prodigieusement formaliste, étonnamment sérieuse, et parfaitement absolue de son naturel. Nous l'appelions la mère aux adverbes.

1. Voir notice biographique.

Le costume du Roi consistait dans une petite jaquette à pli
et à manches pendantes en drap violet; il était coiffé d'un sim
ple béguin de crêpe violet qui paraissait doublé de drap d'or
Il avait des lisières qui tombaient par-derrière jusqu'au bas d
sa robe. Mais ceci n'était que pour marquer son âge, car o
savait très bien qu'il marchait tout seul et qu'il aurait pu couri
comme un Basque. Je vous dirai que les lisières de S.M., qu
se croisaient sur ses épaules, étaient en drap d'or, au lieu d'êtr
en étoffe pareille à la robe; et je pense que Mme de Ventadou
avait calculé que des lisières devaient toujours paraître en hors
d'œuvre dans le costume d'un Roi. Son cordon bleu suspendai
la croix de Saint-Louis avec celle du Saint-Esprit, et ses beau
cheveux bruns, naturellement frisés, tombaient sur ses épaule
en boucles flottantes. Il était d'une beauté radieuse, et vou
pourrez savoir de tous ceux qui l'ont connu qu'on n'a jamai
pu le flatter dans ses portraits.

«Cet enfant royal avait commencé par écouter paisiblement
si ce n'est attentivement toutes les harangues et tous les dis
cours d'apparat, toutes les prestations de serment et tout ce qu
s'ensuivait; mais on s'aperçut qu'il tournait toujours la tête e
regardait continuellement du côté gauche, afin de considére
la figure du cardinal de Noailles, et sans avoir aucunement jet
les yeux sur toute cette foule de Présidents et de Conseillers e
robe rouge, qu'il ne connaissait pas plus que cet archevêque d
Paris. (Le Roi ne l'avait jamais vu, par suite de sa disgrâce
cause du formulaire). Cependant le vieux maréchal de Villero
se mit à lui faire (au petit roi) de petits signes avec sa gross
tête et ses gros yeux, pour qu'il eût à regarder soit d'un autr
côté soit en face de lui; mais S.M. n'en tint compte, et finit pa
s'en impatienter. – Laissez-moi donc! Laissez-moi! – Voil
les premières paroles que le Roi Louis XV ait proférées sur so
lit de justice. Ce n'était pas seulement la petite personne d
Roi qu'on y voyait; c'était notre grande loi fondamentale et l
haute maxime de l'hérédité monarchique!»

Ce que n'a pas vu ou compris Mme de Créquy, c'est qu
dans son trouble, cet enfant, de cinq ans avait oublié les deu
phrases qu'il devait prononcer pour ouvrir la séance. Il fallu
que le maréchal de Villeroy les lui chuchotât à l'oreille deux o
trois fois. Enfin le petit roi se décida à dire, fort gracieusement

– Messieurs, je viens vous assurer de mon affection; mo

chancelier vous dira le reste.

Le chancelier mit un genou en terre, selon le protocole, pour demander à ce roitelet l'autorisation de parler. Après quoi, il prononça son discours. Ce fut ensuite le tour du Premier président; puis de l'avocat général. Tout ceci n'était que formalités, mais l'époque aimait ces grandes mises en scène, ces nobles envolées et leurs périodes fleuries. Au bout d'une grande heure, on libéra l'enfant. Son oncle, enfin proclamé régent du royaume, exultait. Moins cependant que le peuple de Paris qui s'étouffait pour apercevoir son petit roi et criait son amour. C'était vraiment le nouveau Joas, le tendre orphelin chanté par Racine dans son *Athalie*, unique rejeton de tant de rois illustres, plus encore orphelin béni par tout un peuple. Louis XV LE BIEN-AIME. Il n'était pas jusqu'à ses bêtises puériles, jusqu'à ses espiègleries, sur lesquelles ces braves gens de Parisiens ne s'attendrissent. Sa vie semblait à tous le bien le plus précieux, la promesse d'une irremplaçable espérance!

III

LA POLYSYNODIE

Le régent était alors dans la force de l'âge: il avait quarante et un ans. Bien qu'assez courtaud, il passait pour bel homme. Le visage cuivré, sinon rougeaud (en raison de ses excès de table), un regard exceptionnellement vif et intelligent, il plaisait aux femmes, au grand étonnement de sa Palatine de mère. Fort cultivé, également épris des arts et des sciences, il était bon connaisseur en musique et en peinture, et il avait quelque peu étudié la chimie: que l'on confondait encore avec l'alchimie, d'où les accusations d'empoisonnement dont il avait été l'objet lors de la mort du second dauphin, de la dauphine, et du petit duc de Bretagne. Il peignait et dessinait assez bien: on a de lui des illustrations pour «Daphnis et Chloé» qui attestent son habileté, particulièrement dans le dessin des mains. A vrai dire, il était de ces natures surabondantes qui s'essaient à tout sans exceller en rien. Cependant son talent majeur était celui de soldat, fidèle en cela à la race des Bourbons. Il joignait au courage physique de réels talents de général. La campagne d'Italie qu'il avait conduite dans des circonstances tragiques, sa victorieuse campagne d'Espagne et surtout la prise de Lérida, où, jadis, le Grand Condé lui-même s'était cassé les dents, prouvaient assez ses capacités, mais portaient ombrage au Roi-Soleil. Suspecté d'avoir voulu détrôner le roi d'Espagne, surnommé «fanfaron de crime» en raison de ses collusions avec les libertins et de sa haine de Versailles, il n'avait plus été qu'un viveur et ç'avait été presque malgré lui qu'il était devenu le symbole de l'opposition au régime de Louis XIV, et qu'il incarnait le glissement de la société vers les plaisirs. Certes, on ne pouvait lui refuser des excuses à chercher au-dehors un dérivatif de son amertume. Louis XIV l'avait marié quasi de force à Mlle de Blois, fille légitimée de la Montespan. Le Roi-Soleil avait abusé de son autorité sur son frère, passé outre aux véhémences de la Palatine, extorqué l'acquiescement du jeune Philippe. Mlle de Blois était si fière d'avoir eu le roi pour auteur que sa bâtardise ne l'empêchait point de mépriser le petit Orléans. Elle lui avait pourtant donné un fils et six filles, mais de mauvais gré! Parmi celles-ci, le régent préférait Marie-Louise, mariée en 1695 au duc de Berry, troisième fils du Grand dauphin, veuve depuis 1714, s'adonnant à tous les vices et menant une vie scandaleuse. L'espèce de solitude morale du régent trouvait dans une perpétuelle fuite en avant, dans une quête angoissée de toute nouveauté, mais aussi dans la compagnie ordinaire des «roués», la fréquentation des dames légères et les orgies nocturnes du Palais-Royal, une fallacieuse compensation. Il y usait prématurément sa robustesse native; son esprit vigoureux s'y dégradait. Initialement, ses facultés intellectuelles lui eussent permis d'égaler Mazarin, peut-être de le dépasser, puisqu'il joignait les talents diplomatiques aux militaires. Mais Mazarin n'était point anémié par la débauche, et plus encore, il avait une vraie pensée politique, une ligne tracée d'un trait net, dont il ne s'écartait jamais; il assumait à plein l'héritage de Richelieu. Tandis que le régent haïssait, moins par principe que par tempérament, moins par réflexion que par humeur, l'héritage de Louis XIV. Prenant, quasi sur tous les plans le contrepied du vieux roi, il assumait une vengeance personnelle, tout en croyant assainir le régime, bien servir le jeune Louis XV et faire le bonheur du peuple. Non pas qu'il n'essayât de faire ce bonheur, en toute bonne foi, mais avec tant de maladresse voire d'incohérence qu'il ne pouvait qu'aboutir à l'effet contraire. L'histoire de la régence peut se comparer en effet au mouvement du pendule. Point de sagesse politique dans ces passages incessants d'un extrême à l'autre, mais seulement une improvisation hâtive, le pire des systèmes de gouvernement, encore aggravé par le désir de plaire à tout le monde et par la démagogie qui en résulte. Les finances étant mauvaises, le régent crut éblouir l'opinion en prenant des mesures spectaculaires, mais ne traduisant en réalité que des économies minimes: l'abandon de Versailles, palais exécré, la remise en culture de tous les terrains au-delà du Grand-Canal, le congédiement de nombreux serviteurs, la réduction de la Maison civile et militaire et la libération de quelques jansénistes détenus à la Bastille. Peut-être eût-il pris des mesures d'amnistie en faveur des protestants, mais, en dépit des interventions de sa mère (luthérienne convertie au catholicisme lors de son mariage avec Monsieur), il préféra s'abstenir, car la masse de la population leur restait hostile, les jugeant hérétiques!

Ce n'était là que les préliminaires. Il s'agissait désormais de créer un gouvernement, en prenant comme assise la décision du Parlement. Mais, pour arriver à ses fins, le régent avait dû acheter trop de complaisances, consentir trop de promesses, s'acquérir trop d'amis récents et qui s'ajoutaient aux premiers fidèles: Saint-Simon et ses pareils, mais aussi les compagnons des soupers nocturnes! La Palatine avait raison d'écrire: «Mon fils a autant d'ennemis que d'amis, et je crains que le nombre de ses ennemis n'aille en augmentation avec le temps». Bien qu'elle refusât de se mêler de politique, elle analysait fort correctement la situation inconfortable de son fils: «Ah! ma chère Louise, vous ne connaissez pas ce pays; on porte mon fils aux nues, mais c'est dans le but d'en tirer avantage chacun à son profit; cinquante personnes veulent le même emploi, et comme on ne peut le donner qu'à un, on se trouve faire quarante-neuf mécontents qui deviennent des ennemis acharnés. Mon fils travaille tellement depuis six heures du matin jusqu'à minuit, que je crains que sa santé n'en souffre fort.» (Lettre du 24 septembre 1715). Elle se plaignait de ne plus le voir qu'une fois par jour et pendant une demi-heure ! Il n'empêche que ce furieux de Saint-Simon affirmait, dans le même temps : «Il n'y eut jamais chez le duc d'Orléans, ni plume, ni encre, ni papier!». Le 27 septembre, la Palatine: «J'ai peur que l'excès de travail ne rende mon fils malade, car il ne pourra soutenir une occupation aussi prolongée. J'IGNORE S'IL DEVIENDRA ROI, c'est le secret de Dieu, mais le deviendrait-il, il ne pourrait faire que ce que lui suggérerait son conseil de conscience sur lequel, comme vous le pensez bien, je n'aurai aucune influence...»

La phrase soulignée est riche de signification. En cas de disparition de l'enfant-roi, il s'agissait en effet pour le régent de s'assurer la succession du trône. Pour cela, il ne suffisait pas d'avoir éliminé le duc du Maine. D'une certaine manière ce dernier, de même que son frère le comte de Toulouse, pouvait prétendre à l'héritage. Il convenait donc que le régent garantît ses arrières: le seul appui sur lequel il pouvait compter à l'extérieur était le roi d'Angleterre, George Ier, prince de Hanovre, lequel, vis-à-vis des Stuarts, souverains dépossédés mais légitimes, se trouvait dans une situation presque identique. Au contraire, Philippe V d'Espagne, s'il avait solennellement renoncé à ses droits à la couronne de France, pouvait, en cas de mort de Louis XV, reconsidérer sa position, voire soutenir les prétentions du duc du Maine, pour faire pièce au régent. Il y avait donc un jeu diplomatique de grande subtilité à conduire.

Sur le plan religieux, le conflit de la bulle Unigenitus restait aigu; il convenait de mettre fin à des disputes et des intrigues, dont le seul résultat était d'affaiblir la foi populaire.

Mais le problème le plus urgent et le plus angoissant, restait celui des finances. Les guerres, les constructions, le train de vie du Roi-Soleil avaient sans cesse accru l'énorme dette de l'Etat: il fallait, pour rendre confiance aux épargnants, commencer du moins à la résorber et dans le même temps, diminuer les impôts pour satisfaire le peuple. Les caisses étaient vides et les revenus d'au moins deux années dépensés à l'avance.

Il tombait sous le sens qu'il fallait assembler sans retard une équipe de techniciens expérimentés et résolus à servir l'Etat. Que fit le régent? Il claironna sa décision de supprimer les secrétaires d'Etat nommés par le défunt monarque, afin de plaire à ses amis de la haute noblesse, et de créer les fameux Conseils annoncés au Parlement. Le motif de l'éviction des secrétaires d'Etat? On le trouve clairement énoncé dans cette confidence de Saint-Simon:

«Mon dessein fut de commencer à mettre la noblesse dans le ministère, avec la dignité et l'autorité qui lui convenaient, aux dépens de la robe et de la plume et de conduire sagement les choses par degrés et selon les occurrences, pour que peu à peu cette roture perdît toutes les administratifs qui ne sont pas de pure judicature... pour soumettre tout à la noblesse en toute espèce d'administration. L'embarras fut l'ignorance, la légèreté, l'inapplication de cette noblesse accoutumée à n'être bonne à rien qu'à se faire tuer...»

Bref, ce que voulaient Saint-Simon et ses pairs, ce n'était

rien moins que de «dépouiller les secrétaires d'État de toutes les plumes étrangères que ces oiseaux de proie ont arrachées à tous et partout, et de ne leur laisser que leur naturel plumage». Tels étaient les conseils dont le régent se trouva du jour au lendemain submergé. Il y céda, parce que, dans une certaine mesure, il partageait le mépris et les haines du parti des ducs. D'un trait de plume, il anéantit les secrétaires d'Etat, tout en les agrégeant au conseil de régence, mais sans voix délibérative. Toutefois, comme il n'avait pas une once de méchanceté, il les désintéressa royalement. Peut-être, car c'était surtout une âme incertaine, regrettait-il déjà de s'être laissé entraîner par ses amis; comprenait-il qu'en sacrifiant les secrétaires d'État il accomplissait une sorte de contre-révolution? Quoi qu'il en soit, seul le contrôleur général Desmarets fut congédié sans ménagements, victime de la vindicte des ducs; le servile La Vrillière fut épargné, mais à condition de n'être plus que le greffier du Conseil, ce qu'il accepta en attendant des jours meilleurs.

Dès lors, qui dépouillerait le courrier, les rapports? Qui préparerait les dossiers pour le conseil de régence? Sept conseils d'une dizaine de membres, dont le choix et la nomination furent un enfer pour le régent tant fut grand le nombre des solliciteurs, tant furent vives et menaçantes les intrigues qu'ils suscitèrent!

Le conseil de conscience connaissait de toutes les affaires religieuses, qu'il s'agît de l'administration des biens de l'Eglise ou des querelles théologiques. Ce fut le cardinal de Noailles qui en eut la présidence, avec pour principaux collaborateurs d'Aguesseau (dont on se souvint qu'il avait tenu tête à Louis XIV exigeant l'enregistrement de la bulle Unigenitus) et Pucelle, conseiller-clerc au Parlement. Les jansénistes comme les libertins ne cachèrent pas leur joie. La faction jésuite trembla, d'autant que Noailles détenait la feuille des bénéfices.

Le conseil des affaires étrangères fut présidé par le maréchal d'Huxelles, avec Cheverny et, surtout, Pecquet, le meilleur commis de Colbert de Torcy.

Le conseil de la guerre s'occupait de toutes les questions militaires (fortifications, munitions, armement, habillement, approvisionnement, solde, comptabilité), mais aussi des «provisions» des maréchaux et généraux, et de l'avancement des officiers. Le président en fut le maréchal de Villars. Le comte de Toulouse, en raison de ses capacités, présida le conseil de la marine.

Le conseil du dedans connaissait de toutes les affaires contentieuses et administratives des provinces. Le président en fut le duc d'Antin, flanqué de plusieurs maîtres des requêtes et conseillers du Parlement.

Le conseil de finance avait fort à faire. Son institution impliquant la suppression du contrôleur général et celle de treize intendants. Se réservant la charge d'ordonnateur (ce qui revenait à imiter Louis XIV lors de sa prise de pouvoir en 1661!), le régent offrit la présidence à son ami Saint-Simon qui se récusa: le grand écrivain était un piètre politique et ses talents d'administrateur ne valaient pas une guigne! Le président fut donc le duc de Noailles, dont le même Saint-Simon trace ce portrait fraternel: «Le serpent qui tenta Eve, qui renversa Adam par elle et qui perdit le genre humain est l'original dont le duc de Noailles est la copie la plus exacte, la plus fidèle, la plus parfaite, autant qu'un homme peut approcher d'un esprit de ce premier ordre, et du chef de tous les anges précipités du ciel.» Il va sans dire que le Parlement était largement représenté: trois présidents, deux conseillers et trois maîtres des requêtes.

Enfin le conseil du commerce – que l'on avait d'abord oublié! – eut la haute main sur toute le trafic par terre et par mer et sur l'industrie naissante. Il fut présidé par le duc de La Force, et l'on verra ce qu'il en advint.

Comment cette lourde machine fonctionnait-elle? Après avoir délibéré sur chaque question et adopté un avis à la pluralité des voix, chacun des conseils particuliers déléguait son président auprès du conseil de la régence. Les présidents faisaient leur rapport; ils avaient voix délibérative. Le régent conservait la faculté de convoquer plusieurs présidents sur une même affaire, au besoin plusieurs conseillers.

En instaurant un système de gouvernement collégial, le régent avait cru se justifier en rappelant que tel avait été le plan conçu naguère par feu le duc de Bourgogne, père de Louis XV et que tel était par ailleurs le mode de gouvernement de l'Espagne: ce qui n'était pas une référence bien fameuse! Mais il espérait que les affaires se régleraient de la sorte «plutôt par un concert unanime que par la voie de l'autorité». Connaissant assez bien la mentalité des grands seigneurs, dont il avait peuplé les conseils particuliers, pour ne point faire fond sur leur application, il avait cru compenser leurs insuffisances en leur adjoignant, pêle même, des juristes du Parlement. Mais c'était par là même attiser la discorde, les ducs haïssant la noblesse de robe issue de la roture, et ceux-ci enviant les nobles de vieille roche. Les amis personnels du régent, ces roués pervers et frondeurs, ajoutaient à la confusion par leur esprit destructeur. Les pamphlets couvrirent les murs de Paris. On plaisantait le régent de s'être donné soixante-dix ministres. Et de fait, ayant voulu substituer à l'absolutisme une république patricienne, il aboutissait à l'anarchie. De misérables querelles de préséance divisaient les conseils et paralysaient les travaux des juristes. Mais tout ce monde grassement payé crevait d'orgueil. Une petite chanson courait alors les rues de Paris:

> *Je respecte la Régence;*
> *Mais, dans mon petit cerviau,*
> *Je m'imagine la France*
> *Sous l'emblême d'un tonneau.*
> *De cette pauvre futaille*
> *Le Régent tire sans fin,*
> *Tandis qu'au fausset Noaille*
> *Escamote un pot de vin...*

IV

LA CHAMBRE DE JUSTICE

Il est difficile, sinon impossible, d'évaluer avec un minimum d'exactitude la dette de l'Etat en 1715. Elle dépassait largement deux milliards de livres; certains la situent autour de trois milliards. Toutefois, pour se faire une opinion tant soit peu objective, il faudrait pouvoir traduire cette somme en argent actuel, c'est-à-dire déterminer, non son équivalence nominale, mais le pouvoir d'achat qu'elle représente en francs actuels! Quoi qu'il en soit, le régent se trouvait confronté à une situation très grave et d'une extrême complexité. Pas plus que Louis XIV, il ne paraît avoir eu de connaissances réelles en matière de finances. On ne pouvait donc attendre de son gouvernement que des expédients. Il y avait longtemps que le grand Colbert lui-même avait dû renoncer à sa politique d'équilibre entre les recettes et les dépenses, créer une infinité de charges inutiles et finalement, revenir aux méthodes de son ancien rival Nicolas Foucquet, qui étaient de recourir aux traitants et aux banquiers. Plus la situation financière s'aggravait et plus ces derniers montraient d'exigences, réalisant des bénéfices scandaleux aux dépens de l'Etat. Il faut pourtant reconnaître que certains d'entre eux, aux heures les plus noires, avaient tout de même sauvé la situation et pris des risques énormes. Mais la plupart s'étaient paisiblement et outrageusement enrichis, achetant ou faisant bâtir des châteaux et des hôtels somptueux, de vastes et fructueux domaines et, par surcroît, se parant de titres mirifiques payés avec l'argent des contribuables. Il en était de même des fermiers généraux et de quantité d'«officiers» chargés des finances publiques. Le peuple détestait, comme il est normal, ces parvenus. D'un autre côté, devant cette profusion de billets douteux, d'assignations de complaisance, d'arrérages et des rentes impayés, que pouvait faire le régent? Le plus simple lui parut de jeter les gens d'affaires en pâture à l'opinion, de les exposer en proie. Il n'empêche que, pour réunir les premiers fonds et permettre à la machine gouvernementale de tourner, il fallut bien accepter l'aide de l'un d'entre eux. Un riche négociant, nommé Crozat, accepta de prêter un million en barres d'argent et de s'engager pour deux autres millions. Le régent respira et put étudier à loisir les projets qu'on lui soumettait pour apurer la situation et alimenter le trésor. L'un de ses conseillers intimes, et non le moindre (puisqu'il s'agissait de son ami Saint-Simon!) suggérait un remède fort efficace selon lui: la banqueroute! Il croyait par là ruiner, non seulement les nouveaux riches, mais les robins et les roturiers de tout poil, ce qui n'eût pas manqué de provoquer une révolution. Mais le régent se refusait à ruiner par surcroît une multitude des petits rentiers, dont il savait bien qu'ils n'avaient point profité des difficultés du trésor. Par contre, il retint les suggestions du duc de Noailles, lequel affirmait qu'en faisant rendre gorge aux hommes d'affaires on assainirait les finances de l'Etat. Le 7 mars 1716, le conseil de régence approuva unanimement l'édit portant création d'une Chambre de Justice, édit que le régent signa le 14 au nom du petit roi, et surtout... au nom du peuple tout entier, comme en atteste le préambule. Car l'édit n'était point présenté comme une initiative émanant du gouvernement, mais comme un acte de justice instamment demandé par le public «contre les traitants et gens d'affaires, leurs commis et préposés qui, par leurs exactions, ont forcé nos sujets à payer beaucoup au-delà des sommes que la nécessité des temps avait contraint de leur demander: aux officiers comptables, munitionnaires et autres, qui ont détourné la plus grande partie des deniers qui devaient être portés au Trésor royal, ou qui en avaient été tiré pour être employés suivant leur destination... et à une autre espèce de gens, auparavant inconnus [1], qui ont exercé des usures énormes en faisant commerce des assignations, billets et inscriptions des trésoriers, receveurs et fermiers généraux. Les fortunes immenses

1. L'assertion est fausse: le trafic des assignations était d'usage courant au temps de Foucquet!

et précipitées de ceux qui se sont enrichis par ces voies criminelles, l'excès de leur luxe et de leur faste qui semble insulter à la misère de la plupart de nos autres sujets, sont déjà, par avance, une preuve manifeste de leurs malversations... Les richesses qu'ils possèdent sont les dépouilles de nos provinces, la substance de nos peuples et le patrimoine de l'Etat... Les restitutions qui seront ordonnées à notre profit serviront uniquement à acquitter les dettes légitimes de notre royaume, et nous mettront en état de supprimer bientôt les nouvelles impositions, de rouvrir à nos peuples les plus riches sources de l'abondance par le rétablissement du commerce et de l'agriculture, et de les faire jouir de tous les bienfaits de la paix...»

Cette déclaration s'assortissait d'un appel général à la délation. Peu confiant (et pour cause!) dans le zèle des baillis, sénéchaux, lieutenants de bailliage et juges divers, normalement chargés d'appliquer cet édit «révolutionnaire», le régent invitait toutes les personnes qui auraient des plaintes à formuler à se présenter à la Chambre de Justice, en leur garantissant protection pleine et entière, outre le cinquième des amendes et le dixième des sommes qui auraient été cachées. Il fallait entendre par «amende» la confiscation totale des biens réputés acquis illégitimement. Le Comité de Salut Public n'eût pas mieux fait! Qui était visé par l'édit? Ni les nobles, ni les parlementaires, malgré certains placement indirects et combien fructueux! Mais «les officiers des finances, officiers, comptables, trésoriers, traitants, sous-traitants et gens d'affaires, leurs associés, croupiers et autres participants, leurs receveurs, caissiers, commis-préposés et autres qui ont vaqué et travaillé tant en la perception et régie de nos droits et des deniers de nos recettes, qu'autres levées ordinaires, traités, sous-traités, entreprises et marchés, pour fournitures de vivre aux troupes et hôpitaux, étapes, fourrages, artillerie, munitions de guerre et de bouche aux villes et armées de terre et de mer, circonstances et dépendances; et contre toute autre personne de quelque condition et qualité qu'elles puissent être, pour raison de péculat, concussions, exactions, malversations et abus commis tant dans les recouvrements, perception et maniement, que dans l'emploi et distribution des deniers publics, soit par supposition de noms, compositions, dons, prêts, achats, voyages, ports, voitures de deniers, pertes supposées, etc... etc... et généralement tous crimes, délits et abus commis au préjudice de nos finances depuis le 1ᵉʳ janvier 1689…» On le voit, la violation du principe de non-rétroactivité des lois, fondement même de notre droit, ne date point d'hier! De plus le champ d'application de l'édit ouvrait aux délateurs et à Chambre de Justice des perspectives quasi illimitées et, de ce fait, autorisait tous les abus, sans exclure les accommodements, c'est-à-dire les pots de vin. Cependant les prévisions du régent ne furent pas déçues: l'opinion, entretenue par les «média» de l'époque, se passionna et, comme il est de règle, applaudit à la chute des plus riches financiers, plus encore à leur arrestation. Sans doute nombre d'inculpés étaient-ils réellement et gravement coupables: encore fallait- il replacer leurs malversations dans leur contexte exact et n'étaient-ils, tout bien pesé, que les profiteurs d'un système vicié! Dans bien des cas, ces nouveaux riches se révélaient moins fortunés qu'on ne le supposait. Néanmoins l'opinion se réjouit du bon tour que le régent venait de jouer aux maltôtiers en les assignant à résidence, afin d'empêcher leur fuite à l'étranger. La Chambre de Justice, présidée par le sévère Lamoignon, se lança impétueusement à l'assaut des fortunes mal acquises. Les arrestations, les scellés, les saisies, les interrogatoires, les dénonciations, les condamnations impitoyables, se succédèrent à une cadence impressionnante. Malheureusement, la Chambre de Justice, pure et dure, approuvée par le régent, encouragée par le public et stimulée, s'il en était besoin, par la presse, abusa peu à peu de son pouvoir discrétionnaire, lequel, chemin faisant, déboucha sur un arbitraire insupportable. Mais la Chambre émerveilla les éternels gogos par ses débuts fracassants. La ruine du célèbre Bourvalais provoqua une véritable explosion de joie. Bourvalais était fils de ses œuvres, c'est le moins que l'on puisse dire! Ayant débuté comme laquais, il devint huissier, puis piqueur à la construction du pont Royal, puis traitant et agioteur. Richissime, il eut le tort d'étaler sa trop fraîche splendeur. On l'accusait d'avoir exporté illicitement 19 millions pour se garantir du lendemain. On répandait qu'il avait déclaré au régent que les financiers (dont lui-même) restitueraient volontiers cent millions à l'Etat. La Chambre de justice se jeta sur lui comme la buse sur une perdrix : on saisit son hôtel de la place Vendôme (qui devint le ministère des Finances), son château de Champs, ses meubles, son argenterie, ses écuries; ensuite on l'arrêta afin d'instruire plus commodément son procès au criminel, cependant que l'on accordait, par charité, six francs par jour à sa femme pour survivre! On procéda de même à l'encontre des financiers les plus en vue: Miotte, Lenormand d'Etioles, Thévenot, et quelques autres, tous plus ou moins coupables, mais également offerts à la vindicte populaire, procédé commode, d'ailleurs vieux comme le monde!

Quand on consulte les rôles «contenant les taxes des gens d'affaires» soigneusement recopiés par le bibliothécaire Buvat, on est frappé par la disparité des amendes infligées et des personnes sanctionnées, et l'on a l'impression d'un travail bâclé, désordonné, pour tout dire suspect. Les gros financiers, tels que Menou, se mêlent à de petits receveurs des tailles, les agioteurs connus pour leurs méfaits à des petits entrepreneurs et à d'insignifiants «officiers». Il est évident que la Chambre n'avait point de programme arrêté, ni de calendrier élaboré, mais qu'elle frappait au hasard, au gré de sa fantaisie et des délations, quand il ne s'agissait pas de simples règlements de comptes de la part de certains de ses membres peu scrupuleux sur les moyens. Toutefois, pour que le lecteur puisse se faire une opinion personnelle, voici les chiffres globaux relevés par Buvat. Le premier rôle, intéressant une cinquantaine de personnes, représentant une somme totale d'environ dix-sept millions de livres. Le second rôle, treize millions et demi. Le troisième, vingt-quatre millions. Le quatrième, presque trente millions. Le cinquième, huit millions et demi. Le sixième, treize millions et demi. Le septième, dix-huit millions et le huitième, trente et un millions.

La mesure s'étendit aux provinces. Les intendants furent invités, sans ménagements, à secouer la torpeur des sénéchaux et des baillis, et à encourager la délation. Du coup, l'opinion s'ébroua ou, si l'on préfère, commença à se ressaisir, et d'autant que, trop souvent, c'était le petit gibier que l'on traquait. Cependant, tout ce qui détenait une charge touchant de près ou de loin aux finances publiques, tout ce qui tenait commerce, tout ce qui avait vendu des fournitures à l'Etat, cédait à la panique. Car on ne se contentait pas d'infliger de ruineuses amendes avec plus ou moins de discernement et d'équité, mais les juridictions pénales, prenant la relève, prononcèrent des condamnations à mort, expédiaient les fautifs aux galères ou en prison. Agissant de la sorte, le gouvernement mettait au ban de la société ses éléments les plus actifs et les plus dynamiques. Certes, il récupérait de l'argent mal acquis et châtiait de vrais criminels, mais en frappant au hasard, en répandant une sorte de terreur dans le milieu des affaires, il assouvissait en réalité la vengeance des ducs envers la roture. Se disant libéral et se flattant de plaire au peuple, le régent travaillait, inconsciemment peut-être, à isoler la monarchie de ce même peuple qui n'avait cessé d'être son meilleur soutien aux heures difficiles. Pis encore: à dresser contre le régime cette bourgeoisie montante, impatiente de jouer un rôle dans l'Etat, rôle que Louis XIV avait commencé de lui reconnaître en choisissant des ministres tels que Le Tellier ou Colbert. Le vieux monarque réputé absolu avait parfaitement discerné que la valeur, le sérieux, l'application et la fidélité se rencontraient dans ces familles laborieuses, et non chez les ducs. De même avait-il su choisir des généraux qui n'étaient pas tous courtisans, mais appartenaient à cette menue hobereautaille de province, inépuisable pépinière de bons soldats.

Mais, sous le masque du démagogue, le régent n'était qu'un réactionnaire entêté à prendre systématiquement le contrepied du feu roi. Il osait prétendre que le produit des amendes lui permettrait de supprimer la capitation et le dixième à partir de 1717, preuve éclatante que la Chambre de Justice œuvrait pour soulager le peuple! Les «experts» du conseil des finances escomptaient que la mesure procurerait un minimum de trois cent cinquante millions de livres. Ceux qui avaient quelques notions d'arthmétique comprenaient déjà que cette somme était sans proportion avec la dette de l'Etat et ne permettait certes pas de diminuer sensiblement les impôts. Le régent avait promis que l'édit rouvrirait au peuple «les riches sources de l'abondance». Il obtint le résultat inverse, comme il était aisé de le prévoir: disette accrue des espèces, gel des transactions commerciales, retrait des capitaux dans les entreprises, perte totale de la confiance dans l'Etat et, par voie de conséquences, mécontentement général. Par surcroît, devant les abus et les excès de la Chambre de Justice, voire ses violations du droit, la Chambre des Comptes, les parlements de Paris et des provinces entrèrent en lice. Le droit de remontrance que le régent leur avait si imprudemment restitué, il en aperçut alors le danger, en subit les effets redoutables! Le temps était dépassé où la populace parisienne et les harangères de la halle hurlaient, sur le passage des condamnés: «A mort! Qu'on le roue, qu'on le pende, ce fripon, ce faussaire, ce voleur du peuple!» Désormais, l'on murmurait, et l'on publiait même, que ces messieurs de la Chambre de justice coûtaient bien cher pour de maigres profits et que les amendes enrichissaient surtout les amis du régent! On se prit à dire que les puissants étaient, comme toujours épargnés, tandis que les faibles étaient punis avec la dernière rigueur. On citait le cas d'honnêtes fonctionnaires condamnés à verser des amendes qui excédaient leur gain, de fort loin, parce qu'ils avaient déplu et servaient de boucs émissaires. Un édit de 1717 supprima la Chambre de Justice. Mais le coup était porté: trop de scandales avaient été révélés, trop d'iniquités commises. La simple morale s'en trouvait doublement, et durablement, froissée. Quant à la bourgeoisie, elle n'oublierait jamais l'humiliation que les ducs lui avaient infligée.

V

LAW ET SON SYSTÈME

Le duc de Noailles ne manquait ni d'intelligence ni d'application. Tout au contraire, parmi les présidents des conseils spécialisés, il se distinguait par une activité exemplaire et, même, exceptionnelle. Mais il péchait par excès d'imagination; il avait trop d'idées et trop peu d'expérience, en sorte que les mesures qu'il préconisait paraissaient à la fois contradictoires et désordonnées. Il avait pris comme modèles Sully et Colbert, sage résolution, mais par une sorte de circulaire (en forme d'arrêt), il sollicita «les vues» de tout citoyen, ce qui était pure extravagance. En contrepartie, il manifestait une défiance sourcilleuse envers les techniciens. On doit cependant reconnaître que tout n'était pas négatif dans son action. S'il altéra le cours de la monnaie pour faciliter les échanges commerciaux, il fit un réel effort pour diminuer la taille et en améliorer l'assiette. Il parvint à supprimer, partiellement, le dixième (qui était un impôt de guerre, réputé temporaire lors de sa création). Il diminua les effectifs militaires, abolit quantité de charges dispendieuses et inutiles. Il s'intéressa au commerce extérieur, modifia les tarifs douaniers, s'efforça, par les prohibitions habituelles, de protéger l'industrie nationale. Il tenta également d'accroître le commerce colonial. Pour autant les affaires stagnaient et les économies réalisées n'étaient qu'une goutte d'eau dans le gouffre du déficit.

Le régent était l'homme des grandes mesures, surtout des mesures spectaclaires! Il aurait voulu tout réformer à la fois, assainir promptement les finances, rendre le royaume florissant et donner au peuple les félicités promises! Sans méconnaître les mérites de Noailles, il s'impatientait de ses tâtonnements. Il voulait du neuf, et tout de suite.

Ce fut alors que, pour le malheur de la France, Law entra en scène. Il réunissait toutes les qualités propres à séduire le régent. Grand, bien fait de sa personne, d'un visage agréable, plein de distinction dans ses manières, de politesse et d'esprit dans sa conversation, brillant comme on savait l'être au XVIIIe siècle, il séduisait d'ailleurs tout un chacun, sans oublier les dames. Paris s'engoua de ce bel Ecossais, débarqué de son île avec seize cent mille livres et de mirifiques projets. Il était fils d'un orfèvre d'Edimbourg, fort riche. Il avait parcouru l'Europe, mené une existence aventureuse, partagé entre la galanterie et le jeu, rencontré de grands personnages, mais aussi étudié minutieusement le mécanisme des grandes banques de Londres et d'Amsterdam. Il avait spéculé avec un rare bonheur. Fourmillant d'idées neuves et audacieuses, avide de jouer un rôle à sa mesure, il avait rédigé des plans visant à redresser le crédit de plusieurs Etats. Pourtant, malgré sa faconde et la force de son raisonnement, le duc de Savoie comme l'Empereur l'avaient éconduit. L'Angleterre n'ayant pas besoin de ses services, il lui restait la France pour exercer ses talents. Elle souffrait d'une grande pénurie monétaire, de même que la plupart des pays d'Europe. Law savait aussi qu'elle tombait aisément amoureuse des étrangers, si peu qu'ils eussent d'orginalité, car elle avait quasi toujours douté du génie de ses fils. Il y était pourtant suspect: naguère, il s'était fait remarquer par la police d'Argenson pour sa chance insolente dans les tripots; on l'avait promptement expulsé du royaume. Mais la «tyrannie» prenait fin, il était revenu en 1715. Le régent l'avait reçu bien volontiers, et, insatiable de nouveautés, l'avait écouté. Les idées de Law (on prononçait Lass) étaient claires et saisissantes. Il comparait la monnaie au sang qui circule dans les artères et les veines d'un corps humain. Si la circulation était trop lente, le corps s'ankylose et vieillit. Que l'on imprime au contraire un mouvement plus vif à la circulation et le corps recouvre rapidement sa jeunesse. Que proposait Law? L'établissement d'une banque habilitée par le gouvernement à stocker la monnaie métallique et à émettre, en contrepartie, le papier-monnaie. Il lui paraissait sans inconvénient d'accroître les émissions du papier-monnaie, ce qui faciliterait les échanges commerciaux.

La même banque pourrait assurer le développement du commerce colonial par la création de «compagnies». Elle pourrait aussi, devenant banque d'Etat, se charger de la perception de l'impôt, ce qui supprimerait une nuée de fonctionnaires et éviterait le recours aux traitants, d'où sécurité des contribuables et gain énorme pour le Trésor.

La hardiesse de ce plan ne déconcerta nullement le régent! Il en vit les profits et les facilités, mais n'en mesura point les risques. Noailles se montra moins optimiste. Saint-Simon et ses amis ne comprenant rien à ces notions toutes nouvelles de crédit, de commerce, d'encaisse métallique et de papier-monnaie, partagèrent ses préventions. Finalement Law n'obtint que l'autorisation de fonder une banque particulière sous le nom de «Banque d'escompte et de circulation» avec un capital de six millions répartis en actions de cinq mille livres. Le régent fut le premier à souscrire! La banque avait la possibilité d'émettre des billets nominalement égaux au capital et immédiatement convertibles, mais il lui était interdit de s'intéresser au commerce et d'émettre des emprunts.

Le privilège accordé à Law datait du 2 mai 1716. Mais le succès de la banque fut si rapide, les billets qu'elle émettait furent si recherchés qu'en 1717 le régent décréta qu'ils seraient acceptés par le Trésor. Cette mesure accrut encore la confiance des souscripteurs, d'autant que les actionnaires venaient de percevoir de confortables dividendes.

Dès lors, il faut aisé à Law d'obtenir l'autorisation d'étendre ses activités au commerce extérieur. Les compagnies coloniales périclitaient, y compris celle de la Louisiane. Law fonda la Compagnie du Nord. D'un capital de cent millions réparti en actions de cinq cents livres (payables en billets d'Etat pour les trois quarts), la compagnie recevait pour vingt-cinq ans le monopole du commerce avec le Canada et l'Amérique du Nord. Hommes d'affaires, petits épargnants et menus rentiers se disputèrent les actions. Gain de l'opération pour l'Etat: le retrait immédiat de soixante-quinze millions de billets impayés! Le Régent s'empressa d'édicter que les actions de la compagnie seraient acceptées par le Trésor, au même titre que les actions de la Banque.

C'était en vain que Noailles et sa coterie multipliaient les obstacles. Rien ne semblait pouvoir arrêter l'ascension de Law.

Dans le même temps, les travaux du conseil des finances n'aboutissaient à rien, ou presque rien. Les impôts quoique diminués, rentraient toujours aussi mal. Faute d'argent, les troupes, que le régent avait le plus grand intérêt à ménager, ne touchaient pas leur solde ; les arsenaux, les vaisseaux eux-mêmes, n'étaient plus entretenus. Quant aux parlements, leur coopération se bornait à susciter toujours plus de difficultés, au nom de leur droit de remontrances. Au début de 1718, le régent démit de leurs fonctions Noailles et d'Aguesseau et confia au lieutenant de police d'Argenson la double charge de chancelier et de président du conseil des finances. Il pouvait tabler sur sa vigilance et son honnêteté, sur son dévouement aussi, car d'Argenson était de l'ancienne école, celle de Louis XIV ! Cette promotion annonçait un changement de politique, un retour à la manière forte, d'ailleurs souhaitée par l'opinion. On vit bientôt le régent oublier ses déclarations démagogiques et faire de la réaction comme il avait fait du libéralisme. La même année, il supprima les conseils, pour inefficience et reprit des secrétaires d'Etat...

Mais revenons à Law. Il réussissait trop bien pour n'avoir pas de rivaux. D'Argenson lui était hostile. Les frères Pâris, banquiers fameux à Paris et en Europe, créèrent une compagnie rivale, avec l'appui de d'Argenson. Ils proposaient un intérêt de douze pour cent, alors que les actions de Law (communément appelées «Mississipi») ne rapportaient que quatre pour cent. La garantie n'était point les trésors de Golconde annoncés par les publicistes à la solde de l'Ecossais, mais, tout bonnement, le revenu des Fermes générales. Car, en réalité, cette compagnie, plaisamment baptisée «l'Antisystème», n'était en dernière analyse qu'un syndicat de fermiers généraux. Le régent, ne pouvant tolérer cette concurrence, déclara la banque Law «Banque Royale», par un édit du 4 décembre 1718. Cette Banque Royale était en somme analogue à la Banque de France ! Law en profita pour émettre 71 millions de papier-monnaie. On lui octroya ensuite le monopole des tabacs, puis du commerce extérieur, puis des monnaies, enfin des impôts. L'Antisystème des frères Pâris mordit la poussière. Une foule d'agioteurs professionnels et amateurs se pressa chaque jour aux guichets de la banque Law. On s'arrachait, à prix d'or, les actions de la nouvelle Compagnie des Indes que ce

génie de la finance venait de fonder. Une folie de lucre s'empara des esprits. Des fortunes s'édifiaient en quelques jours, et
d'autres s'effondraient. La police ne pouvait endiguer la cohue
qui, dès l'aube, envahissait la rue Quincampoix, affairistes,
grandes dames, laquais, grands seigneurs, voleurs et filles de
joie, au coude à coude! Mais le commerce, vivifié par cet afflux
de liquide, prospérait. Law continuait de promettre merveilles.
Le régent le nomma contrôleur général (5 janvier 1720)! Ce fut
le zénith de l'industrieux Ecossais. Cependant il approchait de
la roche Tarpéienne, car, tout en se flattant de bien connaître
la France, il ignorait tout du caractère français resté paysan
sous ses perruques poudrées. Les malins se prirent à réfléchir,
en tout cas prêtèrent l'oreille à certains murmures. Ils se mirent
à revendre leurs actions, en clair à échanger du papier contre
du bel or sonnant et trébuchant! Tels le duc de Bourbon et le
prince de Conti qui retirèrent leur mise à point voulu. La nouvelle s'en répandit. Par surcroît les dividendes tombèrent à
deux pour cent. On s'effraya. Un vent de panique souffla rue
Quincampoix. Les agents des frères Pâris et de la banque de
Londres achevèrent la besogne. Chacun voulut se faire rembourser au plus vite, au rabais, et, bientôt, à n'importe quel
prix. Law avait une mentalité de joueur, mais le fonds d'un
honnête homme. Pour relever le cours des actions, il les rache-
ta lui-même. Mais rien ne put freiner leur chute. Law devançait
par trop son époque. Il avait vu trop grand. Il avait été trop
vite. Il ne put maîtriser le gigantisme de son entreprise, ni
canaliser la spéculation. Ayant encouragé l'agiotage, abusé de
la publicité, l'un et l'autre se retournaient contre lui. Mais il est
à croire qu'il s'abusait lui-même et qu'il était la première victime de son imagination. Il n'existait point alors de bourse; les
spéculations avaient lieu en plein air, rue Quincampoix, puis
rue Vivienne et place des Victoires, jusque dans les jardins de
l'hôtel de Soissons loués pour la circonstance et fort cher! En
ces lieux maudits, les fortunes se faisaient et se défaisaient
d'autant plus aisément que les provinciaux, appâtés par le gain
se ruaient vers la capitale. Lorsque la baisse des fameuses actions prit des proportions catastrophiques, ce fut une désola-
tion sans borne. Duclos:

    «Un désespoir sombre et timide, une consternation stupide
avaient saisi les esprits... On n'entendait parler, à la fois,

que d'honnêtes familles ruinées, de misères secrètes, de fortunes odieuses, de nouveaux riches étonnés et indignes de l'être, de Grands méprisables, de plaisirs insensés, de luxe scandaleux.» L'admiration béate pour Law se changea en haine forcenée. On s'en prit au régent qui l'avait couvert de sa protection; pis : qui lui avait tracé la voie par un favoritisme insensé; aux grands seigneurs que l'on avait vus agioter parmi les laquais et les usuriers, aux princes de Condé qui avaient récupéré leur or et accru leur immense fortune, à d'Argenson que l'on soupçonnait de noires intrigues.

Law perdit sa charge de contrôleur général. Le régent – qui connaissait son honnêteté – dut le protéger contre la populace et lui permettre de s'enfuir à Bruxelles. Law était complètement ruiné et mourut dans la misère. Il fallut liquider le Système, recourir aux frères Pâris. Ne pouvant mieux faire, ils pratiquèrent des coupes sombres. La vérification des billets (ce que l'on appela les Visas) ramena leur masse (deux milliards deux cents millions) à dix-sept cents millions et la dette de l'Etat à son niveau de 1718, ce qui équivalait à une banqueroute partielle. Mais ce qu'il faut bien comprendre, c'est que les Visas frappèrent principalement l'épargne modeste. Il en fut de même de la demi-faillite de la Compagnie des Indes.

Toutefois la vérité oblige à dire que tout ne fut pas néfaste dans le Système. Il avait indéniablement provoqué un brusque essor du commerce intérieur et extérieur, par là même procuré du travail à nombre d'ouvriers. Par ailleurs, il préfigurait le rôle que le crédit assumerait dans le domaine économique. Law était un novateur, aux conceptions larges et généreuses, par malheur devançant par trop son temps. Persuadé d'accroître la prospérité générale, il avait involontairement déchaîné la cupidité des Français, perturbé les esprits, provoqué des émeutes et des assassinats. Grisé par le succès, il avait négligé cette vérité élémentaire selon laquelle la monnaie de papier n'a, en réalité, que la valeur de sa garantie en or. Indépendamment des ruines et des transferts de fortunes, l'effet moral fut désastreux. Le peuple acheva de perdre confiance dans le crédit de l'Etat. Le régent et son entourage sortirent discrédités de cette malheureuse expérience.

VI

LA CONSPIRATION DE CELLAMARE

Les initiatives du régent n'étaient pas moins aléatoires en matière diplomatique. Dès sa prise de pouvoir, il s'était assigné un double objectif: assurer la paix et la succession éventuelle de l'enfant-roi. La paix était nécessaire au redressement d'un pays épuisé par les guerres quasi continuelles du règne de Louis XIV. D'autre part, comme il a été indiqué précédememnt, le roi Philippe V d'Espagne, ex-duc d'Anjou et fils du Grand dauphin, n'avait renoncé à la succession du trône de France que contraint et forcé, cette renonciation ayant été d'ailleurs la clause essentielle du traité d'Utrecht. En outre, en cas de conflit, la France se fût trouvée complètement isolée. Sans doute les Etats européens souhaitaient-ils à peu près tous la paix, mais le traité d'Utrecht avait laissé nombre de questions pendantes. De plus, ni l'Angleterre ni l'Empire n'eussent toléré que Philippe V régnât à Paris, si le petit Louis XV venait à disparaître. C'est dire l'importance qu'avait le malheureux enfant, les supputations que l'on faisait à son sujet dans les cours d'Europe, l'enjeu majeur qu'il représentait à son insu. Le régent, en dépit des accusations ignobles d'empoisonnement que l'on avait jadis portées contre lui, des soupçons qui persistaient chez les survivants de l'ancienne cour et la coterie de la Maintenon, aimait son neveu et ne souhaitait nullement sa mort. Cependant celle-ci lui aurait donné le trône et il n'avait aucune envie d'être évincé par Philippe V. Légalement, il eût été roi, puisque la renonciation de l'Espagnol ne pouvait être contestée. Mais il savait que Philippe V la tenait pour nulle, et d'autant que l'Empereur, l'estimant non valable, ne l'avait pas reconnue. Il existait enfin un courant «légitimiste», prêt à soutenir éventuellement les prétentions du roi d'Espagne. Le chef de cette faction n'était autre que le duc du Maine, ou plutôt sa femme, l'altière duchesse, dont le château de Sceaux devint en peu de temps le point de rencontre des mécontents.

Henri IV, Louis XIII et Louis XIV n'avaient eu qu'une politique: disjoindre l'empire de Charles-Quint et de Philippe II, abattre par tous les moyens, au prix de terribles sacrifices, la puissance des Habsbourg d'Espagne et des Habsbourg d'Autriche. Ils étaient arrivés à leurs fins: le défunt roi avait tout de même réussi à mettre et à maintenir l'un de ses petit-fils sur le trône d'Espagne, ainsi qu'à rabaisser les Habsbourg d'Autriche. Désormais, puisque c'était un Bourbon qui régnait à Madrid, l'Espagne, semblait-il ne pouvait être que notre alliée. Encore que le régent se défiât de l'ambition ombrageuse de Philippe V, pour les raisons que l'on a dites, il crut pouvoir négocier avec lui. Mais ses envoyés furent brutalement éconduits. A la vérité, les Espagnols étaient peut-être nos alliés naturels, mais ils ne nous pardonnaient pas le démembrement de leur ancien empire. Par surcroît Philippe V n'était point maître chez lui; sa seconde épouse, la princesse Elisabeth Farnèse, le dominait entièrement. Elle était elle-même l'instrument d'un tout-puissant favori, le cardinal Alberoni, qui nous était hostile. Cet Alberoni était une espèce de Mazarin mâtiné de Richelieu: il avait les talents diplomatiques du premier et l'autorité du second. D'abord simple résident du duc de Parme à Madrid, il était parvenu à circonvenir le roi et la reine et à s'emparer du pouvoir. Il ne voulait rien moins que rendre à l'Espagne son ancienne puissance et libérer son pays natal (l'Italie) de la tutelle autrichienne.

Renonçant à l'alliance espagnole, le régent se tourna vers l'Angleterre. Il serait plus exact d'écrire qu'il se laissa convaincre par Dubois de rechercher l'alliance anglaise! Dubois n'était qu'un petit abbé sans scrupules et sans apparence, mais dont le régent écoutait volontiers les conseils. Il avait été son précepteur et Louis XIV lui avait confié certaines besognes peu reluisantes. Le régent le fit conseiller d'Etat. Dubois portait la soutane, mais n'avait point reçu les ordres; c'était un abbé de cour et, surtout, un compagnon de débauche du régent, l'un des roués qui partageaient les soupers du Palais-Royal. Pourtant, si perdu de mœurs et vicieux qu'il fût, il avait une merveilleuse fertilité d'esprit servie par une dialectique hors de pair. Peut-être était-il stipendié par l'Angleterre, car, d'une certaine manière, le roi George Ier, Electeur de Hanovre, se trouvait, on se le rappelle, dans une situation quasi semblable à celle du régent (bien entendu, si ce dernier avait succédé au petit Louis XV!). Ce n'était donc pas sans raison que Dubois prêchait le rapprochement avec l'Angleterre ; il était à peu près sûr de rencontrer un écho favorable, en dépit de l'hostilité qui persistait entre les deux peuples. George Ier s'en fut visiter son Electrorat de Hanovre : il était d'ailleurs plus Allemand qu'Anglais par bien des aspects et l'avenir de l'Empire le préoccupait au moins autant que celui de sa patrie d'adoption ! Le Premier ministre Stanhope accompagna son maître jusqu'en Hollande, où il séjourna quelque temps. Dubois partit aussitôt pour La Haye, non point en mission officielle, mais comme un simple particulier désireux d'acheter des tableaux. Il s'arrangea pour rencontrer Stanhope, qui se laissa convaincre sans trop de difficultés, malgré ses préventions contre la France. Mais Dubois avait l'art de dissimuler, d'insinuer, de percer à jour son interlocuteur, de convaincre, tout cela avec un air bonhomme, en jouant l'indifférence distraite. Bref, un mois ne s'était pas écoulé qu'il rencontrait le roi George Ier. Ce dernier s'efforçait alors d'obtenir des concessions territoriales du roi de Suède, Charles XII, et du tsar Pierre Ier le retrait des troupes russes infiltrées dans le Mecklembourg. Dubois était parfaitement informé de ces choses. Il n'ignorait pas que les Anglais s'inquiétaient de la présence d'une flotte russe dans la mer Baltique. Il savait aussi que George Ier prenait ombrage du fait que la France donnait asile au prétendant Jacques Stuart, son rival. Il fut donc aisé de se mettre d'accord. Dubois accepta volontiers que Jacques Stuart fût bouté hors de France. Il accepta aussi l'abandon des travaux de Mardyck (destiné à remplacer Dunkerque démantelé après le traité d'Utrecht). Les négociations, menées rondement, aboutirent à la signature de la Triple Alliance, anglo-franco-hollandaise. Aussi désireux l'un que l'autre d'assurer la paix en Europe, George Ier et le régent tentèrent d'étendre la Triple Alliance à l'Espagne et à l'Empire. Seul, l'Empereur accepta d'y adhérer.

Ces alliances dérangeaient les plans d'Alberoni. Il avait

besoin de cinq ans de paix pour redresser les finances espagno
les et se doter d'une flotte de guerre. Il voulait ensuite attaque
l'Empire et recouvrer les anciennes possessions espagnole
dans la péninsule italienne. Rejetant les offres d'alliance d
régent, il hâta ses préparatifs et montra dans la circonstanc
une activité et un talent d'organisateur dignes de Colbert. I
menait en même temps une intense campagne diplomatique à
la fois pour détacher l'Angleterre de la Triple Alliance et pou
accroître les difficultés intérieures de la France. Tout à coup
la flotte espagnole appareilla; le 20 août 1717, Cagliari fut pris
et, bientôt, la Sardaigne entière, mal défendue, fut occupée
L'émoi fut général en Europe. L'Angleterre et la France firen
alors l'impossible pour préserver la paix, c'est-à-dire empêche
l'Empire d'armer contre l'Espagne. Alberoni s'opiniâtra. E
juin 1718, une flotte de vingt-neuf vaisseaux de guerre, escor
tant des navires transportant 35.000 hommes, leurs vivres
leurs munitions et leur artillerie, quitta l'Espagne. Cette nou
velle Armada, commandée par Castagnata, cingla vers la Sici
le. Le 31 juillet, la seule forteresse de Messine résistait encore
Mais Stanhope avait expédié une flotte sous les ordres de Byng
Le 11 août, les Anglais et les Espagnols engagèrent le comba
au large de Syracuse. Les premiers étaient moins nombreu
mais mieux armés et mieux commandés. Castagnata prit de s
mauvaises dispositions qu'il perdit deux escadres sur trois. L
rêve grandiose d'Alberoni s'en allait en fumée! Les Espagnol
s'emparèrent de Messine, mais, après ce désastre naval, il
étaient quasi prisonniers de leur conquête.

En France, l'ambassadeur d'Espagne Cellamare et se
agents s'efforçaient de nouer une conspiration contre le régent
La romanesque duchesse du Maine donna dans le panneau
Elle joua à conspirer, élabora des plans, compromit nombre d
personnes de bonne foi. Elle projetait de surprendre le régen
au cours d'une partie de chasse, de l'embastiller et de procla
mer Philippe V à sa place en lui donnant le duc comme lieute
nant-général. Cellamare attisait le feu, sans trop y croire. Le
traîtres ne manquèrent point; le régent, Dubois, Stanhope lui
même, étaient régulièrement informés. Pour Philipp
d'Orléans, l'occasion était trop belle de discréditer complète
ment le duc du Maine et ses amis. Il feignit de prendre a
sérieux cette conspiration d'opérette. La police, un bea

matin, investit le château de Sceaux. On enleva proprement le
duc et la duchesse, Malezieu, leur principal agent et les autres.
Le duc du Maine fut expédié à Doullens et son épouse à Dijon.
L'ambassadeur Cellamare fut d'abord gardé à vue, puis renvoyé poliment à Madrid. Pendant quelques jours, on arrêta les
pseudo-conspirateurs, voire leurs laquais. Finalement le régent
gracia tout ce beau monde, comme s'il s'était agi d'une mauvaise farce. Cependant Philippe V, prenant prétexte du renvoi de
Cellamare, publia, à la fin de 1718, un manifeste dans lequel il
déclarait nulle et non avenue sa renonciation au trône de France et réclamait en conséquence la succession du petit Louis XV
s'il venait à décéder. Entraîné par les Anglais, le régent répliqua par une déclaration de guerre, le 6 janvier 1719. On assista
alors à cet événement incroyable d'un Bourbon combattant un
Bourbon pour complaire à l'Angleterre! Trente mille hommes
furent envoyés dans les Pyrénées. Le pire est qu'ils étaient
commandés par ce même Berwick, qui, naguère, avait tant
aidé Philippe V à reconquérir son royaume! Philippe V eut la
naïveté de croire que des soldats français refuseraient de combattre le petit-fils de Louis XIV. Etrange illusion! Les soldats
français n'avaient pas d'opinion personnelle; ils ne savaient
qu'obéir à leurs chefs. Ils prirent allègrement Fontarabie et
Saint-Sébastien, brûlèrent arsenaux, magasins, vaisseaux en
chantier, cependant qu'une escadre anglaise s'emparait de
Vigo. En Sicile, les revers succédaient aux revers, sans que
Philippe V eût les moyens de secourir l'armée occupante. La
diversion qu'il avait tentée en Bretagne échoua de même, misé-
rablement. Quelques gentilshommes rassemblés par le marquis
de Pontcallec, tentèrent de soulever la paysannerie. Philippe V
leur avait accordé une subvention de 30.000 livres, et promis
une aide militaire. Mais les paysans ne marchèrent pas. Promptement dénoncés, Pontcallec et ses amis furent arrêtés et jugés
pour crime de haute trahison. Les principaux coupables furent
décapités, puis on relâcha peu à peu leurs complices.

Sur tous les points, Alberoni avait échoué. Philippe V voulait
la paix. Il comprit qu'il ne l'obtiendrait pas, sans sacrifier son
premier ministre. Il congédia donc Alberoni, lequel résuma
d'un mot sa tentative: «L'Espagne était un cadavre que j'ai un
instant ranimé», mot qui, par parenthèse, résume aussi le caractère de l'homme!

Il ne restait plus à Philippe V qu'à accepter les conditions dictées par l'Angleterre, à savoir la renonciation définitive au trône de France et l'évacuation de la Sardaigne et de la Sicile. Toutefois Dubois promettait d'appuyer les prétentions espagnoles en Toscane et à Parme; Il était en outre convenu que Louix XV épouserait une infante, pour resserrer l'alliance entre les deux nations. Tel était le résultat, incertain, de la révolution diplomatique opérée par le régent. L'Angleterre, seule, tirait profit de cette aventure sans lendemain, au détriment de l'Espagne. En aidant les Anglais à détruire la flotte espagnole, en détruisant nous-mêmes ses arsenaux et ses vaisseaux en construction, nous préparions nos revers futurs. Nous avions dépensé beaucoup d'argent, accru la dette, aventuré des vies, sacrifié d'infortunés Bretons, en pure perte. Le seul gain peut-être fut le mémorable compte rendu fait par Saint-Simon de son ambassade extraordinaire à Madrid. Le diable de petit duc qui refusait toute responsabilité dans le gouvernement, sortit pour une fois de son pseudo-rôle d'éminence grise et accepta d'aller en Espagne chercher la future femme de Louis XV, la petite infante Marie-Anne-Victoire, âgée de trois ans !

Mais les Parisiens chantaient sur l'air de «Joconde»:

> *… Ne crains-tu point le châtiment*
> *De Néron ton modèle?*
> *Crois-moi, change de sentiment,*
> *Quitte ceux de Cromwell;*
> *Rends au public tous ses effets,*
> *Au peuple sa finance;*
> *Nous oublierons tous tes forfaits*
> *Et d'Espagne et de France…*

VII

NOTRE CAPITAL EST DE VIVRE

Pendant ce temps, l'enfant-roi grandissait et Mme de Ventadour, après l'avoir disputé à la mort, s'efforçait de lui faire une
santé. Saint-Simon disait d'elle : «Mme de Ventadour avait été
charmante ; elle conserva un grand air et un air de beauté, et
parfaitement faite. Nul esprit, de la bonté, mais gouvernée
toute sa vie et faite pour l'être ; d'ailleurs esclave de la cour par
ses aventures et ses besoins domestiques, et quand elle en fut
à l'abri, par habitude et par rage de place et d'être.» Elle appartenait en effet, ô combien, à la noblesse de cour ! Fille unique
de Philippe de La Mothe-Houdancourt, duc de Cardona et
maréchal de France, Charlotte-Eléonore avait été mariée à
Louis de Lévis, duc de Ventadour, un bossu perdu de débauche. Mais le couple se sépara promptement, le mari menant
une vie retirée pour satisfaire ses vices, la femme vivant à la
cour. Saint-Simon : «Son plus que très intime ami dès leur jeunesse, le duc de Villeroi, l'avait servie auprès de Mme de Maintenon qui, par raison de ressemblance, aimait bien mieux les
repenties que celles qui n'avaient pas de quoi se repentir.» Elle
n'avait point échappé à la médisance, témoin cette chanson
ramassée dans cette poubelle de l'Histoire qu'on appelle le
Recueil Maurepas :

> Il[1] est parent d'un grand prince ;
> Son père jusqu'à sa fin,
> Quoique d'un esprit fort mince,
> Gouverna le Limousin ;

1. Il s'agit du duc de Ventadour

Je n'en dirai pas le nom,
Son titre est dans la province,
Je n'en dirai pas le nom.

Sa femme, par sa prudence,
L'a quitté depuis vingt ans,
N'a souffert que trop longtemps
Son importune présence;
Je n'en dirai pas le nom,
Elle a soin des fils de France
Je n'en dirai pas le nom.

Mme de Ventadour avait en effet obtenu la survivance de gouvernante des Enfants de France, charge que détenait sa mère, Louise de Prie. Mme de Maintenon l'y avait aidée. Leur correspondance montre que ce qui n'avait été d'abord que flagornerie intéressée de la part de la duchesse de Ventadour, s'était, avec le temps, métamorphosé en sympathie réelle, puis en amitié. Car, après la mort de Louis XIV et la retraite de Mme de Maintenon à Saint-Cyr, la duchesse ne cessa de lui écrire en des termes quasi affectueux (eu égard à la retenue de l'époque), alors qu'il n'y avait plus rien à attendre de celle-ci. Il est vrai que Mme de Maintenon l'avait soutenue et conseillée aux heures difficiles, s'appliquant à apaiser ses alarmes lorsque le petit dauphin retombait malade et qu'à nouveau l'on pouvait craindre pour sa vie. Aussi Mme de Ventadour lui envoyait-elle, régulièrement, de vrais bulletins de santé, ravie d'annoncer que le «petit Maître» se fortifiait tous les jours. Et «la pauvre retirée» (c'est ainsi que la vieille fée se qualifiait elle-même) l'exhortait à ne s'alarmer point de la pâleur de l'enfant. Mais il est une des lettres de la duchesse que je veux citer; elle témoigne de sa sollicitude; elle suggère aussi la façon dont l'enfant était, et serait, élevé par sa gouvernante.

A Mme de Maintenon, le 19 octobre 1714: «Je suis sûre de ne vous importuner jamais, Madame, en vous disant que votre petit enfant est à merveille: sa santé se fortifie tous les jours, et je n'ose ni dire ni écrire au point qu'elle est, de peur qu'il ne revienne tout d'un coup quelque chose qui nous rejette dans la crainte. Ce qu'il barbouille par jour de lettres au Roi ne se peut nombrer; vous n'êtes pas oubliée, Madame, et il sait déjà une partie de ce qu'il vous doit et de ce que vous êtes. Il aime beaucoup à écrire, mais point à lire; tout ce qui le divertit et qu'il entend va à merveille: la géographie, les voyages, le dessin, tout cela lui plaît infiniment, et vous seriez étonnée et ravie de sa mémoire; soyez sûre qu'on ne le presse sur rien; l'abbé (Perrault) m'a priée de vous en assurer: il est temps de lui donner un maître pour apprendre à bien faire la révérence, et pour l'occuper une demi-heure de plus; c'est ce que je demanderai au Roi au retour, car la journée est bien longue, Madame: et aujourd'hui que son esprit commence à percer, on ne peut l'amuser de niaiseries, et quelques petites règles mettent de la variété dans ses jeux; nos aides-majors lui font faire l'exercice: de la grâce en tout, comme le Roi ... Mais nous ne voulons pas briller: notre capital est de vivre, et de prendre peu à peu de bons sentiments, le gouverneur fera le reste.»

Après la mort de Louis XIV, la sollicitude de Mme de Ventadour redoubla: c'était envers le royaume qu'elle était désormais comptable de la vie de l'enfant. «Mon Roi, écrivait-elle alors, fera quelque chose de grand et de bon, si Dieu le conserve». Car, malgré tous les soins de sa gouvernante, il restait fragile, sujet aux rhumes, aux fluxions, aux dévoiements (que l'on appelait «fontes»). Son visage d'ange touchait les cœurs et ses manières gracieuses le faisaient aimer de son entourage. Transféré de Versailles à Vincennes sur l'ordre de Louis XIV mourant, on l'installa finalement aux Tuileries, pour la plus grande joie des Parisiens. Ils mettaient tout leur espoir dans ce bel enfant, auquel les médecins n'accordaient pas deux ans de vie! On a vu plus haut comment le régent et Philippe V se disputaient déjà sa succession et comment l'Europe entière faisait fond sur les pronostics sinistres de la Faculté. On veut croire que l'enfant ignora les ignobles transactions dont il était l'enjeu, mais cela n'est pas absolument sûr! Le bon peuple, ignorant les combinaisons diplomatiques, ne se souciait que de sa santé: mais il s'en souciait extrêmement! On aimait l'apercevoir quand Mme de Ventadour, qui ne le quittait pas un instant, le menait au Palais-Royal où la vieille princesse Palatine avait son logement, au Luxembourg chez la duchesse de Berry (fille du régent), aux Feuillants, aux Champs-Elysées, à la Meute (aujourd'hui La Muette) ou à l'Observatoire. On citait ses répliques hardies ou malicieuses, en les déformant un peu, ses traits d'espièglerie ou de bonté. Eternel besoin d'idolâtrie! On racontait qu'il avait donné sa montre à son «houzard», qui était l'un de ses compagnons de jeux. Mme de Ventadour s'étonnant de ne plus trouver la montre du petit roi, on fouilla le houzard et l'on rapporta la montre.

– Madame, répliqua l'enfant, quand je donne quelque chose, je prétends qu'il soit donné et qu'on n'y retrouve point à redire!

Fière réponse, déjà royale, que l'on répétait à loisir, en tirant augure pour l'avenir... On disait aussi qu'il avait mis le nonce apostolique dans l'embarras, en lui demandant combien il y avait eu de papes depuis Saint-Pierre. Et comme le nonce avouait son ignorance, le petit insolent lui récita la liste des rois de France depuis le mythique Pharamond. A force de craindre pour sa santé, Mme de Ventadour n'osait pas contrarier son petit roi. Et, comme la Palatine l'observe sans ménagements, elle n'en fit rien d'autre qu'un enfant mal élevé, boudeur, capricieux et coléreux. Qu'elle l'aimât d'un amour maternel, cela est évident, et touchant, mais cet amour était coupable par excès de complaisance, si ce n'est de faiblesse. Il était aveugle aussi. En 1716, elle affirmait ne pas comprendre «les défauts qu'on veut lui trouver». Cependant, dans une autre lettre, de la même année:

«... Un vent le fit rougir et pâlir: il se coucha nonchalamment sur moi, qui suis son secours ordinaire dans ses maux; ensuite, il fit son potage lui-même, et trouva du soulagement à ne plus faire le Roi; souvent il n'aurait pas mangé, quand il était Dauphin, s'il n'était venu chez moi. Cette étiquette, ces cérémonies, ces spectacles, me désolent. J'y remédie incognito, autant que je peux. Nous sortons du sermon; j'ai voulu le promener aux Tuileries; mais pour peu que l'ordre ne soit pas donné, l'empressement de le voir le fait étouffer... C'est un enfant qu'il faut ménager, car naturellement il n'est pas gai; et les grands plaisirs lui seront nuisibles, parce qu'ils l'appliqueront trop. On voudrait exiger de lui qu'il représentât toujours avec la même égalité d'humeur; vous savez, Madame, combien cette contrainte est malsaine à tout âge. Vous vous moquerez de moi, si je vous dis qu'il a des vapeurs; rien n'est pourtant plus vrai et il en a eu au berceau: de là ces airs tristes et ces besoins d'être éveillé; on en fait ce qu'on veut, pourvu qu'on lui parle sans humeur.»

Et la «pauvre vieille retirée» de la consoler à sa manière:

«Il est vrai, Madame, qu'on ne parle que du mauvais visage du Roi et de sa mauvaise humeur, qu'on veut même qui ne vienne que de sa mauvaise santé; mais comme on ne dit rien de nouveau, je n'en suis point du tout alarmée, et je suis pleine d'espérance qu'il vivra. Il me semble que Dieu l'a retiré d'une grande extrémité pour en faire quelque chose.»

Ce roitelet de six ans, on ne se faisait pas faute en effet de l'exhiber, par nécessité politique! Il donnait audience aux corps constitués dont les orateurs l'accablaient de discours insipides, aux ambassadeurs. Il assistait aux grandes cérémonies religieuses. Le régent, qui n'aimait point les enfants (pas même les siens), ne comprenait pas certains refus obstinés du petit roi, ses distractions, ses brusques changements d'humeur. Il voulait bien admettre que sa mauvaise santé en était cause, cependant l'enfant grandissait et se développait normalement.

Au début de février 1717 se déroula une étrange cérémonie dont l'origine se perdait dans la nuit des temps. C'était une espèce de conseil de révision avant la lettre, tel du moins qu'il avait lieu avant la dernière guerre mondiale. Un beau matin, on fit mettre Louix XV nu comme un ver et sa gouvernante le présenta solennellement à un aréopage de médecins, chirurgiens, apothicaires, princes et princesses, dignitaires et leurs épouses. On l'étudia, on le palpa et, comme en atteste le procès-verbal dressé à cet effet, on constata qu'il était de sexe mâle (sic!), sain, net, entier, exempt de blessures et de tares. En prévision de la cérémonie, Mme de Ventadour l'avait couché de bonne heure, après lui avoir lavé les pieds...

Le 15 février, selon le protocole, elle se mit sur le passage du régent et lui demanda:

– Monseigneur, voulez-vous bien que je dépose entre vos mains la personne du Roi?

– Volontiers, Madame.

Ils entrèrent alors dans la chambre de l'enfant et Mme de Ventadour déclara:

– Monseigneur, voilà le dépôt que le feu Roi m'a confié et que vous m'avez continué; j'en ai pris tous les soins possibles, et je le rends en parfaite santé.

– Sire, dit le régent en se tournant vers le petit roi, vous ne

devez jamais oublier les obligations que vous avez à Mme de
Ventadour ; elle vous a sauvé la vie par ses bons soins et chacun
est content de l'éducation qu'elle vous a donnée.

Il remit ensuite la personne du roi aux mains du duc du
Maine (surintendant de son éducation par la volonté de Louis
XIV, titre que le Parlement lui avait tout de même laissé !) et
à son gouverneur, le maréchal de Villeroy :

– Messieurs, ce sacré dépôt vous regarde particulièrement.
Nous espérons que vous répondrez parfaitement à l'attente
que toute la France a conçue de vous pour l'éducation du Roi ;
c'est à vous à présent d'en avoir tout le soin que nous nous
promettons de votre zèle et de votre inclination pour Sa Majesté et pour l'Etat.

Mme de Ventadour avait peine à retenir ses larmes.

– Monseigneur, dit-elle voilà mon ministère fini, vous me
permettrez de baiser la main du Roi et de me retirer.

Mais le petit Louis XV se moquait de «passer aux hommes»,
selon la formule du temps. Il sauta au cou de sa gouvernante,
l'embrassa en pleurant, se cacha dans ses jupes, s'accrocha à
elle :

– Sire, disait-elle, sire, il faut écouter la raison !

– Ah ! maman ! je ne connais plus de raison quand il faut
m'éloigner et me séparer de vous.

Quand il fut calmé, on l'emmena à la messe. Mais ensuite ses
larmes redoublèrent et il refusa de manger. Il fallut attendre le
retour de l'ex-gouvernante pour qu'il acceptât de se mettre à
table. Mais enfin, à cet âge, les chagrins passent vite, du moins
en apparence.

Le petit roi n'aimait guère son gouverneur ; il le surnommait,
irrévérencieusement mais fort justement, «le vieux radoteur».
Villeroy n'était qu'un fossile de l'ancienne cour, non d'une
espèce rare, mais de celle, fort répandue, des plats courtisans.
Il devait toute sa fortune à ses talents de société et de flagornerie. C'était un mélange de fatuité ridicule, de présomption,
d'indiscrétion et d'incroyable docilité. Il acheva l'ouvrage de
Mme de Ventadour quant à l'éducation de son élève. A soixan-
te-quatorze ans, il restait égal à lui-même ; l'âge, l'expérience,
ne lui avaient rien appris ! N'entendant rien à la politique,
n'apercevant point l'évolution des idées, et des mœurs, ce
n'était qu'un survivant ! Pour lui, le modèle des monarques

restait le défunt maître, dont il n'avait d'ailleurs jamais aperçu que l'écorce, c'est-à-dire les grandes manières, le comportement majestueux, le rôle de représentation. Il ne se disait point que ce n'était là qu'une façade. Il croyait, de bonne foi, Louis XIV aussi vain et oisif qu'il l'avait été lui-même! Dans son contentement de soi, il en oubliait les batailles perdues, les désastres qu'il avait failli provoquer par son insuffisance. Il se disait que, si Louis XIV l'avait choisi comme gouverneur, c'était en raison de sa précellence, puisque le Roi ne se trompait jamais! Tel était le singulier personnage à qui l'on avait imprudemment confié la charge d'apprendre à Louis XV son métier de roi! Il était pourtant assez bon acteur pour jouer la comédie du Maître sévère, et donner l'illution qu'il remplissait scrupuleusement sa mission. En fait il se contentait de faire savoir, pour nourrir l'opinion, tantôt que la santé du roi donnait des inquiétudes et qu'il importait de le ménager, tantôt que ses progrès promettaient beaucoup. En outre, pour se donner de l'importance, il accréditait l'idée selon laquelle l'existence de l'enfant était menacée et manifestait à toute occasion une méfiance grotesque. Est-ce lui qui fit répandre l'historiette relatée dans le Journal de Buvat? Il aurait aperçu un biscuit dépassant de la poche du Roi, lui aurait demandé qui lui avait donné ce biscuit. Le roi n'en sachant rien, le brave maréchal eût jeté le biscuit à un chien qui le dévora et mourut à l'instant. Le peuple trembla rétrospectivement et ne tarit pas d'éloges sur les mérites du vieux fanfaron.

Mais c'était un bon professeur de maintien! Il s'entendait parfaitement à apprendre au roi à faire la révérence, à passer des revues, à adopter les attitudes convenant aux circonstances, et à débiter les formules creuses faisant les délices des gens de la cour.

Il fallait tout de même lui donner un maître capable de l'instruire. Ce fut le cardinal de Fleury, aimable vieillard, l'indulgence personnifiée. Théoriquement, tous les jours, le roi faisait des pages d'écriture, de l'histoire et du latin; trois fois la semaine, des mathématiques, du dessin et de la danse. En toutes ces matières il accomplissait «des progrès prodigieux», disait-on. Il ne manquait certes ni d'intelligence, ni de mémoire, ni de curiosité d'esprit, mais il avait des habitudes d'enfant gâté et jouait, probablement de ses prétendus malaises. Il faut insister

sur le fait que cet orphelin était entouré de septuagénaires à sa
dévotion; que les conseils d'un père, la tendresse d'une véritable mère lui manquèrent absolument; bref qu'il n'eut personne
pour orienter son esprit et en corriger les défauts. Fleury fit ce
qu'il put. On l'accusa de mollesse, voire d'incompétence. Voltaire comme Saint-Simon condamnaient ses méthodes, s'ils ne
l'accusaient pas d'encourager la paresse du petit roi. Les volumes de devoirs, conservés à la Bibliothèque nationale, s'inscri-
vent en faux contre ces assertions. De même d'Argenson repro-
chait-il à Fleury de divertir l'enfant par des tours de cartes, au
lieu de lui inculquer les principes de morale et de piété. Mais
on peut vérifier qu'il faisait au contraire traduire et recopier
par le petit roi des maximes de cette nature : «O Français, ayez
bon courage, car quoique votre Roi soit un jeune enfant il n'est
pourtant pas cet enfant que Dieu dans sa colère a établi sur son
peuple pour punir ses péchés, mais au contraire, celui que
Dieu, dans sa miséricorde, envoie pour rappeler le siècle d'or.»

Le 18 février 1720, Louis XV assista pour la première fois au
conseil de régence. Il écouta en silence, tout en jouant avec un
jeune chat qui le griffa. Emoi de ce vieux faquin de Villeroy.

– Or ça, mon grand papa, dit malicieusement l'enfant, savez-
vous bien que mon chat n'aime pas plus les remontrances [1] que
mon oncle le régent?

Le bon mot courut Paris. Que pouvait-on espérer d'un roi de
dix ans doté d'un tel esprit et comprenant si bien la situation?
Ce serait un nouvel Henri IV, un père du peuple, pas moins!
Mais le roi de dix ans était en train de devenir un enfant insupportable, à la fois glorieux et timide, imbu de sa personne, trop
adulé et, finalement, solitaire. Tout fier de sa réussite, ce vieux
frivole de Villeroy, montrait comme il l'avait appris à se tenir
noblement, à marcher d'un pas de pavane (ou de perdrix), à
graduer ses saluts et à danser, à croire qu'il s'agissait d'un singe
savant! Mais il faisait pis. Un jour de fête (c'était la Saint-
Louis), lui montrant la foule massée dans les jardins des Tuileries, il lui dit sentencieusement:

– Mon maître, regardez ce monde, cette multitude, tout cela
est à vous! Vous en êtes le maître! ...

Le régent entretenait l'enfant dans la même dangereuse illusion, lui répétant:

1. Allusion au droit de remontrances dont abusait le Parlement.

– Vous êtes le maître, je ne suis ici que pour vous rendre compte, pour recevoir vos ordres et les exécuter...

Quel était son but exact en proférant de semblables paroles? Qu'elles fussent répétées dans Paris? Ou bien cet homme étrange, respectait-il en cet enfant le symbole qu'il incarnait et voulait-il ainsi donner l'exemple ? Son caractère est si complexe, et contradictoire, que l'on n'en saurait démêler l'écheveau! Oncle du jeune roi, il aurait pu lui servir de guide, veiller en tout cas au développement de ses qualités, s'inquiéter de ses accès de mélancolie et compenser la frivolité du gouverneur en montrant la réalité quotidienne du gouvernement, de même que Mazarin l'avait fait pour Louis XIV. Au contraire, il l'entourait de prévenances et le traitait en roi de droit divin, alors que, dans son for intérieur et dans ses propos, il condamnait ce principe. Mais il eût fallu sacrifier les plaisirs nocturnes, consacrer un peu de temps à l'apprenti-roi. Or, il ne pouvait se passer de ses belles maîtresses ni de la compagnie de ses roués.

De curieuses histoires commencèrent à circuler sur le jeune roi, notamment celle de la biche assassinée. On racontait que, passant en calèche avec ses compagnons habituels, il avait appelé une biche apprivoisée et celle-ci s'approchant en toute confiance, il l'avait abattue d'un coup de fusil. Or il se trouve que le journal d'un certain marquis de Calvière, alors page de Louix XV, tomba entre les mains des frères Goncourt. La véritable histoire de la biche y figure , à la date du jeudi 30 avril 1722, sous cette forme: «Comme le roi revenait du parc de la Meute (La Muette), je me mis sur la portière de sa calèche. Une petite daine fort jolie nous suivait; elle mange du papier et ne craint point les coups de fusil que le Roi tire à ses oreilles.» Autrement dit, l'assassinat n'était qu'une farce de gamins. Hormis cette précision, le journal de Calvière ne relate d'ailleurs que des insignifiances: on y aperçoit le roi jouer à la marelle, chasser le lapereau, pêcher des écrevisses, observer l'éclosion des vers à soie, faire du thé, du chocolat ou des omelettes, mais aussi tirer les rubans de ses camarades, rien que de très banal... Pourtant un murmure de calomnie sur sa paresse, sur sa lourdeur, sur sa cruauté, se glissait dans les salons parisiens. Au point que l'avocat Barbier, voulant se rendre compte par lui-même s'arrangea pour voir de près le petit roi, et le trouva «beau prince, fort vif et alerte, avec un grand air d'intelligence». D'ailleurs ces calomnies ne venaient que des roués et de leurs amies et n'avaient cours que dans certains salons. L'amour que l'on avait pour Louis restait inentamé dans le peuple. Ses détracteurs s'en aperçurent lors de la maladie qui le frappa en 1721. Le 31 juillet, il se trouva mal au cours d'un office à Saint-Germain-l'Auxerrois. Une fièvre violente suivit le malaise. Les médecins saignèrent et purgèrent vigoureusement le malade. Barbier note dans son journal: «La consternation est dans les yeux de tout le monde qui sait la maladie, car cela a été bien vite.» Le Parlement ordonna les prières de quarante heures et l'exposition de la châsse de sainte Geneviève. Mais, pris en main par Helvétius, Louis guérit en quelques jours. Ce fut une explosion de joie sans précédent. Le Parlement fit chanter le *Te Deum* dans sa Grand-Chambre. On tira le canon et le soir, on brûla des fagots en place de Grève. Toutes les fenêtres étaient illuminées. On dansait dans toutes les rues. On criait Vive le Roi à pleine gorge. Les libraires de la rue Saint-Jacques avaient décoré leurs boutiques de lampions. Les femmes des halles, les charbonniers vinrent en cocardes voir le petit roi. Un autre *Te Deum* fut chanté à Notre-Dame, en présence de toute la cour. «Jamais, écrit Barbier, on n'a vu dans les rues de Paris le monde qu'il y a eu, jusqu'à trois heures du matin, à faire des folies étonnantes. C'étaient des bandes avec des palmes et un tambour, d'autres avec des violons, enfin les gens âgés ne se souviennent point d'avoir vu pareil dérangement et pareil tapage lors d'une réjouissance dans Paris.» Les spectacles de comédie, l'opéra étaient «gratis». Ces fêtes durèrent plusieurs jours. «Enfin, conclut Barbier, jamais santé n'a été célébrée à ce point: aussi est-elle bien chère.»

L'année suivante, nouvelles réjouissances, cette fois, pour accueillir l'Infante d'Espagne, fiancée du petit roi. Comme ce n'était encore qu'une fillette, le fiancé lui fit présent d'une poupée en cadeau de bienvenue...

VIII

LE CŒUR DÉVORÉ

En 1718, le Régent disait: «On m'a aimé sans me connaître, on me hait sans me connaître encore; j'espère me faire connaître et aimer dans peu.» Il ne réussit qu'à se faire haïr davantage. Car, voulant le bonheur du peuple, il l'avait ruiné par le système Law et la liquidation-banqueroute qui en avait été la conséquence. De plus, le fond de la nation française restait trop sain pour accepter certains scandales. La débauche, la déliquescence des mœurs n'étaient point aussi générales qu'on l'affirme. Il suffit de regarder les intérieurs paisibles de Chardin (né en 1699), comme éclairés d'une lumineuse tendresse, pour comprendre ce qu'était encore la société française dans son immense majorité. Mais il est non moins vrai que les débauches, les orgies du Palais-Royal et du palais du Luxembourg avaient fait tache d'huile à Paris. Une jeunesse dorée, voluptueuse et cupide, commettait les pires excès, ne songeant qu'à se procurer de l'argent par n'importe quel moyen afin de multiplier ses plaisirs, niant la religion, violant tout principe moral, se reniant elle-même, fils de famille et fils de nouveaux riches se disputant les filles de joie et celles-ci échangeant leurs amants avec de grandes dames! Le régent montrait l'exemple, avec ses maîtresses affichées, la duchesse de Fallary, la comtesse de Parabère, Mme d'Arverne, et d'autres moins bien nées, mais expertes aux joutes amoureuses et composant un sérail qu'il partageait sans vergogne avec ses «roués».

La régence, c'est un style opposé à celui de Louis XIV, la rectitude des lignes s'amollissant en courbes élégantes, en quelque sorte un style féminin, voluptueux, comme marqué par

l'estampille de l'amour! Mais c'est aussi une chronique scandaleuse, où le badinage érotique glisse volontiers vers la porno-
graphie, si ce n'est la plus épaisse vulgarité.

Certes, le régent travaillait beaucoup, ce qui ne l'empêchait
pas, quasi chaque soir, de s'enivrer comme un portefaix et de
se livrer aux ébats amoureux avec ses complaisantes amies. Sa
fille préférée, la duchesse de Berry, était une hystérique, alternant les pires licences et la dévotion la plus spectaculaire: on
l'accusait d'être la maîtresse de son père. Une autre de ses
filles, faite abbesse de Chelles, avec une dot prélevée illégalement sur les deniers de l'Etat, menait une vie non moins licen-
cieuse, non moins traversée de crises mystiques. Une autre
encore, folle du duc de Richelieu, fut mariée de force au prince
de Modène, avec les conséquences que l'on devine. Passons
sur ces détails... Les pamphlets pleuvaient sur le Palais-Royal.
Le régent dédaignait; il s'émut pourtant lorsque parurent les
célèbres «Philippiques» du poète Lagrange-Chancel. «Tout ce
que l'enfer pourra vomir de vrai et de faux, écrit Saint-Simon,
y était exprimé dans les plus beaux vers, le style le plus poéti-
que, et tout l'art et l'esprit que l'on peut imaginer.» On peut
être un grand prosateur et un ignorant en poésie, car les stro-
phes de Lagrange-Chancel sont d'une lassante médiocrité. Il
est pourtant exact qu'elles portent les plus noires accusations.
A propos de la duchesse de Berry:

> *Toi qui joins, au nœud qui nous lie,*
> *Des nœuds dont tu n'as pas d'effroi,*
>   *Ni Messaline ni Julie,*
> *Ne sont plus rien auprès de toi;*
> *De ton père amante et rivale*
> *Avec une fureur égale,*
> *Tu poursuis les mêmes plaisirs,*
> *Et toutjours plus insatiable,*
> *Quand le nombre même l'aecable,*
> *Il n'assouvit point tes désirs.*

Mais les Philippiques formulaient aussi de véritables appels
à l'assassinat du régent dans le dessein hypocrite de sauver la
vie du jeune roi:

Tant qu'on te verra sans défense
Dans une assez paisible enfance
On laissera couler tes jours;
Mais quand, par le secours de l'âge,
Tes yeux s'ouvriront davantage,
On les fermera pour toujours!...
....
... Et toi qu'un honteux esclavage
Rend l'opprobre de l'Univers,
Peuple sans force et sans courage,
N'oserais-tu briser tes fers?
Que tardes-tu? De la Patrie
N'entends-tu pas la voix qui crie?
Arme-toi pour la secourir.
Crains-tu que le ciel te punisse
D'avoir différé le supplice
Du Tyran qui la fait périr?

Traqué par la police, Lagrange-Chancel s'enfuit en Avignon, se fit cueillir et enfermer aux îles Sainte-Marguerite, d'où on le laissa s'évader. L'autorité était comme un navire trop longtemps négligé; elle faisait eau de partout!

La haute noblesse n'était pas moins déconsidérée que le régent. Associée au gouvernement par le biais des conseils, elle avait montré son incapacité, son irréalisme, son inadaptation à l'époque. Les Condé (M. le duc et le prince de Conti) s'étaient discrédités en profitant du système Law pour réaliser une scandaleuse fortune, alors que le peuple, la petite et moyenne bourgeoisie manquaient cruellement d'argent. Les ducs de La Force, d'Antin et d'Estrées, abusant de leur situation officielle, avaient stocké des marchandises, s'étaient fait marchands de draps, de chandelles, de chocolat et de café. Le comte de Horn, d'une illustre famille des Pays-Bas, assassinait froidement un agioteur dans un tripot et périssait décapité en place de Grève. Le fameux Cartouche rançonnait impunément les riches maisons de Paris: on vantait ses exploits, on raillait la maladresse des policiers; il était devenu un personnage à la mode; son arrestation et son supplice tirèrent des larmes et inspirèrent les chansonniers: rien n'est nouveau sous le soleil! Les duels – si durement réprimés par Louis XIII et Louis XIV – reprirent de plus belle, masquant parfois de simples meurtres. Mais on assista, dans les parages des Invalides, au règlement de comptes (au couteau!) de la marquise de Nesle et de la marquise de Polignac, qui étaient belles-sœurs mais toutes deux amoureuses du beau d'Alincourt! Le jeu faisait pareillement rage, en dépit des interdictions. Et les édits somptuaires n'empêchèrent point de se développer un luxe insensé, offensant la détresse publique. Car une espèce de marché noir sévissait; les logements, le pain, la viande, la volaille, le vin, tous les prix avaient doublé, en dépit de quelques exemples destinés à satisfaire l'opinion. «Cette situation, écrit l'avocat Barbier, en se prolongeant, rend la vie matérielle terrible aux indigents et à tous ceux dont les ressources sont limitées. Le curé de Saint-Eustache, averti qu'une famille de ses paroissiens, jadis à l'aise, manquait de pain dans le grenier où elle s'était réfugiée, s'y rendit, trouva la mère et deux enfants morts et le père pendu. Un autre curé reçut la visite d'un paroissien qui demandait l'aumône après avoir été le bienfaiteur des pauvres.»

Le régent réagit, à sa manière et ce ne fut pas la moins surprenante de ses volte-face. Tout en se prétendant partisan de la monarchie parlementaire, il revint progressivement à l'absolutisme tel que Louis XIV l'avait pratiqué. L'ambitieux Dubois ne fut pas étranger à ce revirement; il cherchait à s'emparer du pouvoir. Sous son impulsion, le régent, qui ne pouvait plus souffrir les remontrances ni les retards du Parlement à enregistrer les édits, exila l'assemblée à Pontoise, après avoir menacé de la démembrer, et il diminua ses attributions. Les hauts magistrats n'étaient plus guère que des maîtres colloqueurs, incapables de susciter une Fronde, d'ailleurs soupçonnée par le peuple de collusion avec le pouvoir. Les conseils particuliers disparurent quasi d'eux-mêmes, condamnés pour nullité; des secrétaires d'Etat les remplacèrent, Dubois devenant peu à peu premier ministre. Le peuple subit à nouveau ce que les libelles nommaient «la tyrannie ministérielle». Dubois, qui ne s'embarrassait de rien, sacrifia les jansénistes aux jésuites pour raccommoder Rome et Paris; la fameuse bulle Unigenitus devint loi d'Etat. Le cardinal de Noailles dut s'incliner, honni par ses amis les jansénistes. Désormais, l'Église ne pouvait rien refuser à Dubois. Il se fit donner l'évêché de Cambrai: il fallut trouver un prélat assez complaisant pour le sacrer, après lui avoir décerné le même jour tous les ordres, du sous-diaconat à la prêtrise! Dubois demanda ensuite la pourpre, pour égaler Richelieu et Mazarin, ses devanciers. Le pape Clément XI s'y opposa fermement, mais il mourut et son successeur accorda enfin le chapeau. Lorsque le régent le présenta au jeune Louis XV:

– Sire, dit-il sans rire, j'ai l'honneur de vous présenter l'archevêque de Cambrai, au zèle de qui Votre Majesté doit la tranquillité de son Etat et la paix de l'Eglise de France, qui sans lui allait être déchirée par un schisme cruel. Le pape, pour reconnaître des services aussi importants, vient de le récompenser par un chapeau de cardinal.

Mais Barbier note combien cette promotion d'un athée à la dignité de cardinal desservait l'Eglise. Et il ajoute malicieusement: «On a déjà dit que le pape était le meilleur cuisinier qu'il y eût, qu'il avait fait d'un maquereau un rouget; mais, avant d'avoir entendu cela, j'ai dit de mon côté que le pape était bon teinturier pour avoir su mettre un maquereau en écarlate.»

Dubois se moquait de ces calomnies. Il obtint du régent son entrée au Conseil de régence et prit prétexte d'une querelle de préséance pour évincer ses rivaux. Il se débarrassa de d'Aguesseau et de ce folâtre de Villeroy qui fut conduit sous bonne escorte dans son gouvernement de Lyon; Louis XV perdait son indésirable gouverneur. Il crut perdre aussi son précepteur, le vieux Fleury, lequel se croyant menacé, prit la fuite. On ramena «M. de Fréjus» quasi de force, le roi exigeant son retour. Peu après, Dubois récolta enfin le fruit de ses intrigues: le régent le désigna officiellement comme Premier ministre. Le sacrifice n'était qu'apparent pour Philippe d'Orléans, puisque Louis XV approchait de sa majorité. De plus, il n'était pas fâché que Dubois partageât la besogne et, surtout, endossât les responsabilités. Etait-ce une nouvelle incohérence de sa part, une manœuvre habile ou l'indice que, se sentant usé, il abdiquait ses ambitions? Sa fille préférée (la duchesse de Berry) était morte en 1719 dans des circonstances affreuses, tuée par ses excès. Sa mère, la princesse Palatine, vivait ses derniers jours. Sa femme, ses enfants survivants n'étaient guère plus que des étrangers pour lui. Tout semblait donc lui manquer à la fois. Il était trop intelligent pour ne point faire le bilan de son existence finalement manquée, et pour ignorer le jugement que l'Histoire porterait sur lui. Devenu quasi borgne à la suite d'un accident, alourdi de graisse et congestionné, il n'avait plus la même puissance de travail et perdit jusqu'à l'appétit du plaisir. Il était devenue celui que Saint-Simon décrit de cette plume sans complaisance :

«Je vis un homme la tête basse, d'un rouge pourpre, avec un air hébété, qui ne me vit seulement pas approcher. Ses gens le lui dirent. Il tourna la tête lentement vers moi sans presque se lever, et me demanda d'une langue épaisse ce qui m'amenait. Je le lui dis, mais je demeurai si étonné que je restai court. Je pris Simiane, premier gentilhomme de sa chambre, dans une fenêtre, à qui je témoignai ma surprise et ma crainte de l'état où je voyais M. le duc d'Orléans. Simiane me répondit qu'il était depuis fort longtemps ainsi les matins, qu'il n'y avait ce jour rien d'extraordinaire en lui, et que je n'en étais surpris que parce que je ne le voyais jamais à ces heures-là : qu'il n'y paraîtrait plus tant, quand il se serait secoué en s'habillant. Cet état de M. le duc d'Orléans me fit faire beaucoup de réflexions. Il y avait fort longtemps que les secrétaires d'Etat m'avaient dit que, dans les premières heures des matinées, ils lui auraient fait passer tout ce qu'ils auraient voulu, et signer ce qui lui aurait été le plus préjudiciable. C'était le fruit de ses soupers... Je n'étais pas demeuré muet avec lui là-dessus ; mais toute représentation était parfaitement inutile. Je savais de plus que Chirac lui avait nettement déclaré que la continuation habituelle de ses soupers le conduirait à une prompte apoplexie ou à une hydropisie de poitrine, parce que sa respiration s'engageait dans des temps, sur quoi il s'était écrié contre ce dernier mal qui était lent, suffoquant, contraignant tout, montrant la mort ; qu'il aimait mieux l'apoplexie qui surprenait et qui tuait tout d'un coup sans avoir le temps d'y penser.»

Cependant le cardinal Dubois savourait sa jeune gloire. Il entrait à l'Académie française, se faisait donner la présidence de l'assemblée du clergé, collectionnait les plus riches abbayes. Il profitait de sa toute-puissance pour exiler ses derniers adversaires. Le régent laissait faire. Il laissa de même l'intrépide cardinal réinstaller Louis XV au palais de Versailles (à la grande déception des Parisiens !), et le conduire au sacre de Reims, mais aussi former l'adolescent, tenter de l'intéresser aux affaires, ce dont son oncle s'était dispensé...

Le 16 février 1723, Louis XV entra dans sa quatorzième année, qui était l'âge de la majorité des rois, depuis un édit de Charles V. Le Régent se présenta à son lever et, selon l'usage, lui déclara qu'il lui remettait le gouvernement de l'Etat, tout en s'engageant à lui conserver son zèle et son affection. Bizarrement, le roi ne répondit rien, sans doute parce qu'il savait que la déclaration de son oncle était de pure forme. Le 22, il entendit la messe à la Sainte-Chapelle et tint son lit de justice au Parlement. En droit, la régence avait cessé d'être; en fait le duc d'Orléans restait président du Conseil de régence, rebaptisé Conseil d'En-Haut, et le cardinal Dubois premier ministre. Certains commençaient à craindre que celui-ci, étendant son empire sur le jeune roi, n'éliminât bientôt complètement son oncle! Dubois n'était pas seulement vaniteux et un intrigant, mais aussi un bourreau de travail. En maniaque de l'accaparement, il se mêlait de tout, croyait pouvoir tout étudier et traiter par lui-même. Mais commençant tout, il ne terminait rien, car il y avait trop à faire. Il avait soixante-six ans et ne dédaignait point les visites discrètes des Vénus professionnelles. En août 1723, il eut un abcès à la vessie, refusa de se soigner, épuisant ses dernières forces à défendre sa place, et mourut quasi sous la main des chirurgiens.

– Sire, dit le duc d'Orléans, M. le cardinal est mort!

– J'en suis fâché.

– Sire, je ne vois personne qui soit plus en état que moi pour rendre service à Votre Majesté en qualité de premier ministre et, sans faire attention à mon rang et à ma dignité de premier prince de votre sang, je prêterai demain le serment de fidélité à Votre Majesté.

Le roi ne répondit rien. Qu'eût-il pu répondre? Le même soir, le duc d'Orléans écrivait à l'un de ses roués: «Morte la bête, mort le venin. Je t'attends ce soir à souper au Palais-Royal.» Il avait alors une nouvelle maîtresse, Mlle Houel, une fille de seize ans, nièce de Mme de Sabran. Ce fruit acide aiguisait ses sens, mais achevait de délabrer sa santé.

Le matin du 2 décembre, il se plaignit d'avoir «la tête fort chargée et une grande pesanteur dans l'estomac». Ensuite il travailla comme à l'accoutumée. Puis, par manière de récréation, il reçut la duchesse de Fallary. Il aimait bavarder avec elle.

– Crois-tu de bonne foi, demanda-t-il soudain, qu'il y ait un Dieu, qu'il y ait un enfer et un paradis après cette vie?

– Oui, mon prince, je le crois certainement.

– Si cela est comme tu le dis, tu es donc bien malheureuse de mener la vie que tu mènes?

– J'espère cependant que Dieu me fera miséricorde.

Il se plaignit alors à nouveau de la pesanteur d'estomac, prit un peu de liqueur de cinnamone, qui était son remède ordinaire. Il se laissa tomber dans un fauteuil, inclina la tête en avant et chut sur le parquet, foudroyé par une apoplexie. Folle de terreur, la duchesse appela à l'aide. Mais les médecins ne purent sauver le prince. A sept heures et demi, il était mort.

On l'autopsia, ce qui fut l'occasion d'un incident épouvantable. Mais je laisse la plume à l'avocat Barbier:

«On a ouvert le corps, à l'ordinaire, afin de l'embaumer, et de mettre le cœur dans une boîte pour le porter au Val-de-Grâce. Pendant cette ouverture, il y avait dans la chambre un chien danois, au prince, qui, sans que personne ait eu le temps de l'en empêcher, s'est jeté sur le cœur et en a mangé les trois-quarts. Ceci semble marquer une certaine malédiction, car un chien comme celui-là ne doit pas être affamé, et pareille chose n'est jamais arrivée. Ce fait a été caché autant qu'on l'a pu, mais il est absolument vrai.»

DEUXIÈME PARTIE

LE BIEN-AIMÉ

1723-1749

I

LE CHEVAL BORGNE ET LA JUMENT DE PRIX

Louis XV avait le cœur sensible de ses treize ans et la facilité de larmes des Bourbons. Il pleura son oncle d'Orléans et le regretta sincèrement. Pourtant, si le régent n'avait pas été un mauvais homme, il ne semble pas avoir eu beaucoup d'affection pour le jeune roi. Il l'entourait, comme on l'a noté, de toutes les marques extérieures de respect, mais, incapable d'esprit de suite, il ne fit jamais l'effort de le former au métier de roi. Quant aux principes moraux, il ne pouvait certes pas les dispenser à son neveu par l'exemple. Lui qui avait si longtemps profité du gros bon sens et de l'affection admirative de sa Palatine de mère, la pensée ne lui vint pas que Louis XV, entouré de vieillards, orphelin, souffrait de son isolement. Il ne s'alarma pas davantage des accès de mélancolie de l'adolescent, traversés d'une gaieté trop bruyante, ni de sa tristesse masquée de sourires de courtoisie. Le poids de cette enfance solitaire, il ne le sentait point, lui qui était accablé d'amis, de solliciteurs, d'adulations, de pamphlets! Il croyait tout faire en essayant de préserver le régime et de remettre une autorité intacte entre les mains de son neveu. Mais on a vu combien sa pensée politique était fluctuante, manquait de fermeté et de continuité. Certes, tout n'avait pas été négatif dans son gouvernement, mais ses revirements, ses sautes d'humeur, le scandale de Law et les soupers du Palais-Royal avaient sérieusement entamé le crédit du régime et de ses tenants: la haute noblesse, le clergé, la haute finance. Cependant, grâce à l'étrange cardinal Dubois, la France était sortie de son isolement en Europe, la paix semblait assurée après la brève aventure espagnole, et l'administration se réorganisait. On avait de même amorcé de grands travaux publics par tout le royaume. Mais le numéraire faisait cruellement défaut, les prix continuaient à monter et le peuple souffrait, principalement dans les villes.

Le roi n'avait pas encore quatorze ans. Déclaré majeur et sacré à Reims, il ne pouvait pour autant assumer la direction des affaires, ni jouer un rôle quelconque. On se demandait qui succéderait à Philippe d'Orléans. On ignorait alors l'influence occulte, et prépondérante, de M. de Fréjus, Fleury, toujours précepteur de Louis XV. Une réelle affection liait l'élève au maître. Par bonheur pour la France, Fleury n'était pas Fénelon mais il dissimulait avec un art infini l'ambition qui était la sienne. C'était un faux sage; pourtant il savait merveilleusement attendre. Il ne tenait qu'à lui de devenir alors Premier ministre. Il crut plus habile de l'être par personne interposée. Ce lui fut un jeu de faire accepter M. le Duc par le Roi. Il se flattait un peu trop vite de le contrôler sur tous les points essentiels.

Louis-Henri de Bourbon, M. le Duc, était arrière-petit-fils du Grand Condé. Il avait trente et un ans.

Aucune femme, écrivait la princesse Palatine, ne pourrait avoir de l'amour pour M. le Duc; il est très grand, maigre comme un éclat de bois, il marche voûté, il a des jambes longues comme une cigogne, le corps très court, point de mollets, les deux yeux si rouges qu'on ne saurait distinguer quel est le mauvais et lequel est le bon, des joues creuses, un menton si long qu'on ne croirait pas qu'il appartient au visage, de grosses lèvres; en somme, il est très laid, et je n'en ai guère vu de pareil. On prétend que sa maîtresse, Mme de Prie, lui est infidèle, cela l'afflige profondément et fait grand tort à sa santé.»

M. le Duc, nonobstant sa laideur d'échassier et sa qualité de chef de la Maison de Condé, avait deux passions: les femmes et l'argent! Sa maîtresse en titre, Mme de Prie, le subjuguait entièrement, détail qui avait échappé au bon Fleury! Les femmes avaient fini par ruiner la santé du régent, mais on doit reconnaître qu'il ne laissa aucune d'entre elles prendre sur lui assez d'empire pour influer sur le gouvernement. Avec M. le Duc, ce serait exactement le contraire: Mme de Prie deviendrait en peu de temps la seule maîtresse du royaume, disposerait à sa guise des hommes et des deniers publics, ce qui ferait dire que la France était conduite «par un cheval borgne et une

jument de prix»! Fille unique d'un traitant, mariée à un diplomate, Mme de Prie avait vingt-cinq ans. Elle passait pour être
l'une des dames les plus belles de la cour, et des plus spirituelles. Aussi cupide que l'avait été son père et que son amant en
titre, elle était aussi sans mœurs, adonnée aux plaisirs, voire
même à la luxure, et défiait l'opinion. Dès que M. le Duc
accéda au pouvoir, elle eut sa cour et ses roués personnels.
Pour la garder, il tolérait ses caprices, ses extravagances, ses
infidélités même et finalement sa tyrannie. C'était un pouvoir
absolu qu'il concédait à cette aventurière, car il n'avait point à
craindre de rivaux: le roi était encore trop jeune pour se mêler
de politique, Fleury ne portait ombrage à personne, les ducs
du Maine et de Toulouse, bien qu'on les eût rétablis dans leurs
droits de princes légitimés, s'abstenaient de toute action et
n'avaient plus d'influence, le nouveau duc d'Orléans (ci-devant
duc de Chartres et fils du régent) manquait de caractère et
partageait son existence entre la dévotion et le libertinage...

Donc, promu Premier ministre sans histoire et sans partage,
M. le Duc se constitua un conseil secret, avec Fleury, Villars et
Morville. Agissant de la sorte, il croyait mettre M. de Fréjus
dans son parti, sans comprendre que Fleury le laisserait s'user
tout doucement et, paupières baissées sous sa belle perruque
de vieillard, préparerait la succession. Le vieux Villars était un
brave soldat; ses vues politiques étaient un peu courtes, et,
avec l'âge, sa virulence s'était atténuée. Quant à Morville, secrétaire d'Etat aux Affaires étrangères, ce n'était aux yeux
d'un Condé qu'un parvenu, un robin, moins que rien!

En cadeau de bienvenue, M. le Duc supprima le droit sur les
actes notariés (quelque chose comme notre papier timbré); il
promut sept nouveaux maréchaux de France et de nombreux
chevaliers du Saint-Esprit et de Saint-Louis; il flatta les princes
et «amusa» le peuple par des fêtes somptueuses. Il passa ensuite aux choses sérieuses: pour satisfaire l'opinion publique on
se remit à traquer les grosses fortunes, sous couleur de concus-
sion. Ce fut l'occasion pour certains d'éliminer des concurrents
et d'assouvir quelques vengeances. Par surcroît, les dénonciations, les procédures et les sanctions furent incohérentes. Le
Blanc, ci-devant ministre, victime de la haine de Dubois, fut
traîné devant le Parlement qui l'acquitta. Le maréchal de Belle-Isle, petit-fils de Foucquet, fut condamné pour malversa-

tions. Le public n'était pas dupe et tournait les juges en dérision. On savait que Mme de Prie épargnait ou châtiait à sa
guise et que ce grand benêt de Duc entérinait, trop heureux de
plaire à sa bien-aimée marquise.

Bientôt elle fit plus : elle obtint que les finances fussent
confiées à l'un des banquiers Pâris, nommé Duverney pour le
distinguer de ses frères. On assista à cette innovation absolue
en Europe et pour l'époque : un grand pays exclusivement diri-
gé par la finance. Ce serait pourtant une erreur de croire que
la gestion de Pâris-Duverney fut spécialement néfaste au
royaume. Dans le monde des affaires, les frères Pâris se distin-
guaient par leur honnêteté et par leur rigueur. Le patronage de
Mme de Prie pouvait, devait normalement, provoquer un désastre. Mais c'était méconnaître le caractère énergique de Pâris-Duverney que de le supposer soumis aux diktats de sa pro-
tectrice. Tout au contraire, il s'attela à la tâche. Elle était immense et diverse. Il commença par diminuer les dépenses inutiles ; supprima les offices administratifs et fiscaux qui entravaient plus qu'ils n'aidaient la marche des affaires ; il exerça sur
les services fiscaux et les services comptables la surveillance
d'un expert aussi expérimenté et instruit les abus, pouvait se
permettre. Il essaya de réduire le nombre des nobles qui
s'étaient ruinés pour acquérir des charges anoblissantes et ne
pouvaient soutenir leur nouvel état. Il donna à l'administration
plus de régularité et d'efficacité. Pour juguler la hausse des
prix, il taxa les marchandises et les salaires. Mais, pour compenser la pénurie générale des espèces, il dévalua la monnaie,
contre l'avis des économistes, et provoqua de nouvelles hausses
des prix qui accrurent la misère du peuple et les difficultés de
la petite bourgeoisie. Le mendicité prenait des proportions
inouïes. Trop souvent les miséreux, exacerbés par le luxe des
riches, se faisaient coupeurs de bourses et de gorges. Pour
lutter contre cette criminalité galopante, Pâris-Duverney fit
interdire la mendicité, créa une manière de service du travail
obligatoire, avec des ateliers et des asiles. On aggrava les peines criminelles ; il eût mieux valu accroître la police parisienne
et la doter de moyens, mais, surtout, prévenir que punir impitoyablement. Bref, Pâris-Duverney avait à la fois les vertus et
les défauts de son milieu, outre un ardent désir de servir l'Etat.
Mais, en dépit de ses talents, il ne pouvait d'un coup de baguette

rendre au royaume sa prospérité, non plus qu'assainir le Trésor! Ce fut en vain qu'il rétablir les taxes «de joyeux avènement», qu'il remplaça l'impôt extraordinaire du dixième aboli par le régent, par un impôt du cinquantième (du revenu) institué pour douze ans. Il n'y gagna que l'impopularité. Il ajouter à celle-ci, en ressuscitant la vieille institution des milices (on les recrutait par tirage au sort): il croyait ainsi constituer une armée de réserve en cas de conflit. C'était un novateur, mais ses intentions ne furent pas comprises; villes et bourgades s'empressèrent de racheter leurs ressortissants.

Ces mesures diverses, l'opinion les attribuait à son véritable auteur et à Mme de Prie, non pas au Duc-Premier ministre. Personne n'avait la moindre illusion sur son compte; on le savait parfaitement incapable de gouverner. Pourtant il y eut un domaine où il exerça un rôle effectif. Ce fut pour commettre une faute redoutable. Naguère, pour mettre fin à la quasi-clandestinité des protestants, le régent avait un instant songé à rétablir l'Edit de Nantes. Mais il s'était heurté à une résistance si vive que, fidèle à sa méthode, il laissa la question en suspens. A sa décharge, il faut souligner que la très grande majorité du peuple français, catholique ou de tradition catholique, eût désapprouvé le rétablissement de l'Edit d'Henri IV. M. le Duc se jugea assez fort pour en finir une fois pour toute avec les huguenots. A vrai dire, il céda sans prudence aux sollicitations pressantes de plusieurs prélats, en particulier de l'évêque de Nantes, Tressan. Les anciennes lois cœrcitives, établies par Louis XIV, étaient tombées en désuétude: elles interdisaient les assemblées des réformés, obligeaient ceux-ci à faire baptiser leurs enfants dans la religion catholique, à les faire instruire par des maîtres catholiques, leur fermaient l'armée, les fonctions officielles, bref faisaient d'eux des réfractaires permanents, condamnés à une sorte de mort civile. Par la déclaration du 14 mai 1724, M. le Duc redonna vie à ces textes caducs, rétablit les peines de mort, de galère, de confiscation des biens. La persécution reprit, mais aussi la résistance armée. On revit les scènes de violence, les désordres, les abus, les départs de 1685. La cupidité n'était pas étrangère au zèle des délateurs. On dut faire machine arrière, fermer les yeux, tolérer, bref revenir au statu quo. Mais les haines qu'attisa M. le Duc en cette circonstance ne s'éteindront plus qu'en 1789. Sa maladresse était d'autant plus regrettable que, jusqu'ici, les protestants se montraient pour le moins aussi loyaux envers le pouvoir que les catholiques.

Cependant la grande affaire du gouvernement de M. le Duc, ou plutôt de Mme de Prie, fut le mariage de Louis XV. Au début de 1725, ce dernier eut un assez grave accès de fièvre. M. le Duc eût réellement peur qu'il mourût et résolut de le marier au plus vite, afin d'assurer la succession au trône. Il croyait ainsi prolonger son propre pouvoir de plusieurs années! En cas de mort de Louis XV, l'héritier du trône eût été le nouveau duc d'Orléans et M. le Duc abhorrait cette famille rivale de la sienne.

Mais Louis XV était fiancé, comme on sait! La petite infante d'Espagne, Marie-Anne-Victoire, était à Paris depuis trois ans, logée aux Tuileries. Elle y grandissait, elle s'y formait aux mœurs de la cour de France, apprenant son métier de reine. C'était aux dires de La Palatine, une enfant charmante: «Je ne crois pas, écrivait-elle lors de l'entrée de l'infante à Paris, qu'on puisse dans le monde entier trouver une enfant plus aimable et plus jolie que notre jolie infante; elle fait des réflexions dignes d'une personne de trente ans; «On dit que, quand on meurt à mon âge, on est sauvé; je serais donc bien heureuse si le bon Dieu voulait me prendre.» Je crains qu'elle n'ait trop de moyens et qu'elle ne vive pas; elle a les plus gentilles façons du monde...»

Seulement, en 1725, Marie-Anne n'avait encore que sept ans et le fiancé qui en avait quinze, la dédaignait. A peine lui disait-il, parfois, rarement, quelques mots condescendants. D'ailleurs, avant de célébrer le mariage, il eût fallu attendre sept ou huit ans. Inspiré par Mme de Prie, approuvé par Villars, M. le Duc décida la rupture du mariage espagnol. La petite infante fut renvoyée fort poliment à Madrid, avec des excuses et un monceau de cadeaux. Le résultat de cette opération peu reluisante fut d'enrager Philippe V de colère et de le rapprocher de l'Empereur.

Restait à choisir l'épouse de Louis XV, que l'on ne prenait d'ailleurs pas la peine de consulter. La duchesse douairière de Bourbon, mère de M. le Duc, se mit en tête de marier le roi avec sa fille Henriette, connue sous le nom de Mlle de Vermondois qui vivait depuis son enfance, volontairement, au couvent de Beaumont-les-Tours. La duchesse douairière décida de s'y transporter et se fit accompagner par Mme de Prie et Mme de Nesle, toutes deux perdues de réputation! La présence de celles-ci acheva d'irriter les préventions de Mlle de Vermondois, qui s'obstina dans son refus de devenir reine de France.

Mme de Prie prit alors les choses en mains. Elle étudia le cas des princesses «mariables». Ce qu'elle voulait, d'accord avec son amant, c'était une princesse au caractère malléable et de rang assez modeste pour se montrer reconnaissante quand elle serait reine. Le choix se porta sur Marie Leczinska, fille de Stanislas, roi détrôné de Pologne, vivant de subsides français dans le vieux château de Wissembourg. Une telle mésalliance scandalisa l'opinion. «Mme de Prie, déclara le brutal Argenson, choisit Marie Leczinska comme je fais mon laquais valet de chambre.»

II

MARIE LECZINSKA

Le 28 mai 1725, Villars notait : « Le roi déclara hier son mariage et je vous assure que l'on ne peut être plus gai ni désirer
plus vivement l'arrivée de la princesse ; il nous a promis que dix
mois après son mariage il serait père. » Il était exact que Louis XV,
partant de son indifférence apparente – et que l'on prenait trop
facilement pour de l'apathie – brûlait de connaître sa future
femme. A cela il y avait deux raisons. Le portrait de Marie
Leczinska qu'on lui avait remis, était l'œuvre de Gobert, pein-
tre complaisant ; il prêtait à son modèle les grâces dont il était
dépourvu. Par ailleurs, le sang des Bourbons bouillonnait quelque peu dans le jeune monarque, constamment assiégé, si l'on
peut dire, par d'éclatantes nymphes impatientes de lui plaire.
Donc la sexualité le travaillait durement, mais, animé d'une foi
très vive, il résistait à la tentation ; il était même intraitable sur
la moralité de son entourage, au point que les courtisans en
étaient revenus à l'austérité de façade de jadis et cachaient
leurs amours : des domestiques, de jeunes seigneurs trop amateurs de bosquets avaient été chassés de Versailles. Le vieillard
Fleury montait une garde vigilante sur la vertu de son élève,
mais il était temps que cela finît, les parties de chasse ne suffi-
saient plus à calmer le jeune roi. Il faut ajouter que celui-ci ne
recherchait pas seulement le plaisir physique mais avait besoin
d'être aimé : non pas comme roi, mais comme homme ! Besoin
d'être compris, de se confier, de partager sa vie avec une vraie
femme, à la fois amante et conseillère, tendre et spirituelle.
On ne sait quelle part l'imagination avait prise dans le psy-
chisme. Il faut croire pourtant qu'elle était assez vaste pour lui

donner une illusion de bonheur. Là-dessus, la gaieté qu'il man
festa paraît significative. Il s'agissait d'un mariage de raison
cependant le jeune homme qu'était Louis XV, prenant ses re
veries pour des réalités, ne doutait point d'être heureux, réso
à bien aimer la femme qu'on lui donnait, comme à se fai
aimer d'elle. Sans doute ce bonheur eût-il été possible si Mar
Lecinzska avait été une autre femme, spirituelle et jolie, c
seulement piquante.

«La princesse de Pologne, ajoutait Villars, avait près c
vingt-deux ans, bien faite et aimable de sa personne, aya
d'ailleurs toute la vertu, tout l'esprit, toute la raison qu'c
pouvait désirer dans la femme d'un roi qui avait quinze ans
demi.» Opinion d'un vieil homme, pour lequel la fraîche
d'une carnation tient aisément lieu de beauté (celle du diable!
par surcroît complice de cet inepte mariage. Car, on le répèt
ce n'était même pas un mariage politique; il ne servait à rie
sauf à diminuer le prestige de la monarchie française; il offe
sait l'opinion populaire tellement sourcilleuse en la matière;
ne plaisait qu'à Mme de Prie et à son amant; cela se savait
ajoutait au discrédit du cheval borgne et de sa jument!

Stanislas Leczinski n'était en effet qualifié de roi de Polog
que par courtoisie. Il ne vivait plus que dans le souvenir d
temps heureux où, grâce à l'appui de Charles XII de Suède,
avait été élu roi de Pologne à vingt-sept ans. Il croyait alors q
son règne serait une merveilleuse épopée. Mais, après la déf
te de Charles XII à Pultawa, Stanislas avait été détrôné par
précédent roi de Pologne, Auguste de Saxe. Charles XII
protégea, jusqu'à sa mort héroïque. Après quoi Stanisla
pourchassé par les agents d'Auguste de Saxe, ne fut plus qu'
fugitif. Le régent lui permit de se réfugier en Alsace. Il vé
dès lors quasi dans la misère, ayant engagé les bijoux de
femme Catherine Opalinska. La demande en mariage faite
nom de Louis XV tomba comme la foudre. Eperdu de jo
Stanislas entra dans la chambre où se tenaient sa femme et
fille Marie.

– Ah! ma fille, tombons à genoux et remercions Dieu!
– Quoi! mon père, seriez-vous rappelé sur le trône?
– Le ciel nous accorde mieux encore, vous êtes reine
France...

Et tous trois s'étreignirent, fous de bonheur! On les insta

Strasbourg, chez la fastueuse comtesse d'Andlau. Ils purent
e la sorte recevoir dignement les envoyés de Sa Majesté très
rétienne: le duc d'Antin, chargé de faire la demande officiel-
, le marquis de Beauvau qui devait négocier les conditions du
ariage, les dames d'honneur désignées pour servir la future
ine et le jeune duc d'Orléans qui avait obtenu l'honneur
épouser Marie au nom de Louis XV et cent mille écus de
rais de mission»!

Le mariage par procuration eut lieu le 15 août 1725 dans la
thédrale de Strasbourg magnifiquement illuminée et déco-
e. Portant une robe de brocart d'argent garnie de dentelles,
rsemées de roses et de fleurs artificielles, Marie Leczinska
ait le point de mire d'une foule immense et joyeuse, mais
ssi des gens de cour. Le 17 août, elle se sépara de ses parents
, par Metz, Verdun, Clermont, Reims, Châlons et Provins
le gagna le château de Moret où la rencontre avec Louis XV
ait prévue! Partout on la fêtait. Sa modestie et sa douceur
isaient tomber peu à peu les préventions que l'on avait contre
le, déconcertaient son entourage et séduisaient les humbles.
n ne percevait dans ses attitudes et dans ses propos ni orgueil
vanité, mais une simplicité de bon aloi. Cette jeune fille qui
était point née pour régner, comme les infantes d'Espagne
les archiduchesses autrichiennes, ne paraissait point surprise
être traitée en reine, et reine, non d'une monarchie élective
incertaine, mais d'une monarchie millénaire, héréditaire, de
oit divin et du plus beau royaume d'Europe! Reine en som-
e naturelle, parce que, dans son âme mystique la Providence
vait choisie pour ce rôle. Aussi acceptait-elle avec bonne
meur d'apprendre les usages français et l'étiquette de la
ur. Quand le duc de Mortemart lui apporta le portrait serti
diamants de son époux, son cœur tout neuf défaillit d'admi-
ion et de tendresse. En plus de la couronne de France, le
el lui offrait un mari d'une beauté surprenante, exceptionnel-
chez les princes régnants. Notons que Marie ne bêtifiait
int, à la façon des filles que l'on tirait du couvent pour les
er dans les bras d'un homme qu'elles ne connaissaient même
s. Elle n'était point sotte, tant s'en faut; elle avait même
te gravité particulière qui mûrit dans l'infortune, mais com-
nt saurait-elle affronter les beaux esprits de Versailles et
jouer les intrigues qui se noueraient autour d'elle? Quelles

seraient ses réactions devant la perversion des mœurs, l'amora
lité de certains courtisans? A commencer par celle de ses ma
rieurs: M. le Duc et Mme de Prie?

Mais l'heure était encore à la liesse, à l'émotion. La première
entrevue de Louis XV et de Marie eut lieu le 4 septembre, un
peu avant Moret, le roi ayant fait à sa future femme la courtoi
sie d'aller au-devant d'elle. Apercevant cet éphèbe royal au
regard fascinateur, à l'allure déjà majestueuse, elle fut comme
éblouie et se mit à genoux. Il la releva prestement, l'embrassa
à plusieurs reprises. Il avait le visage même de l'amour, char
meur, dangereux, innocemment perfide. Dans l'instant, la Po
lonaise tomba amoureuse de cet impressionnant petit mari
Elle avait néanmoins sept ans de plus que lui, mais cette diffé
rence s'effaçait déjà! Souriante, empourprée d'émotion, ell
l'écoutait, elle le regardait lui présenter avec grâce la duchess
d'Orléans, la duchesse de Bourbon, la princesse de Conti, Mll
de Charolais. Il l'aida à monter en carrosse, s'assit près d'elle
entama la conversation. Jamais on ne l'avait vu aussi enjoué
aussi spirituel et prévenant. Pourtant Marie n'était point bell
et son maintien manquait un peu d'élégance, mais elle avai
l'éclat floral de ses vingt-deux ans, et un sourire illuminé par l
bonheur. On s'étonna que Louis eût l'air aussi heureux, alor
que, jusqu'ici, tant de jolies dames l'avaient laissé indifféren
Il est cependant à croire que Marie lui plaisait, précisémer
parce qu'elle concordait avec l'image qu'il s'était faire d'un
épouse au cours de ses rêveries solidaires.

Le soir, elle coucha au château de Moret, qui appartena
aux Rohan, et le roi s'en alla à Fontainebleau, où le mariag
devait avoir lieu le lendemain. Inutile de préciser que ce fu
une cérémonie fastueuse, dont le Roi-Soleil lui-même n'e
pas désavoué l'ordonnance; tout ce que le royaume compta
de grands seigneurs, de dignitaires, de prélats, se pressait dar
la chapelle tendue de velours fleurdelisé. Le Grand aumôni
de France officiait. L'atmosphère était à ce point étouffan
que Marie eut un bref évanouissement. Après le *Te Deu*
final, les festivités se succédèrent: grand couvert, distributio
de médailles et de cadeaux, comédie, souper, feu d'artifice
illumination. Après cette féerie, la reine peut enfin gagner s
chambre, en compagnie de ses dames d'honneur, et le ro
escorté par ses gentilshommes, se mettre symboliquement a

it, avant de rejoindre son épouse. Le temps n'était plus où la nuit de noces des princes se déroulait devant témoins, comme leur naissance et leur mort! Louis XV quitta donc son lit et, prenant congé de sa suite, s'en fut bourgeoisement goûter du lit conjugal. Dans ses Mémoires, le vieux Villars déclare, pudiquement: «Nous sommes entrés le lendemain dans la chambre, pendant que la Reine était encore au lit. Les compliments ont été modestes: ils montraient l'un et l'autre une vraie satisfaction de nouveaux mariés.»

Mais, dans une lettre à l'un de ses amis, le vieux soldat se montrait plus précis:

«La nuit du 5 au 6 a été pour notre jeune roi une des plus glorieuses, et vous pouvez compter que les Cadets d'Aix les plus estimés ne se sont jamais signalés par de plus beaux exploits, ni en vérité si surprenants; la nuit du 6 au 7 a été à peu près égale. Le roi, comme vous croyez bien, est fort content de lui et de la reine, laquelle, en vérité, est avec raison bien reine de toutes les façons.»

L'éphèbe entendant montrer qu'il était un homme, et il le montra si bien que les courtisans, épiant le moindre signe, plaisantèrent entre eux sur ses yeux cernés. Mais ils notèrent aussi son alacrité souriante, sa gaieté, et envers la reine, ses prévenances tendres.

La reine se promenant dans le jardin de Diane rencontra Villars qui venait de festoyer avec ses amis. Connaissant l'approbation qu'il avait donnée à son mariage avec Louis, elle l'accueillit avec bonté. Le vieux maréchal, tout fier d'être traité de la sorte par sa souveraine, se serait permis, si l'on en croit au moins ses Mémoires, de lui donner ce conseil:

«Madame, la satisfaction est générale du mariage et des commencements, et tout ce qui connaît les grandes qualités qui sont en vous désire que vous preniez empire sur l'esprit du Roi. Vous augmenterez l'admiration et l'attachement du peuple, si vous voulez bien laisser entendre que la générosité et la libéralité que vous exercez avec joie n'est troublée que quand vous songez que tout ce que vous donnez aux Français vient des Français et que vous tirez les biens que vous répandez d'une nation que vous voudriez bien qui fût plus opulente.»

Le maréchal de Villars n'était pas un fameux styliste! Ses compliments avaient la grâce aérienne d'un roulement de

canon, mais il croyait bien faire en conseillant à la reine de
«materner» le roi (comme on dirait aujourd'hui) et de faire des
économies. Car le brave Villars aimait aussi sincèrement son
roi que le peuple. Or Fontainebleau était en fête, mais le pain
manquait sur beaucoup de tables à Paris!

Puisque la reine l'accueillait avec tant de simplicité et l'écoutait si volontiers, Villars crut pouvoir renouveler ses conseils.
Loin de les repousser, Marie les sollicitait. D'ailleurs elle avait
reçu une lettre de son père, dans laquelle le roi Stanislas faisait
un chaleureux éloge de Villars qu'il avait connu autrefois. La
reine donna cette page à lire au maréchal. Il ne douta plus dès
lors d'être admis parmi ses familiers, et de lui éviter des faux
pas.

«J'ai été chez la Reine, écrit-il plus loin, que j'ai trouvée
seule dans son cabinet. J'ai eu l'honneur de l'entretenir assez
longtemps, et cette princesse me montrait des sentiments très
respectables sur ses devoirs. Elle était dans l'impatience de
voir le Roi son père, qui devait arriver le 15.»

Le roi Stanislas s'arrêta au château de Bouron. Villars vint
le saluer à son arrivée, précédant la reine Marie d'une demi-
heure. Embrassades et compliments, ce qui donne au maréchal
le prétexte d'une scène digne de Greuze. La reine, désignant
le vieux soldat, n'avait-elle pas dit à son père: «Voilà un de nos
meilleurs amis!» Nouvelles congratulations de la part de Stanislas et invitation à une audience privée. Le 16 septembre,
Louis XV honora ses beaux-parents d'une visite. Ceux qui le
connaissaient appréhendaient cette entrevue: il était habituel-
lement distant avec les étrangers, ou si timide, qu'il ouvrait à
peine la bouche! Or le jeune monarque se mit en frais. Villars:
«L'entrevue se passa avec beaucoup de témoignages d'amitié
de la part du gendre: sa conversation fut même libre et aisée,
il parla beaucoup plus que d'ordinaire.» On dîna quasi en famille. La reine exultait.

En sortant de table, Villars fut conduit dans une chambre
où le roi Stanislas l'attendait. Ce dernier lui déclara toutes les
obligations qu'il lui devait pour le mariage de sa fille; il le
connaissait déjà par ses grandes actions et par l'estime de
Charles XII de Suède:

– Je n'ai vu que ce malheureux roi et vous que je puisse
compter comme les deux héros de l'Europe...

Villars est plus discret sur ce que le roi Stanislas lui demanda après ces beaux compliments. Peut-être de veiller sur sa fille, de lui éviter des embûches trop prévisibles.

Le lendemain, Stanislas se rendit à Fontainebleau. Il entra dans la salle du conseil que présidait Louis XV. Les deux rois s'embrassèrent. Le ton familier, presque affectueux de leur entretien fut remarqué, avec chez le plus jeune une pointe de déférence.

Privé de petits pains et de pains mollets, proccupé de la hausse continuelle des prix, le prolixe Barbier est fort réservé sur le mariage. Il indique simplement que les chemins de Moret étaient détrempés par la pluie et que le carrosse de la reine s'embourba. Il note l'extrême bonne grâce de Marie, l'empressement du roi à son égard et le changement qui s'opérait en lui. Mais je relève aussi cette indication signifiante: «Cette princesse est obsédée par Mme de Prie. Il ne lui est libre ni de parler à qui elle veut, ni d'écrire. Mme de Prie entre à tous moments dans ses appartements pour voir ce qu'elle fait, et elle n'est maîtresse d'aucune grâce.» N'étaient-ce pas les importunités de Mme de Prie qui inquiétaient le roi Stanislas? Mais Villars était aussi l'ami et l'obligé de M. le Duc...

CARDINAL DE FLEURY

«Vous ne devez votre confiance qu'au roi votre époux, écrivait Stanislas à sa fille. Il doit être le seul dépositaire de vos sentiments, de vos désirs, de vos projets, de toutes vos pensées : l'imprudence laisse échapper ses secrets, l'amitié les confie ; l'amour, le véritable amour, les livre et ne s'en aperçoit pas. N'essayez jamais néanmoins de percer les voiles qui couvrent les secrets de l'Etat ; l'autorité ne veut point de compagne. Répondez aux espérances du Roi par toutes les attentions possibles. Vous ne devez plus penser que d'après lui et comme lui, ne plus ressentir de joies et de chagrins que ceux qui l'affectent, ne connaître d'autres ambitions que de lui plaire, d'autres plaisirs que de lui obéir, d'autre intérêt que de mériter sa tendresse. Vous devez, en un mot, ne plus avoir ni humeur ni penchant ; votre âme tout entière doit se perdre dans la sienne.»

Il était parfaitement instruit du climat politique de la France et conscient des dangers auxquels sa situation de princesse étrangère, par surcroît fille d'un roi dépossédé, exposait Marie ; il connaissait aussi la réputation de la cour et sentait la jeune reine un peu perdue dans ce périlleux labyrinthe ; il avait enfin fort bien jugé le caractère de son gendre et décelé notamment son goût précoce, ombrageux, de l'autorité. Or, contrairement à ce que pensait l'avocat Barbier, les visites de Mme de Prie n'importunaient nullement Marie. L'intrigante marquise lui enseignait l'étiquette ; elle parvint très vite à s'en faire une amie, c'est-à-dire à l'intégrer dans la faction de M. le Duc. La bonté de la reine était si grande qu'elle ressemblait à de la faiblesse et nuisait à son jugement. Elle ne prit aucune défiance de Mme de Prie, ne pensa pas un instant que cette familiarité pourrait déplaire à Louis XV. La marquise n'était-elle pas l'instrument d'un mariage qui le rendait heureux? C'était négliger l'impopularité croissante de Mme de Prie et de son amant.

Les nouveaux impôts (le cinquantième, aggravé par le don de joyeux avènement et la ceinture de la reine), suscitaient des réactions très vives dans la noblesse et le clergé, et paraissaient intolérables au tiers état. La cherté des vivres provoquait des émeutes à Caen, Rouen et Rennes. A Paris, dans le faubourg Saint-Antoine, des boulangeries furent pillées. On accusait M. le Duc et surtout sa maîtresse d'accaparer les grains pour les revendre au plus haut prix, par l'entremise du lieutenant de police d'Ombreval. Le renvoi de l'infante, dans les conditions que l'on a dites, avait eu pour conséquence de rapprocher l'Espagne de l'Empire, remettant en cause la Quadruple Alliance, au point qu'une guerre semblait inévitable. Comment y ferait-on face avec des finances aussi obérées? La levée des milices irritait le peuple par son injustice, outre qu'elle augmentait ses charges; sur le plan militaire, elle n'était pas de nature à compenser nos insuffisances. Digne imitateur du régent, M. le Duc improvisait. Au conseil d'En-Haut, Fleury laissait faire. Il s'arrangeait pour ne pas associer son nom aux mesures qu'il jugeait néfastes, ou impopulaires. C'est ainsi que, sans approuver le renvoi de l'infante et le mariage polonais, il ne les avait pas nettement improuvés. Cette attitude énigmatique commençait à inquiéter M. le Duc. Elle était cependant fort claire. Le vieil évêque gardait auprès du roi une position privilégiée: celle d'un conseiller et d'un directeur de conscience qui était en même temps un ami. Il semblait mépriser les honneurs, ne tenir qu'à l'affection de Louis. Homme du juste milieu, il n'élevait point de protestations véhémentes; il sinuait doucement au milieu des factions, ne heurtait personne, procédait par allusions discrètes et feignait toujours de parler dans l'intérêt de son interlocuteur, non pour lui-même qui ne voulait rien, n'ambitionnait rien, hormis le bien du royaume et de son roi. Stimulé par Mme de Prie, M. le Duc s'offensa de ce que l'évêque eût ses grandes et petites entrées chez Louis XV, s'entretînt avec ce dernier pendant des heures, alors que lui, en sa qualité de

Premier ministre, ne pouvait rencontrer le roi seul à seul. Il lui fut aisé de mettre l'innocente reine dans son jeu.

Le soir du 18 décembre, raconte Villars, alors que le roi s'entretenait avec Fleury, la reine lui envoya le marquis de Nangis pour le prier de passer chez elle. M. le Duc s'y trouvait. Au bout de deux heures, l'évêque attendait toujours le roi; il se retira chez lui. Pour ce rusé diplomate, c'était un indice suffisant. Il ne douta point que M. le Duc n'eût travaillé contre lui et obtenu l'accord de Louis pour les audiences particulières. Feignant de laisser le champ libre, il quitta Versailles et s'en fut à Issy, après avoir écrit à Louis et à M. le Duc. Le roi ne reçut sa lettre qu'au retour de la chasse. Il parut extrêmement affecté et s'enferma, seul, dans sa garde-robe pour réfléchir. Pour un roi de seize ans, le choix était difficile, car il ne s'agissait rien moins que de prendre nettement parti pour l'un ou pour l'autre et d'imposer sa volonté. Il se rendait parfaitement compte de l'importance de sa décision, pour lui-même et pour le royaume. Le duc de Mortemart vint le rejoindre. C'était un homme peut-être un peu excessif dans ses propos. Il prit ardemment la défense de Fleury, souligna les méfaits de Mme de Prie et du financier Pâris-Duverney, son complice, sans probablement oser attaquer M. le Duc. Louis XV se laissa convaincre: en apparence, car en réalité, il ne retenait déjà que les avis conformes à son propre jugement, voire à la décision qu'il avait déjà prise. Il envoya Mortemart apporter à M. le Duc l'ordre de rappeler l'évêque. Colère de M. le Duc forcé de s'exécuter! Il se plaignit à Villars du mauvais service que Mortemart venait de lui rendre, de son insolence, de son manque de reconnaissance envers lui.

— Voilà ce que c'est, répliqua le maréchal, de ne pas conférer dans vos affaires avec ceux en qui vous devriez prendre confiance. Vous avez donné quarante mille écus à M. de Mortemart, sans lesquels, disait-il, il ne pouvait servir son année de premier gentilhomme de la Chambre. Si vous m'aviez consulté, je vous aurais conseillé de placer plus utilement cette somme.

M. le Duc lui dit alors qu'il ne pouvait tolérer plus longtemps une situation aussi honteuse pour un premier ministre. Villars:

— J'avoue qu'elle est telle; mais puisque vous l'avez soufferte deux ans, il faut patienter encore, jusqu'à ce que vous ayez trouvé un moyen solide d'en sortir.

Et il le prévint que, s'il brusquait les choses et perdait la partie, ses amis le lâcheraient. Lui-même, en dépit de sa droiture, n'était-il pas en train de louvoyer?

Confident de la reine, Villars écouta poliment ses plaintes. Il lui dit que c'était là une affaire délicate. Qu'elle devait, avant de risquer une intervention en faveur de M. le Duc, bien persuader le roi qu'elle ne voulait que lui être utile, et non le contrarier. La reine commit alors l'imprudence de parler à Fleury des audiences privées du Premier ministre. Elle n'avait certes pas mesuré l'importance de l'évêque et s'illusionnait sur son caractère. M. le Duc rappela Villars, pour le consulter. Villars lui déclara qu'il convenait d'écarter au plus vite Mme de Prie et Pâris-Duverney des affaires, ainsi d'ailleurs que le suggérait Fleury. Louis XV ayant appris la démarche de sa femme en fut irrité. Il se refroidit envers elle, ce qui la désola. Ce fut une reine pleurant à chaudes larmes que revit le maréchal. Il l'aurait «consolée» de la sorte:

– Je crois, madame, le cœur du Roi bien éloigné de ce qu'on appelle amour; vous n'êtes pas de même à son égard; mais, croyez-moi, ne laissez pas trop éclater votre passion: qu'on ne s'aperçoive pas que vous craignez la diminution de ses sentiments, de peur que tant de beaux yeux, qui le lorgnent continuellement, ne mettent tout en jeu pour profiter de son changement. Au reste, il est plus heureux que le cœur du Roi ne soit pas fort porté à la tendresse, parce qu'en cas de passion la froideur naturelle est moins cruelle que l'infidélité.

Mais la reine tenait Fleury pour responsable de la froideur du Roi. Entêtée dans son erreur, elle voulut absolument le revoir et plaida à nouveau la cause de Mme de Prie et de Pâris-Duverney.

– Mais quelle haine avez-vous donc contre eux?

– Je ne leur en veux point; et, si je presse M. le Duc, ce n'est qu'à cause du tort qu'ils lui font.

– Mais moi, comment me résoudre à éloigner des personnes dont l'un, secrétaire de mes commandements, demande des juges sur ce qu'on lui reproche, et l'autre que l'on approfondisse les torts qu'on lui donne? J'avoue que la disgrâce de ces gens-là, dont je suis très contente, me fera de la peine.

L'évêque garda le silence. Mais, lorsque Marie le questionna sur l'attitude nouvelle du roi, il répliqua sèchement:

– Ce n'est pas ma faute.

Elle revint alors à la charge sur la question des audiences privées et se heurta à un refus courtois, mais ferme.

A nouveau consulté par M. le Duc, Villars lui fit remarquer, non sans finesse, que, si l'évêque demandait avec tant d'insistance le renvoi de Mme de Prie et de son banquier, c'était essentiellement pour éclairer l'opinion sur son propre compte : loin d'être passionné contre eux, il voulait simplement que l'opinion fût informée de ses démarches pour les écarter du pouvoir en raison de leur impopularité. La seule tactique à adopter, selon le maréchal, c'était de se débarrasser d'eux au plus vite...

Mais M. le Duc était l'esclave de ses sens et Mme de Prie avait l'art de doser et de diversifier les plaisirs. Les mois passèrent ; la menace de guerre avec l'Empire et l'Espagne se précisait. M. le Duc ne faisait rien pour éviter un conflit qu'il estimait inéluctable. Fleury guettait sa proie. Louix XV réfléchissait, car, au bout de compte, nonobstant sa jeunesse, la décision viendrait de lui seul. Les courtisans, se doutant de quelque chose, étaient aux aguets, incertains de la conduite à tenir, selon leur habitude. Qui l'emporterait finalement de Fleury ou de M. le Duc ?

Bavardant avec le contrôleur général Dodun, Villars lui dit :

– Je vois former contre M. le Duc un orage que je crois prêt à éclater.

– Je ne crois pas qu'il soit en place dans trois mois.

– Et moi, dans huit jours !

Les courtisans notèrent que le maréchal d'Uxelles offrit à dîner à l'évêque et au maréchal de Berwick, et que les trois compères passèrent le reste de la journée ensemble. Ils notèrent encore le comportement anormal des ducs de Charost et de Mortemart, ennemis déclarés de M. le Duc : leur alacrité parut suspecte à tous.

Le 11 juin (1726), à l'issue du conseil, le roi mit en badinant la main dans la poche de Villars et lui prit ses gants. Villars se réjouit qu'il n'y eût pas trouvé la lettre anonyme qu'il venait de recevoir. Cette lettre contenait «des horreurs» contre M. le Duc. Ce fut en vain qu'il essaya de le prévenir. A trois heures, le roi partit pour Rambouillet. Il dit à M. le Duc.

– Ne me faites pas attendre pour mon souper.

Louis XV retrouvait ici le génie des Bourbons, l'art de dissimulation de son arrière grand-père faisant bon visage à celui qu'il voulait perdre. Priant M. le Duc à dîner, il avait déjà résolu de son éviction, pris ses mesures et donné ses ordres. A sept heures, Charost remit cette lettre à M. le Duc:

«Je vous ordonne, sous peine de désobéissance, de vous rendre à Chantilly, et d'y demeurer jusqu'à nouvel ordre.»

M. le Duc vacilla sous le coup, mais, se reprenant, il déclara qu'étant accoutumé à obéir au roi, il donnerait l'exemple: qu'il espérait depuis longtemps pouvoir se démettre de sa fonction et regrettait de partir sans un mot de remerciement.

Après le souper, la reine demande Villars. Elle pleurait encore! Mais ce qui la chagrinait le plus, ce n'était point le départ précipité de M. le Duc; c'était une lettre que l'évêque Fleury lui avait remise de la part du roi. Elle était de cette encre:
«Je vous prie, Madame, et s'il le faut, je vous l'ordonne, de faire tout ce que l'évêque de Fréjus vous dira de ma part, comme si c'était moi-même. Louis.»

Les ministres reçurent le même ordre de la main du roi, et qui leur fut également remis par l'évêque. Une révolution de palais venait de s'accomplir, sans heurt et sans bruit. Fleury avait atteint son but. Son premier acte fut d'exiler Mme de Prie et les quatre frères Pâris. La belle marquise en mourut peu après, de dépit et de chagrin. Ce fut en vain que la duchesse douairière de Bourbon tenta de fléchir la volonté du roi. Elle demandait pour M. le Duc la permission de venir un seul jour à Versailles:

– Point, répondit Louis XV.

– Mais, Sire, vous m'accablez de la plus mortelle douleur; voulez-vous mettre mon fils et moi au désespoir? Qu'il ait la consolation de vous voir seulement un moment.

– Non, fit le roi et il lui tourna le dos.

Il fallut empêcher les Parisiens d'allumer des feux de joie pour célébrer l'exil de M. le Duc et de sa maîtresse. Des libelles infamants coururent Paris. La joie populaire fut à son comble, lorsque Louis XV publia son intention de ne pas prendre de premier ministre, d'assurer personnellement la présidence du conseil et la direction des affaires: on se crut revenu en 1661, à la prise de pouvoir du Roi-Soleil. Mais c'était oublier que Louis XV n'avait que seize ans! Le premier ministre occulte fut donc Fleury, pour le plus grand bien du royaume. Il rappela Le Blanc au ministère de la Guerre et changea de contrôleur général. Malgré ses louvoiements, Villars continua d'être admis au conseil, dont la composition fut modifiée. On annonçait de grands changements. Ces vers circulaient sous le manteau:

> *Le Blanc vient d'arriver,*
> *Cessez, tristes chaos,*
> *Paraissez règlements!*
> *Roi, daignez vous instruire*
> *Pour assurer notre repos*
> *Les Condés exilés*
> *Rassurent notre empire.*
> *Coulez, grâces, coulez!*
> *Fuis, ministre odieux!*
> *D'un hymen trop honteux*
> *Pour réparer l'injure,*
> *Reine, enfante un Dauphin*
> *Ou te mets en clôture!*
> *Vive Fréjus, si l'on nous paie mieux!*

Dans son Journal, l'avocat Barbier faisait réflexion sur l'âge de Fleury, soixante-treize ans! Il ne pouvait s'empêcher d'admirer que le fils d'un humble receveur des tailles du Languedoc, naguère janséniste, puis donné aux jésuites, fût monté si haut par son habileté, eût même refusé l'archevêché de Reims pour rester à la cour et «attraper la place». Mais, fidèle reflet de l'opinion parisienne, il émet cette réserve: «On ne le dit pas, au surplus, un grand génie, ni autrement propre aux affaires de l'Etat. Nous verrons, si nous vivons, si cela nous fera bien du bien (sic).»

Quand, au mois d'août, le roi remit la barrette à M. de Fréjus, courut une épigramme, selon laquelle la pauvre France était une malade, qui, depuis cent ans, avait été traitée par trois médecins de rouge vêtus: le premier (Richelieu) l'a saignée; le second (Mazarin) l'a purgée; le troisième (Fleury) l'a mise à la diète.

IV

LE CHANGEMENT

Fleury débuta donc par un remaniement ministériel. Il lui était indispensable de former une équipe à sa dévotion. Chez lui le bon sens et la finesse suppléaient l'absence de génie, mais, sous des apparences patelines, se cachaient à la fois cette âme «superbe» dont parle Saint-Simon et la passion du pouvoir. Il n'avait point – et, eu égard à la modestie de ses origines, ne pouvait avoir – le style altier de Richelieu. Proche de Mazarin par ses talents de diplomate et sa tendance à l'hypocrisie, il n'en avait pas non plus les appétits, ni l'esprit corrupteur. Né presque pauvre, ayant longtemps vécu dans la pauvreté, il n'avait pas non plus le désir de s'enrichir. Sa promotion au cardinalat, sa toute-puissance de Premier ministre, ne changèrent rien à son train de vie qui n'était certes pas de nature à porter ombrage aux courtisans: quelques domestiques, un maigre équipage, un carrosse de bourgeois parisien et nul goût pour les œuvres d'art. Mais, on y insiste, une volonté sans faille, un cœur voué au service public et à la personne de Louis XV, aucune vindicte à l'égard de ses adversaires. Un homme étrange à la vérité, et comme hors du temps, dans le siècle, ô combien! mais plus encore en lui-même, ayant vécu pendant des années au milieu d'une cour stigmatisée par les vices, la corruption et la cupidité, sans une éclaboussure. Non point d'une dévotion ostentatoire ou abusive, ou d'un mysticisme encombrant, mais un croyant sincère et exact. Non davantage un saint, mais un prélat du juste milieu, indulgent aux faiblesses d'autrui, s'il restait exigeant envers lui-même. Un mélange surprenant d'humilité naturelle, d'exquise politesse et d'ambition; d'une douceur qui confinait a la mièvrerie et que l'on mettait, commodément, sur le compte de l'âge! Mais nul ne savait mieux ce qu'il voulait et, quand il avait pris une décision, imposer sa volonté. On comprend dès lors les raisons profondes de son amitié avec Louis XV: leurs caractères s'accordaient sur plus d'un point, notamment dans l'art de dissimuler, dans la prudence, dans la méfiance! Mais Louis XV avait de brusques sautes d'humeur, des réactions parfois brutales: le roi parlait en lui. L'opinion reçue reste qu'il trouvait avantage à laisser le cardinal exercer le pouvoir; aussi pouvait-il s'abandonner à la paresse et aux plaisirs. On objectera qu'un roi de dix-sept ans ne pouvait prétendre gouverner seul, ni même en remontrer à un vieillard dont la connaissance des affaires et l'expérience ne faisaient pas de doute. Mais, en accédant à l'âge adulte, il aurait pu restreindre les attributions du cardinal, ou le remplacer. Il ne le fit pas, car il partageait les vues de Fleury et c'était ensemble qu'ils décidaient des grandes orientations politiques. Dès cette époque, on observa que, si Louis XV écoutait plus qu'il ne parlait pendant les séances du conseil, chaque fois qu'il émettait un avis, c'était avec pertinence; tout montrait ses progrès dans la compréhension des problèmes. Au surplus, il faut à nouveau souligner le mérite qu'il avait eu de préférer le cardinal au duc de Bourbon, et celui qu'il aura de soutenir sa politique tant extérieure qu'intérieure avec une constance remarquable. Or Fleury convenait à tous égards à un royaume menacé d'un rapide déclin. Il ne s'agissait plus de mener contre les Habsbourg la lutte que l'on sait, ni de préparer sa prépondérance en Europe, mais de panser les plaies et de hâter leur cicatrisation. Rien n'était encore perdu, mais il importait qu'un gouvernement fût assez sage pour laisser le pays reprendre souffle et gommer, s'il était possible, les fautes de la régence. Ni Richelieu, ni Mazarin n'eussent convenu, obsédés qu'ils étaient par la grandeur française; l'épopée solaire de Louis XIV ne se renouvellerait plus; il fallait rendre à la nation sa prospérité et, dans cette perspective fort peu glorieuse mais nécessaire, lui assurer la paix. Le problème n'était pas simple. Fleury s'y employa avec une ardeur exemplaire, surprenante chez un vieillard. Mais ce vieillard avait, pour ainsi dire, su retenir sa vie, mettre en réserve ses forces, de sorte qu'il put tenir le timon des affaires pendant dix-sept ans, car il

atteignit l'âge incroyable pour l'époque de quatre-vingt-dix ans
et mourut à la tâche! Mais, au cours de sa longue existence, il
avait évité les excès de toute nature, même ceux de table. Pour
autant n'eut-il jamais l'allure pesante et les ratiocinations d'un
patriarche; c'était un bel homme, avec un visage aux traits fins
et aux yeux bleus, presque un abbé de cour! En cela, il appartenait bien au XVIIIe siècle, où la sveltesse et la vivacité, la
distinction et l'ironie légère étaient monnaie courante.

Les ministres qu'il recruta n'étaient point à son image. Mais
il entendait jouer des talents de chacun comme un organiste de
son clavier, et cela montre son habileté. Il mit le jeune Maurepas à la Marine, qui était à refaire et dont le cardinal comprenait l'importance (surtout en raison de l'Angleterre); Maurepas sortait de la famille de Pontchartrain qui avait fait ses preuves. Il rendit le département de la Guerre à Le Blanc, qui y
avait excellé et était aimé par la troupe. Quand ce dernier
mourut, il le remplaça par d'Angervilliers, une sorte de techno-
crate qui avait fait carrière comme intendant et possédait des
lumières dans toutes les branches de l'administration; mais qui
s'était lui aussi distingué par son honnêteté! Morville, desservi
par son esprit partisan, fut remplacé aux Affaires étrangères
par Chauvelin, un parlementaire qui joignait à des qualités de
juriste et d'homme politique éclairé, l'usage du monde, sachant être secret sans affectation, déterminé sans humilier son
interlocuteur, habile à déceler les intrigues, mais bienvenu
dans tous les milieux: le cardinal le destinait à sa succession,
tout en le craignant un peu, car il percevait son amertume de
n'être qu'un brillant second. Il sacrifia Dodun, à cause de sa
dureté et de ses prétentions à la noblesse, imaginant par là
satisfaire l'opinion. Il mit à la place de contrôleur général,
d'abord Le Pelletier des Forts, ensuite Philibert Ory, ci-devant
capitaine de dragons, puis entrepreneur de travaux publics,
avant d'avoir la charge de secrétaire du roi: c'était une grande
carcasse d'homme, aux façons de soudard, aux sourcils perpé-
tuellement froncés, d'un abord sauvage; d'Argenson raconte
malicieusement qu'on disait de lui: «Mais que fera-t-il à la
cour? Il y sera embarrassé comme un bœuf dans une allée.»
Aperçoit-on l'intention du cardinal? Ce bœuf, ou plutôt ce
dogue, lui était très utile pour décourager les importuns, opposer des refus cassants aux solliciteurs. Fleury, pour ne décevoir

personne, renvoyait le quémandeur gênant à Ory, qui endossait la responsabilité et jouait, sans complexe, le rôle de bouc émissaire. Les sceaux furent rendus au célèbre d'Aguesseau ; c'étant en matière de droit un puits de science. La disparité des procédures et des coutumes était telle qu'une refonte des textes s'imposait à nouveau.

Mais la tâche la plus urgente était le redressement des finances. On a suffisamment insisté sur les effets désastreux du système Law et sur les expédients auxquels le régent et le duc de Bourbon recoururent ensuite. Le cardinal n'était pas non plus grand expert en matière de finances ; il avait pourtant quelques idées simples. Le précédent contrôleur général (Dodun) avait cru qu'en dévaluant la monnaie, il jugulerait la hausse des prix. La mesure produisit l'effet contraire. Chaque nouvelle dévaluation était suivie de la hausse des salaires et de l'augmentation des denrées. Il faut savoir que l'unité de compte était alors la livre, mais qu'il n'existait pas de pièces d'une livre. On payait en louis d'or ou en écus d'argent, dont le cours variait selon les décisions du gouvernement, ce qui avait pour résultat de compliquer, voire de paralyser les transactions et plus encore les exportations. L'habileté de Fleury fut de rendre invariable le cours de la monnaie : un arrêt de conseil fixa pour six mois le cours de l'écu à six livres, et celui du louis à vingt-quatre livres. Plusieurs arrêtés prorogèrent successivement cette mesure, en sorte que le cours de la monnaie resta invariable jusqu'à la Révolution. Il est superflu de préciser les avantages que présenta cette stabilité monétaire ! Hormis quelques brèves périodes de crise consécutives à de mauvaises récoltes, on peut dire que la courbe de l'économie française traduit une croissance continue jusqu'à 1789. Cependant, faute de mesures énergiques appropriées, on assista à cette situation paradoxale d'un État de plus en plus pauvre dans une France de plus en plus prospère. J'incline à croire, peut-être en raison d'un incurable optimisme, qu'il s'agit là d'un phénomène typiquement français, d'une de ces constantes de notre nation, les mêmes causes produisant les mêmes effets ! Ce cancer de l'Ancien Régime qu'était le système fiscal tenait à la répartition des impôts et à leur rentrée. Colbert avait tenté jadis de les simplifier, d'en améliorer l'assiette en traquant les exemptions illégales, et en supprimant nombre de charges. Puis, sous le poids des dépenses de guerre, également pour bâtir Versailles et soutenir la politique du Roi-Soleil, il avait dû se rabattre, comme ses devanciers, sur «l'Extraordinaire», c'est-à-dire faire feu de tout bois, accroître l'enchevêtrement administratif par la création de nouveaux offices, et la dette de l'Etat. Il faut reconnaître que, dans un premier temps, le cardinal ne fut pas plus heureux. Sous prétexte de sortir de l'impasse où la Régence avait jeté le Trésor, il permit le rétablissement, dès 1726, de la Ferme Générale, qui n'était autre qu'une société d'affairistes assez argentés pour consentir d'énormes avances sur l'impôt, en se chargeant de le recouvrer moyennant bénéfice. La quarantaine de banquiers qui fut intéressée à l'opération, garantissait à l'Etat quatre-vingts millions, quel que fût le produit réel de l'impôt. En six ans, elle réalisa vingt-quatre millions de bénéfices! Philibert Ory porta le montant de la garantie annuelle à cent millions, sans rencontrer de résistance sérieuse! En 1738, il parvint même à équilibrer le budget, en recourant, il est vrai, à divers expédients (emprunts à rente viagère, loterie royale, etc.), ce qui n'était pas arrivé depuis Colbert.

Ce serait une erreur de croire que ces premières mesures furent généralement approuvées. Elles firent au contraire, l'objet de vives critiques, surtout de la part des gens d'affaires et des gros marchands. Quant au peuple, il apprécia quand même la suppression du cinquantième, d'autant qu'il en supportait seul la charge bien qu'il s'agît d'un impôt général.

Pas à pas, à sa manière toute de discrétion, le cardinal étoffa son gouvernement. Pour ne rien diminuer des attributions du Conseil d'En-Haut, il établit un conseil des ministres, puis un conseil des dépêches, puis un conseil de commerce. Mais ces organismes ne ressemblaient en rien aux conseils particuliers institués par le régent. Ce n'étaient point des clubs réservés aux ducs et aux maréchaux, où chacun palabrait à sa guise et rivalisait de médiocrité prétentieuse. C'étaient des réunions d'administrateurs chevronnés, efficaces, laborieux. De même le cardinal renouvela-t-il l'équipe des intendants. Insensiblement, l'administration royale et le gouvernement devenaient dignes de respect. Lous XV était évidemment de part dans ces changements.

V

LE CIMETIÈRE SAINT-MÉDARD

Il en fut du jansénisme comme de toute chose en ce monde: né d'un besoin d'absolu et d'une soif de pureté, en un siècle tout de façade, il finit dans le ridicule et la boue, après avoir obsédé les esprits pendant presque cent ans. Croire que le XVIIIᵉ siècle n'est que le siècle de Voltaire, sceptique, libertin ou athée, est une erreur profonde. Il ne s'agit pas de nier l'importance croissance de ce qu'on appelle «les lumières», c'est-à-dire la libre-pensée, en laquelle au surplus persistait un vague déisme, l'Etre Suprême, le Grand Architecte de l'Univers, se substituant au Dieu des curés de villages et des catéchismes. Mais il faut bien admettre que la majorité de la nation restait fortement attachée à la foi de ses pères et aux pratiques qui en étaient la manifestation extérieure. A preuve l'indifférence que rencontra la reprise des persécutions à l'égard des protestants. On tenait au baptême, à la communion, au mariage catholique et à l'inhumation en terre bénite. Peut-être n'étaient-ce là qu'habitudes vidées de leur contenu, convenances sociales, traditions qui jalonnaient et coloraient l'existence de chacun! Non dans le peuple qui restait foncièrement croyant et qui ignorait la pensée philosophique, tout en mêlant les superstitions aux obligations religieuses. Quant à la bourgeoisie et à la noblesse, mis à part «les beaux esprits», si le doute s'insinuait en elles, pour autant gardaient-elles la religion chevillée au cœur. Au point que les athées eux-mêmes évitaient de trop publier leur athéisme. Que le public cultivé et les milieux intellectuels réputés sceptiques par les manuels scolaires, se passionnaient encore pour des querelles de religion! Et qu'à l'époque du cardinal de Fleury, la lutte des jésuites contre les jansénistes divisait toujours l'opinion et suscitait d'âpres disputes.

Initialement, le jansénisme n'avait été qu'une tendance au sein de l'Eglise catholique, une réaction contre le laxisme préconisé par les jésuites. Ces derniers ne cherchaient que la quantité; ils avaient le pardon facile et négociable. Les jansénistes exigeaient la qualité; ils étaient fâcheusement élitistes; leur doctrine débouchait finalement sur la négation du libre-arbitre, c'est-à-dire sur le désespoir pour un croyant sincère. La Grâce, chez eux, ressemblait par trop à une loterie fort coûteuse, avec peu de numéros gagnants. Pour les jésuites, c'était au contraire une loterie à la portée de toutes les bourses: il suffisait d'un minimum de bonne volonté. Bien entendu, je stylise à l'extrême, mais pour rendre mieux perceptible la différence d'éthique. L'arme des jansénistes, c'était leur indépendance totale, affichée, proclamée, envers le pouvoir par principe corrupteur. Mais c'était aussi une arme à double tranchant, car elle rendait le mouvement suspect, sur le plan politique. Dès lors, les flamboiements de Pascal, la vie exemplaire de ses amis les Solitaires, les macérations des sœurs de Port-Royal ne servaient à rien. Leur recherche de la pureté ne soulignait que trop le relâchement de certains couvents et des pères jésuites mêlés au monde. Mais ces derniers, quelles que fussent leurs apparentes faiblesses et leur compromissions, restaient fortement hiérarchisés, conservaient l'idéal et le but qui leur étaient propres; ils avaient opté pour le régime en place et, s'ils exerçaient à coup sûr une influence, elle était occulte. Soutenus par une monarchie absolue, ils travaillaient pour elle, forts de leur discipline et de leurs ramifications souterraines. Les jansénistes faisaient bande à part, accréditaient l'idée selon laquelle eux seuls étaient d'authentiques chrétiens. C'étaient par surcroît d'incomparables raisonneurs, de redoutables dialecticiens, issus principalement des milieux de robe. Ils menaient leur querelle avec les jésuites comme une procédure devant le Parlement. Louis XIV étant peu féru de théologie, les jansénistes ayant par surcroît commis la faute impardonnable de soutenir les Frondeurs, il ne fut pas difficile aux jésuites d'obtenir leur condamnation, laquelle entraîna la disparition progressive du mouvement, puis la destruction sauvage de Port-Royal-des-Champs.

Ils crurent que l'enlèvement des dernières sœurs par les policiers, le rasement du malheureux couvent, la dispersion des os d'un cimetière, mettaient le point final au combat. Les jansénistes tenaient leurs martyrs; ils proliférèrent, surtout en province, gagnèrent des adeptes au sein même de l'Eglise. Ils trouvaient leur nourriture mystique dans les *Réflexions morales* du père Quesnel. Les jésuites rentrèrent en lice. L'ouvrage de Quesnel fut condamné par le pape. S'ensuivit la fameuse bulle *Unigenitus* dont Louis XIV avait voulu faire une loi d'Etat. D'où résistance du parlement et de certains évêques, ayant pour chef le cardinal de Noailles. Sous la régence, ce dernier, rentra en grâce et l'on peut croire que le gouvernement se prononçait en faveur du jansénisme.

Mais, d'ores et déjà, le jansénisme en question n'avait aucun rapport avec la religion de Port-Royal et des Solitaires. C'était un mouvement d'opposition, à la fois gallican et populaire, contre l'ultramontanisme du pouvoir et des jésuites. Non seulement il avait changé de couleur, mais son essence même différait et, à dire vrai, ce n'était plus guère qu'un parti politique. Non point que certains jansénistes fussent insincères, mais, croyant servir la religion, ils soutenaient des intérêts dont ils n'avaient pas la moindre notion et qui ne correspondaient en rien à leurs convictions personnelles; ils étaient démocrates sans le savoir! Paris fut globalement janséniste, plus exactement contre la bulle *Unigenitus*, sans en connaître d'ailleurs le contenu. Mais les parlementaires menaient le train, avec pour escorte le monde des robins frondeurs par tempérament et, comble d'ironie, les libertins et les athées. Le régent se garda bien de se mêler à la querelle, encore qu'il s'agît d'une affaire d'Etat. Mais il l'estimait trop complexe et il espérait qu'avec le temps les passions s'apaiseraient. Ce fut le contraire qui arriva. Elles s'exacerbèrent. Le mouvement gagna les facultés, la hiérarchie, les Ordres eux-mêmes et, dans les provinces, les curées de village. Telle était la situation lorsque le cardinal de Fleury accéda au pouvoir. Les jésuites l'avaient naguère sorti de l'ombre, comme ils avaient fait de Mme de Maintenon. Il était leur allié, non peut-être leur instrument.

En politique réaliste, il analysa la situation et décida l'application de la bulle. Il avait parfaitement discerné l'hétérogénéité du jansénisme, juxtaposition incohérente de gallicans traditionnels et d'opposants au régime, amis des parlementaires. Comme on pouvait s'y attendre, il n'attaqua pas de front. Il feignit de ne se soucier que du clergé suspect de jansénisme, rebelle à ses supérieurs. Sans donner d'ordres précis, il incita les conseils provinciaux à se réunir pour sanctionner les fautifs (désignés sous le nom d'appelants). Le concile d'Embrun déposa l'évêque Soanan, qui avait la réputation d'un saint, et l'enferma à la Chaise-Dieu. Ce fut le signal de savantes manœuvres ecclésiastiques, en lesquelles, pour amener les désertions, les promotions et les persécutions alternaient. Fleury crut avoir triomphé du mouvement; il se trompait. Oubliant sa prudence habituelle, il osa faire signer au roi la Déclaration (de 1730) faisant de la Constitution Unigenitus non seulement une loi pour l'Eglise, mais pour le royaume entier. Cette Déclaration interdisait les disputes théologiques ainsi que les appels contre la hiérarchie; elle prohibait les publications d'inspiration janséniste comme étant de nature à perturber l'ordre public.

Le Parlement contesta la validité de la Déclaration. Louis XV tint un lit de justice pour en imposer l'enregistrement. Le Parlement s'inclina, mais revint sur sa décision. Par lettre de cachet, le roi lui enjoignit de s'en tenir à l'enregistrement. Protestation contre la lettre de cachet, mémoires d'avocats en faveur des appelants, arrêt du Parlement, arrêt du Conseil annulant celui du Parlement, etc... etc... A l'instigation de l'abbé Pucelle, cinquante magistrats s'enfournèrent soudain en quatorze carrosses et galopèrent vers Marly. Mais le roi refusa de les recevoir et le seul résultat de leur équipée fut de les couvrir de ridicule. Le premier président revint à la charge, supplia le roi de recevoir une délégation. Il se heurta à un refus catégorique. Ses collègues l'obligèrent à renouveler la demande. Nouveau refus du roi. Cette tête folle d'abbé-conseiller Pucelle s'écria:

– Nous parlons et on nous défend la parole, nous délibérons et on nous menace. Quelle paix après cela le conseil du roi veut-il nous laisser entrevoir, sinon celle qu'on n'ose nommer? Que nous reste-t-il donc dans cette situation déplorable, sinon de représenter au roi l'impossibilité d'exister en forme de Parlement sans la permission de parler, l'impossibilité par conséquent de continuer nos fonctions?

Le Parlement fût un arrêt portant qu'en temps opportun il

serait fait des remontrances sur l'obligation de respecter les
«maximes» du royaume. C'était un recul, mais assaisonné de
menace. Louis XV convoqua les présidents et leur exprima son
mécontentement. Quant au chancelier, il déclara brutalement:

– Le roi connaît toute l'étendue des droits de sa suprême
puissance, et il n'a pas besoin d'être excité à maintenir les
maximes du royaume!

Le conflit parut s'apaiser. Survint alors l'affaire du cimetière
Saint-Médard, ou plutôt des miracles du diacre Pâris. Ce dernier était un saint homme, janséniste convaincu. Diacre de
l'église Saint-Médard et riche de dix mille livres de revenus, il
avait longtemps vécu de pain et d'eau pour distribuer son argent aux pauvres. Le peuple le révérait. Quand il mourut, en
1727, sa tombe devint un lieu de pèlerinage. On prétendit que
la tombe de Pâris opérait des miracles, guérissait des maladies
réputées incurables. Le cimetière Saint-Médard fut le théâtre
de scènes extravagantes. La sainteté du diacre devint conta-
gieuse, se traduisit par une épidémie de convulsions, dont les
uns se moquaient, dont les autres s'inquiétaient et dont les
fabricants de nouvelles tiraient pâture. Où était la pure doctrine des Solitaires et des sœurs de Port-Royal-des-Champs? Les
convulsionnaires du diacre Pâris faisaient écho aux paroles de
feu de Pascal!

Le cardinal de Fleury voulut en finir avec cette grossière
caricature. Il ferma le cimetière. Cette sage décision ne fut pas
du goût du Parlement, et la lutte procédurière recommença.
Elle aboutit à la démission massive de cent cinquante magistrats. Comme aux plus beaux jours de la Fronde, la foule les
compara à «de vrais Romains» et les appela à nouveau «Pères
de la Patrie». Dangereuse initiative, car elle mettait le pouvoir
royal en porte-à-faux. Le Parlement tenait encore une grande
place à Paris et dans l'opinion. Il n'était de fait qu'un organisme
chargé de la bonne exécution des lois, mais il n'avait cessé de
prétendre représenter la nation entière. Son objectif restait de
contrôler le pouvoir royal, voire de se substituer à lui sur le
plan législatif. Un mémoire sur l'origine et l'autorité du Parlement en France circula sous le manteau. Il suggérait de laisser
à la haute assemblée «la manutention des lois et des usages
généraux», la politique et les traités restant du domaine d'un
conseil secret, bref d'instaurer une monarchie à l'anglaise. En

la circonstance, Fleury ne perdit pas son sang-froid. Il laissa simplement entendre que le roi préférait pardonner que sévir, à condition que les parlementaires fissent le premier pas. Le premier président se soumit, ce qui décida les Pères de la Patrie à reprendre leurs démissions. Quand on sut qu'ils réoccupaient leurs sièges, ce fut un énorme éclat de rire! Il y eut cependant un dernier ressac. Le garde des sceaux Chauvelin ayant rédigé un nouveau règlement sur le service intérieur du Parlement, déchaîna de nouvelles protestations. Ces prétendus réformateurs tenaient surtout à préserver leurs privilèges. Cent trente-neuf d'entre eux reçurent une lettre de cachet les exilant dans des villes différentes. Ces Messieurs du Parlement excellaient à colloquer, mais leur abnégation n'allait pas jusqu'à sacrifier leurs plaisirs! Après quelques mois, on les rappela d'exil. Le premier président fit le très humble discours que l'on attendait de lui. Le roi daigna pardonner et tout rentra dans l'ordre.

«Voilà donc cette grande affaire terminée à petit bruit et à peu de frais, écrit Barbier. Chaque parti raisonne différemment. Les jansénistes triomphent; et tous les jeunes conseillers, entre autres, sont fort fiers d'avoir forcé le ministère à plier. Le ministère compte de son côté avoir conservé l'autorité du roi en ne retirant pas nommément la déclaration, et en la suspendant seulement. Les gens de cour regardent toutes ces démarches comme des sottises qu'on fait faire au roi, parce que, si la déclaration du 18 août, enregistrée dans un lit de justice solennel, tenu à Versailles, ne vaut rien il ne fallait pas la donner ni faire tant d'appareil de ce lit de justice. D'un autre côté, si le Parlement a eu raison de s'y opposer et de protester contre, il était déplacé d'exiler cent quarante personnes. Enfin les gens sensés et désintéressés regardent ceci comme un accommodement plâtré, car il reste toujours le fond de la querelle qui est le jansénisme.»

Il restait en effet, avec ses faux miracles, ses prophéties, ses écrits clandestins, ses réunions, ses pèlerinages à Port-Royal-des-Champs, ses réunions clandestines au cimetière Saint-Médard. On trouva ce placard affiché sur la porte:

«*De par le roi, défense à Dieu*
De faire miracle en ce lieu.»

Il est évident que le cardinal ne sortait pas grandi de cette querelle, non plus que l'autorité royale, non plus que l'Ordre des jésuites. Quant aux Pères de la Patrie, aux Romains en toge rouge, ils avaient simplement, et une nouvelle fois, prouvé leur impuissance.

VI

L'ACQUISITION DE LA LORRAINE

La querelle janséniste et l'agitation parlementaire donnaient cependant moins de tablature à Fleury que les problèmes de politique extérieure. Il avait par bonheur des dons de diplomate quasi égaux à ceux de Mazarin, encore que leurs méthodes fussent différentes. Mazarin avait l'esprit fertile en inventions, la faconde brillante, imprévue et rieuse d'un Napolitain, une exceptionnelle aptitude à convaincre en tournant la difficulté, ou à prendre l'adversaire en défaut. Au contraire Fleury donnait l'impression d'un honnête vieillard, accablé de soucis et que l'on était quasi tenté de plaindre. Il avait une éloquence subtile, mais cette éloquence feutrée, un peu terne, apparemment timide et hésitante, appelait l'indulgence et désarmait l'interlocuteur. Il savait aussi créer, par sa seule présence, un climat de sympathie, d'apaisement, presque de complicité. Sa dignité cardinalice en imposait, d'autant que l'on connaissait la rectitude de sa vie, alors que la pourpre de Mazarin n'était que de comédie. Nul n'apercevait en ce paisible vieillard la volonté tendue, ni la pénétrante sagacité. Par bonheur pour l'Europe et le royaume de France, Fleury ne voulait que la paix, mais pour des raisons moins chrétiennes que politiques. Par bonheur aussi les Etats d'Europe avaient dans l'ensemble des intentions pacifiques, sauf l'Espagne!

L'Espagne ne nous pardonnait pas le renvoi de la petite infante, surtout la reine Elisabeth Farnèse atteinte dans son orgueil. Ayant échoué à provoquer une rupture de l'Angleterre avec la France, Elisabeth Farnèse se rapprocha de l'empereur Charles VI. Son envoyé et favori, Ripperda, disciple d'Alberoni, signa un traité d'alliance avec l'empire. Charles VI jouait une partie difficile. N'ayant pas de fils, il avait promulgué, en 1714, une Pragmatique-Sanction habilitant ses filles à lui succéder. L'Autriche avait accepté, mais les princes Electeurs d'Allemagne se faisaient tirer l'oreille: deux d'entre eux avaient épousé des nièces de Charles VI, évincées du trône. Ce dernier avait donc intérêt à faire reconnaître la Pragmatique par les grandes puissances. D'où le succès de Ripperda, sur lequel Elisabeth Farnèse s'illusionna beaucoup. L'empereur n'avait-il pas promis l'investiture des duchés de Parme et de Toscane à un infant? Forte de cet appui, la reine escomptait obtenir par surcroît des réparations de la France, et, de l'Angleterre, la restitution de Minorque et de Gilbraltar. Elle ne réussit qu'à resserrer les liens entre les deux pays, auxquels se joignit la Prusse: le 3 août 1725, les trois puissances signèrent la Ligue dite de Hanovre. S'ensuivit une intense activité diplomatique. La France et l'Angleterre obtinrent l'alliance de la Hollande, du Danemark et de la Suède. L'Autriche, celle de la Russie et de la Sardaigne. La guerre paraissait inévitable, mais personne n'avait envie de la faire, à l'exception de la reine d'Espagne qui avait une tendance fâcheuse à prendre ses désirs pour des réalités. Un envoyé de Charles VI se rendit à Madrid, constata l'impréparation et la faiblesse de l'Espagne. Cette situation incita l'empereur à la prudence. Par surcroît, une révolution de palais emporta Ripperda que, seule, la reine soutenait. Celle-ci persista néanmoins dans sa volonté de guerre, s'obstinant à faire fond sur l'alliance autrichienne. Fleury ne broncha point. Parfaitement instruit du désir de Charles VI de voir la France reconnaître la Pragmatique, il ne se hâtait point de prendre position. Habilement, il laissa les Anglais envoyer une escadre aux Indes, une autre à Gibraltar, une troisième en Baltique pour intimider les Russes. Contre l'avis de ses généraux, Elisabeth Farnèse envoya une armée assiéger Gibraltar. Il tombait sous le sens que le siège par terre n'aboutirait à rien, à moins d'être soutenu du côté de la mer. La moitié de l'armée périt inutilement. Invoquant le traité de Hanovre, les Anglais pressaient la France d'intervenir. Fleury se garda bien de leur opposer un refus; tout au contraire il fit étudier un plan de compagne par ses maréchaux. Mais, en même temps, il s'efforçait de négocier directement avec Philippe V, la reine s'étant discréditée par l'échec de Gibraltar. Cependant la situation s'envenimait entre l'Angleterre et Charles VI, accusé de soutenir le prétendant Stuart. Fleury raisonna ses amis anglais et sut apaiser l'empereur: à vrai dire la tsarine se mourait et Charles VI ne pouvait plus compter sur l'alliance russe. Ainsi, fort doucement et cauteleusement, sans même qu'il y parût, l'innocent cardinal était devenu l'arbitre de l'Europe. Le 31 mai 1727, les puissances rivales signèrent, à Paris, les préliminaires de paix.

Il fut plus difficile de les transformer en paix définitive. Les États signataires avaient hâte de désarmer. Seule, l'Espagne restait intransigeante. Fleury fit écrire par Louis XV une belle lettre autographe à Philippe V, à l'occasion de la naissance d'un nouvel infant. Elle était accompagnée du cordon du Saint-Esprit à l'intention du petit prince. Philippe V se montra sensible à ce geste. La réconciliation semblait acquise, quand il fut terrassé par la maladie. La reine en profita pour ressaisir les rênes du gouvernement. Fleury la jugeait un peu folle, pour cela d'autant plus dangereuse! Elle exigeait la restitution de Gibraltar avant toute discussion. Toutefois, doutant de la loyauté de l'empereur, elle accepta de renoncer à Gibraltar si la France et l'Angleterre lui garantissaient le droit de faire occuper militairement Parme au nom de son fils don Carlos. Après des atermoiements infinis, la paix fut signée à Séville entre l'Espagne, l'Angleterre et la France. Elle était à coup sûr génératrice de conflits, mais elle présentait pour Fleury l'avantage d'isoler l'Autriche. Car on avait tenu l'empereur en dehors des négociations, ce qui ne fut guère compris par l'opinion... Mais Fleury entendait faire payer fort cher à celui-ci la reconnaissance de la Pragmatique-Sanction. Il y voyait à juste raison l'affermissement, sinon l'extension, de l'Autriche en Allemagne. D'un autre côté, comment faire accepter à l'empereur que l'Espagne disposât, par avance, de l'héritage de princes italiens, et s'installât dans la péninsule?

Cependant l'intrépide Elisabeth Farnèse pressait l'Angleterre et la France d'appliquer le traité de Séville, c'est-à-dire d'assurer le transport de troupes espagnoles en Italie. Fleury multipliait ses efforts pour préserver la paix; tout en faisant étudier de prétendus plans de campagne, il négociait en sous main avec l'empereur. L'Espagne menaça de rompre le traité et d'enta-

mer des pourparlers avec Charles VI. L'Angleterre était lasse
de ces discussions qui n'aboutissaient à rien, sinon à accroître
les risques de guerre. Les banquiers anglais ne tenaient nullement à financer l'armement d'une flotte sans espoir de profit.
Sur ces entrefaites, Antoine Farnèse, duc de Parme, mourut ;
aussitôt les Impériaux occupèrent ses Etats. Fureur de la reine
d'Espagne qui enjoignit à ses alliés d'agir sans retard. Les Anglais préférèrent traiter avec l'empereur ; ils reconnurent la
Pragmatique-Sanction, sous réserve que l'Autriche admît les
droits de l'infant don Carlos au duché de Parme et leur accordât
certains avantages commerciaux. Charles VI s'empressa de signer et l'Espagne d'adhérer au traité.

Ainsi la France se retrouvait-elle isolée. L'Angleterre était
redevenue l'arbitre de l'Europe. Discrédit pour Fleury que l'on
accusa de pusillanimité et de maladresse. Il dédaigna les critiques, feignit d'oublier l'affront des Anglais, et persista dans
son refus de reconnaître la Pragmatique. L'opinion presque
entière, les maréchaux dont le plus ardent était le vieux Villars,
la plupart des courtisans et des jeunes gentilshommes, voulaient davantage ; ils réclamaient la guerre, à tout le moins une
attitude énergique. La lutte entre les Bourbons et les Habsbourg n'était-elle pas la plus enracinée et la plus nécessaire de
nos traditions politiques ? Nul ne comprenait que l'Angleterre
n'attendait que cela, excepté Fleury et Louis XV. Ce dernier
appartenait cependant à la génération montante (il avait alors
vingt-trois ans) et il ne manquait certes pas de courage (il le
montrera à Fontenoy !), mais il partageait l'opinion du cardinal. On le disait pacifiste, avec une nuance de mépris ; il n'était
pourtant que réaliste.

Ce fut alors que mourut le roi de Pologne, Auguste II. Evé-
nement capital ! Car, si l'on avait déclaré, lors du mariage de
Louix XV et de Marie Leczinska, que la France n'essaierait pas
de rétablir Stanislas sur son trône, elle ne pouvait tout de même
pas l'empêcher de se faire réélire par ses anciens sujets. A son
habitude le cardinal se montra circonspect. Il mesura la difficulté qu'il y aurait à acheminer des secours militaires à travers
l'Europe, dans le cas où le roi Stanislas se fût trouvé en difficulté. On adopta finalement un moyen terme, qui était de financer
l'élection. Cette prise de position n'était pas sans risques, mais
l'Autriche, appuyée par la Prusse et la Russie, tentait d'impo-

ser aux Polonais l'Electeur de Saxe, Auguste III, fils du précédent roi. Rien n'était encore perdu pour le cardinal ; il espérait échanger la reconnaissance de la Pragmatique contre celle du roi Stanislas. Mais on apprit soudain que les Autrichiens entraient en Pologne ! Stanislas partit sous un déguisement, gagna la Pologne, dont il fut proclamé roi le 12 septembre 1734. Force fut donc à Fleury de céder. On forma deux armées : l'une sur le Rhin commandée par Berwick, l'autre sur les Alpes commandée par Villars promu maréchal général (l'équivalent de connétable). L'armée du Rhin s'empara de Kehl et s'immobilisa pour n'inquiéter ni les princes allemands, ni les Anglais, ni les Hollandais. En Italie, Villars moissonnait les victoires, en dépit de ses quatre-vingt-deux ans ! Il n'était pas un cadet plus vif, plus gai, plus entreprenant que ce vieillard cuirassé. Mais en Pologne, la tentative de Stanislas tournait au tragique. L'opposition, appuyée par les Russes et les Saxons d'Auguste III triomphait aisément des troupes régulières. Détrôné pour la seconde fois, mais ne renonçant pas à ses droits, Stanislas s'enferma dans Dantzig, aussitôt assiégée par les Russes.

Dilemme cruel pour Fleury : il ne voulait point déclarer la guerre à la Russie, ce qui eût provoqué une guerre générale et, dans ce cas, on pouvait craindre beaucoup de l'Angleterre. Mais il ne pouvait davantage compromettre l'honneur de Louis XV en ne secourant pas son beau-père. Il se contenta donc d'envoyer un corps expéditionnaire de six mille hommes. Mais le premier des convois se heurta à la flotte russe, vira de bord et se mit à l'abri dans le port de Copenhague. Ce que voyant un gentilhomme breton nommé de Plélo, diplomate de son état, rassembla deux milliers à peine de volontaires et débarqua trois jours après sous les canons des fortins russes. Ce fut un carnage affreux et inutile, mais aussi l'un de ces traits de folle témérité qui plaisaient aux Français d'autrefois. Le beau geste de M. de Plélo ne retarda point la capitulation de Dantzig. La tête de Stanislas fut mise à prix. Il trouva refuge en Prusse. Auguste III put régner dès lors en toute quiétude, après avoir cédé la Courlande à la Russie. On reprocha à Fleury d'en avoir trop fait, ou trop peu. Par commodité, on mit l'échec de Stanislas sur le compte des divisions polonaises.

En Italie, la situation se retournait pareillement. Villars étant mort d'épuisement, ses lieutenants, submergés par les renforts autrichiens, ne purent sauver que Milan et Parme. Par contre, en Allemagne, Berwick assiégea et prit Philippsburg, où, comme Turenne, il fut tué par un boulet.

La campagne de 1735 mérite à peine d'être mentionnée, car, déjà, les belligérants entraient en pourparlers et ne combattaient que pour la forme en attendant la paix. Fleury avait député l'un de ses agents à Charles VI; il offrait enfin de reconnaître la Pragmatique-Sanction, à condition que l'on dédommageât raisonnablement Stanislas. Il savait que le duc François de Lorraine, élevé à la cour d'Autriche, déjà vice-roi de Hongrie, devait épouser Marie-Thérèse, future impératrice! On fit savoir à Charles VI que jamais la France n'accepterait qu'il conservât les duchés de Bar et de Lorraine, s'il épousait l'archiduchesse. Les plénipotentiaires se mirent à l'ouvrage. Il fut convenu que la Lorraine et le Barrois seraient accordés au roi Stanislas, à titre viager, puis seraient annexés définitivement à la France. Le royaume des Deux-Siciles fut donné à l'infant don Carlos contre la restitution du Milanais à l'Autriche; le roi de Sardaigne ramassait les miettes qu'on voulait bien lui laisser.

François de Lorraine épousa Marie-Thérèse le 12 février 1736. La rétrocession de la Lorraine à Stanislas posa quelques problèmes, qui furent aplanis par le versement d'une indemnité. Le 18 novembre 1738, la paix était signée à Vienne.

L'acquisition définitive de cette belle province, tant de fois perdue, regagnée, reperdue, ne paraît pas avoir impressionné l'avocat Barbier. Il se borne, dans son Journal, à décrire brièvement la publication de la paix, mais il prend grand soin de recopier l'étrange compliment que fit en cette occasion le premier président de la cour des Aides, Le Camus:

«Sire, le bruit des trompettes annonce la paix à votre peuple, à ce peuple qui gémit dans la misère, sans pain et sans argent, obligé de disputer sa nourriture aux bêtes qui sont dans les champs, pendant que le luxe immodéré des partisans et gens d'affaires semble encore insulter à la calamité publique. Un seul regard favorable de Votre Majesté dissipera tous ces malheurs, et rendra la paix, l'objet de la joie universelle.»

Ayant écouté sans réagir cette déclaration, le cardinal murmura :

– Il se venge de la pension qu'on lui a refusée l'an passé.

VII

LE COUPLE ROYAL

Louis XV approchait de la trentaine. Il avait été un merveil-
leux enfant, un adolescent d'une grande beauté, un jeune homme dont la grâce touchait tous les cœurs féminins. Parvenu à
l'âge adulte, le charme un peu équivoque de la jeunesse persistait en lui; sous les cheveux châtains, non encore poudrés, le
front se dessinait, intelligent et noble, un front habité par la
pensée. Les sourcils bruns, aux arcs parfaits, soulignaient
l'éclat de vastes yeux noirs, légèrement bridés. Le nez, naguère
un peu relevé, s'était aminci, et abaissé; il devenait «bourbo-
nien», sans atteindre aux proportions de celui du Vert-Galant.
La bouche restait petite. Un grain de beauté situé sous la lèvre
inférieure ajoutait à sa sensualité. Le bas du visage était mou,
le menton sans caractère quoique divisé par une fossette. L'air
de majesté, héréditaire, ne rachetait point entièrement cette
féminité de visage, troublante, déconcertante, voire même dé-
cevante. Sans doute Louis XV était-il un prince séduisant, à
coup sûr le plus beau monarque régnant. Le peuple l'aimait,
parce qu'il était l'image même que l'on se faisait d'un roi de
France. Louis XV était un songe couronné, un personnage de
l'*Embarquement pour Cythère,* mais dans un temps où le roi de
Prusse Frédéric le Grand s'apprêtait à jouer le rôle que l'on
sait, affinait son cynisme et fourbissait ses armes. Où l'Angleterre commençait à s'inquiéter de nos possessions d'outre-mer
et de la croissance de notre commerce extérieur. Où l'intrépide
Marie-Thérèse d'Autriche allait coiffer la couronne impériale.
Où les idées nouvelles de liberté et de démocratie, d'égalité
entre les hommes entraient dans leur éclosion. Où les francs-

maçons (que l'on appelait Firmaçons) installaient leurs premiè-res loges et s'essayaient à la fraternité active... Un observateur avisé pouvait à juste titre s'inquiéter de l'inconsistance appa-rente de ce beau roi, craindre un défaut de volonté, voire même une incompréhension grave de la situation. On se disait que, si Louis XV vivait aux Tuileries, dans sa bonne ville de Paris, il serait peut-être différent, en tout cas plus proche de son peu-ple. Mais le régent l'avait transféré à Versailles dès 1722. C'était une prison dorée, un monde à part, coupé des réalités quotidiennes. La cour faisait plus que jamais écran entre le monarque et son peuple. On savait Louis XV si respectueux du passé qu'il avait rétabli l'étiquette, encore qu'elle lui pesât. Il s'infligeait à lui-même ce rôle de représentation perpétuelle inventé par Louis XIV pour des motifs politiques, bien qu'il en sentît la désuétude. Rien ne lui plaisait tant que de s'y soustrai-re; il s'évadait de Versailles, comme d'une geôle, mais rien ne l'eût fait renoncer à ce palais, en lequel il voyait le principe même de la royauté. Ce n'était pas la moindre de ses contradic-tions! Il semblait parfois absent et parfois indifférent, cepen-dant il n'arrêtait point d'observer, d'étudier. En public, il parlait à peine, ou plutôt il mesurait ses paroles. En privé, c'était un brillant causeur. Ceux qui le connaissaient intime-ment savaient que le fond de son caractère était une mélancolie qu'il s'appliquait sans cesse à juguler, sans toujours y parvenir. Il fallait un grand événement pour le rendre à lui-même; alors apparaissait un autre homme plein d'alacrité et d'esprit. Puis cela retombait, comme un soleil se voile.

Son mariage avait paru le changer, lui donner de l'assurance, l'épanouir. Il était heureux. Mais la reine Marie n'était pas de ces femmes capables d'enchaîner durablement un homme. Elle n'était pas très belle et manquait de cet esprit pétillant qui amuse et retient sans qu'il y paraisse. Elle adorait son mari, étant entrée dans le mariage comme on entre au couvent, mais elle l'ennuyait! Il avait cru, dans la fouge de ses quinze ans, bâtir avec elle un véritable bonheur. Mais l'innocente trahison dont elle s'était rendue coupable en adhérant au parti de M. le Duc et en s'opposant au cher Fleury, avait mis fin à l'illusion. La lettre que Louis XV lui avait fait remettre par Fleury la rejetait en quelque sorte dans le néant. Depuis lors, elle avait renoncé à exercer une influence quelconque; hormis sur sa petite cour personnelle, elle n'avait aucun crédit. Son rôle unique était de satisfaire les prurits amoureux de son mari et de mettre des enfants au monde. Le «refroidissement» du roi, après l'incident de M. le Duc, avait été de courte durée. Qu'on en juge plutôt! En 1727, la reine mit au monde des jumelles, Marie-Louise (qui devait épouser le fils de Philippe V d'Espagne) et Anne-Henriette; la déception fut générale, car on attendait un dauphin. En 1728 naquit une autre fille, Louise-Marie, qui devait mourir à cinq ans. Le seul reproche que se permit Louis XV fut cette boutade:

– Prenez parole avec Peira pour un garçon.

Peira était le médecin accoucheur. En 1729 vint l'enfant tant attendu, ce dauphin Louis, qui devait épouser une infante, puis une princesse de Saxe qui lui donna huit enfants, dont le futur Louis XVI. En 1730, naquit Philippe, duc d'Anjou, qui mourut à trois ans. En 1732, Marie-Adelaïde. En 1733, Victoire-Louise. En 1734, Sophie-Philippine. En 1736, Thérèse-Félicité. Enfin, en 1737, cette Louise-Marie qui devait entrer aux Carmélites de Saint-Denis. Bref, Marie Leczinska donna le jour à dix enfants en douze ans! Autant dire qu'elle était continuellement enceinte et que ces maternités successives avaient flétri le peu qu'elle avait de beauté. On comprend sa lassitude:

– Eh quoi! toujours couchée, toujours grosse, toujours accouchée!

Et sa répugnance progressive à calmer les transports d'un époux toujours amoureux. Louis s'étonnait de sa froideur. Il ne pouvait admettre que sa femme prétendît l'aimer comme au premier jour, mais se refusât à l'amour. Par surcroît Marie était frileuse, s'enveloppait de couverture, redoutait les fenêtres ouvertes. Louis avait le sang bouillant des Bourbons; il étouffait et suait à grosses gouttes. Marie l'agaçait par ses innocentes manies et la pauvreté de sa conversation. Un temps vint où il ne put la supporter. Mais Stanislas Leczinski n'avait-il pas avoué lui-même: «Ma femme et ma fille sont les deux reines les plus ennuyeuses que j'aie jamais rencontrées!».

Pourtant il serait injuste de laisser le lecteur sur cette impression. La reine Marie n'était point sotte, ni dépourvue de lecture et de sens artistique, mais, foncièrement bonne, vertueuse et modeste, elle n'avait pas l'art de se mettre en valeur. Dans ses Mémoires, le Président Hénault trace d'elle ce portrait:

«La reine ne vit point au hasard: ses journées sont réglées et remplies au point que, quoiqu'elle en passe une grande partie toute seule, elle est toujours gagnée par le temps. La matinée se passe dans les prières, des lectures morales, une visite chez le Roi, et puis quelques délassements. Ordinairement, c'était la peinture. Elle n'a jamais appris et l'on peut voir ses tableaux, car on ne croirait pas. Elle m'a fait présent de trois, que l'on juge que je garde bien.

«L'heure de la toilette est à midi et demi; la messe et puis son dîner. J'y ai vu quelquefois une douzaine de dames, tout ensemble; aucune n'échappe à son attention; elle leur parle à toutes; ce ne sont point de ces généralités que l'on connaît, ce sont des choses personnelles, qui sont les seules qui flattent. Son dîner fini, je la suis dans ses cabinets. C'est un autre climat; ce n'est plus la reine, c'est une particulière. Là, on trouve des ouvrages de tous les genres, de la tapisserie, des métiers de toutes sortes; et pendant qu'elle travaille, elle a la bonté de raconter ses lectures. Elle rappelle les endroits qui l'ont frappée, elle les apprécie. Autrefois elle s'amusait à jouer de quelques instruments, de la guitare, de la vielle, du clavecin, et elle se moquait elle-même, quand elle se méprenait, avec cette gaité, cette douceur, cette simplicité, qui siéent si bien à de si illustres personnages. Elle me renvoie vers les trois heures pour aller dîner, et alors commencent ses lectures. Ce sont ordinairement celles de l'histoire... Elle les lit dans leur langue: la française, la polonaise, l'allemande, l'italienne, etc... car elle les sait toutes...»

Après le souper, la reine aime bavarder avec ses amis. Ce sont «des conversations d'où assurément la médisance est bannie, où il n'est jamais question des intrigues de la cour, encore moins de la politique». Pourtant elles ne sont point languissantes; elles sont même fort gaies, car Marie aime les débats et la plaisanterie. «Mais ce qui ne s'allie pas d'ordinaire, ajoute Hénault, c'est que cette même princesse, si bonne, si simple, si douce, si affable, représente avec une dignité qui imprime le respect, et qui embarrasserait si elle ne daignait pas vous rassurer: d'une chambre à l'autre elle redevient la Reine et conserve dans la cour cette idée de grandeur, telle que l'on nous représente celle de Louis XIV... Elle est sur la religion d'une sévérité bien importante dans le siècle où nous sommes; elle pardonne tout, elle excuse tout, hormis ce qui pourrait y donner quelque atteinte.»

Ce portrait est à peine flatté. Le duc de Luynes qui a bien connu Marie, le confirme sur tous les points. Il vante lui aussi son égalité d'humeur et sa simplicité, l'étendue de sa culture, tout en soulignant que, si elle peut avoir la répartie vive et plaisante, elle ne sait pas raconter. Il dit qu'elle aime la musique, sans être bonne musicienne, et qu'elle a «beaucoup de grâce», sans être jolie. Il remarque qu'aucune reine ne jouit d'autant de liberté, tant sa moralité et sa piété étaient hors de tout soupçon: «Elle n'a nulle idée du mal, elle n'en a que l'horreur». Il note enfin qu'elle craignait extrêmement le roi! C'est ici, me semble-t-il, l'indication majeure: redoutant son seigneur et maître, Marie n'osait pas le contredire; elle se sentait devant lui comme paralysée; elle perdait ses moyens et, dès lors, ne pouvait l'intéresser. Ne l'intéressant pas, elle était bien incapable de dissiper ses accès de mélancolie. Il aurait fallu à Louis une femme brillante, tendrement ironique, piquante et rieuse et toujours disposée aux jeux de l'amour. La douce Marie accomplissait son devoir d'épouse, en soupirant.

Louis XV lui resta fidèle autant qu'il le put. Il se distrayait en chassant comme un enragé: à courre, à tir, au vol, galopant de l'une à l'autre de ses forêts. En rentrant de la chasse, il retenait quelques compagnons; on soupait privément, joyeusement, dans les petits cabinets. Parfois, son espièglerie le reprenait. Il courait sur les toits avec ses amis, s'amusait à descendre par les cheminées. Il aimait aussi jouer à la cavagnole, qui faisait alors fureur. Ces distractions compensaient les interminables séances du conseil et les rigueurs de l'étiquette. Trois fois par semaine, Louis s'évadait de Versailles et courait les bois. Comme tous les Bourbons, le grand air, les chevauchées, l'effort musculaire, lui étaient indispensables. A titre d'exemple, voici l'emploi du temps d'un «voyage» à Rambouillet. «Le roi, en arrivant de la chasse, se souvint qu'il avait mangé des œufs le matin et par conséquent ne voulut pas souper. Il prit le parti de se coucher sur-le-champ et de se relever à dix heures et demie, fit jouer à la cavagnole jusqu'à minuit, se mit à table, soupa en gras, sortit de table à trois heures, fit jouer jusqu'à cinq, alla à la première Messe à la paroisse, à six heures se recoucha jusqu'à midi et demi, joua jusqu'à trois ou quatre heures, se remit à table comme à l'ordinaire avec ceux qui avaient l'honneur de le suivre. Ce repas fut ce qu'on appelle à Rambouillet: le pot royal, c'est-à-dire une espèce de déjeuner sur des tables de piquet et de quadrilles rassemblées. Sa Majesté fut à table jusqu'à sept heures, joua ensuite et arriva à minuit à Versailles pour se coucher.»

Le cardinal le laissait se divertir; il accaparait la besogne, comme d'autres amassent honneurs et trésors. C'était devenu un maniaque du pouvoir, mais enfin nul n'assistait aux entretiens privés qu'il avait avec le roi, hors du conseil. Tout laisse penser que les grandes décisions étaient prises à deux, au cours de ces mystérieux apartés. Les Français eussent aimé en connaître plus sur les aptitudes du roi à gouverner et sur les conseils que lui dispensait Fleury. Ils faisaient cependant confiance à Louis, comptant bien que, quelque jour prochain, il se mettrait à gouverner seul: Fleury ne serait pas éternel; il donnait des signes évidents de fatigue! Pour l'heure, Louis semblait se cantonner à la représentation: audiences d'ambassadeurs, cérémonies officielles, prestations de serment, bref ce qui constituait l'extérieur du métier. Le public attendait davantage, mais il faut bien que jeunesse se passe, chez les rois, comme chez les autres hommes!

Pour en revenir à ce carcan de l'étiquette, je veux citer encore ce passage des Mémoires de Luynes, digne continuateur de Dangeau quoique plus complet et plus nuancé:

«Les entrées chez le Roi sont les familières, les grandes entrées, les premières entrées et les entrées de la chambre. Les entrées familières sont dans le moment que le Roi est éveillé et lorsqu'il est encore dans son lit. Tous les princes du sang, hors M. le prince de Conti, outre cela M. le Cardinal, M. le Duc de Charost, Mme de Ventadour et la nourrice sont les seuls qui les aient. Les grandes entrées, qui sont celles des premiers gentilshommes de la chambre, sont lorsque le Roi vient de se lever. Les premières entrées sont lorsqu'il est levé et qu'il a sa robe de chambre. L'entrée de la chambre est lorsque le Roi est dans son fauteuil vis-à-vis de sa toilette, et ensuite entrent les courtisans.

«Toutes ces entrées le soir sont absolument égales au coucher du Roi, c'est-à-dire les familières, les grandes et les premières entrées demeurent à ce que l'on appelle le petit coucher, c'est-à-dire jusqu'à ce que le Roi soit dans son lit. Les autres sortent lorsqu'on avance le fauteuil du Roi auprès de la toilette. Lorsque toute le monde est sorti, le premier valet de chambre garde le bougeoir ou le donne sans ordre du Roi à qui il veut de ceux des courtisans qui restent. On garde le bougeoir jusqu'à ce que le Roi se lève de son fauteuil pour se mettre dans son lit. Alors on le rend, et on reste encore après l'avoir rendu jusqu'à ce que tout le monde sorte. Les entrées de la chambre, ainsi que les courtisans qui n'ont point d'entrée, sortent lorsqu'on dit: «Passez, Messieurs», c'est-à-dire lorsque le Roi est déchaussé entièrement et que l'on avance son fauteuil auprès de sa toilette. Le Roi, le soir, en sortant de son cabinet, passe à son prie-Dieu dans son balustre près de son lit, ensuite vient ôter le cordon bleu et son habit. C'est dans ce moment que, le premier Valet de chambre tenant le bougeoir, le Roi dit: «Un tel»; c'est pour donner le bougeoir. Le Roi prend sa chemise que lui donne le prince du sang, ou le grand chambellan ou le premier gentilhomme de la chambre, ou le Grand maître, ou le maître de la garde-robe; ensuite une robe de chambre; il s'assit (sic), on le déchausse; les pages de la chambre lui donnent ses pantoufles, alors on avance le fauteuil près de sa toilette; on dit: «Passez, Messieurs»; tout s'en va hors la première entrée, la grande et la familière, mais les entrées de la chambre sortent.»

A la gravité du ton employé par Luynes pour décrire (fort mal !) le coucher du roi, on mesure l'importance que l'on attachait à ces niaiseries et l'on imagine aisément les querelles de préséance, les jalousies et les rivalités muettes, d'autant plus venimeuses! Comme au temps glorieux du Roi-Soleil, on se disputait la faveur des Entrées, l'honneur insigne de tenir le bougeoir! Mais ces distinctions infinies, ce dosage savant du protocole, cette mise en scène, n'avaient plus leur raison d'être. Il n'y avait plus de ci-devant Frondeurs à domestiquer. La haute noblesse du XVIIIe siècle ne présentait aucun danger pour le régime. Elle était bien incapable d'ourdir une rébellion de quelque importance et s'intéressait à peine à ses terres provinciales, sauf pour en tirer des revenus.Elle aussi s'en tenait à un rôle de représentation perpétuelle. Elle composait la figuration du théâtre de Versailles. Elle ne croyait plus à elle-même, sauf à mépriser la roture. Il y avait déjà longtemps que la cour avait perdu le monopole de la mode et des idées. C'était désormais la ville (c'est-à-dire les salons parisiens) qui influençait la cour. Versailles n'était plus qu'un palais enchanté d'où la réalité semblait bannie, faisant de la plus vieille et vivace monarchie d'Europe quelque Belle-au-bois-dormant dont le réveil serait tragique.

VIII

LA RETRAITE DE PRAGUE

Une vague de bellicisme balaya à nouveau l'Europe. L'empereur Charles VI était mort le 20 octobre 1740. En théorie, sa succession paraissait assurée par la Pragmatique-Sanction reconnue par toutes les cours. L'archiduchesse Marie-Thérèse, mariée au ci-devant duc de Lorraine, prit donc le titre d'empereur (à Vienne) et de roi (en Hongrie). Mais ses droits étaient contestés par l'Electeur de Bavière, notre allié, par Auguste III, roi de Pologne et Electeur de Saxe, par Charles-Emmanuel, roi de Sardaigne, par Philippe V d'Espagne et Frédéric II de Prusse, les uns et les autres masquant leur convoitise sous des prétextes fallacieux. Il était évident que l'accession de Marie-Thérèse au trône de Charlemagne (le Saint-Empire romain germanique étant, dans son principe, la plus haute autorité laïque d'Europe) risquait de provoquer une guerre dont l'issue était plus qu'incertaine pour l'Autriche. En effet, cette puissance n'avait alors aucun général de talent et son trésor était vide. En contrepartie, les princes contestataires agissaient au nom d'intérêts tellement divergents que, de fait, ils étaient rivaux. Ils ne s'accordaient guère sur un point: profiter de la situation pour arrondir leurs propres territoires. Toutefois le seul qui eût des idées précises et un objectif immédiat, c'était Frédéric II de Hohenzollern, roi de Prusse. Son père, le Roi-Sergent, venait de mourir; il lui avait légué une armée solide et une caisse militaire. Alors que ses voisins disputaient, tout en se préparant à la guerre, Frédéric II disposait d'une armée toute prête, bien équipée, fortement encadrée et disciplinée, et de vingt-huit millions d'argent disponible pour financer la campa-

gne. Son but était de faire de la Prusse, encore si lointaine et
si peu connue, une grande puissance, et, partant, de soustraire
l'électorat de Brandebourg à la tutelle autrichienne. Il partageait donc avec la France son hostilité contre les Habsbourg de
Vienne. Il écrivait alors: «Si vous me demandez ce que fait
l'Europe, je vous dirai que la Saxe joue aux osselets, que la
Pologne mange du bœuf salé et des choux à périr; le Grand-
Duc (de Toscane) a la gangrène dans le corps, il ne saurait se
résoudre à l'opération qui pourrait le guérir; la France joue au
plus fin et guette sa proie; on tremble en Hollande ...» C'était
un personnage haut en couleur, ambitieux, sans scrupules et
sans religion, d'un cynisme déconcertant, mais aussi d'une intelligence pénétrante. Il voulait arracher la Silésie à l'Autriche.
«Je vais jouer votre jeu, déclarait-il à notre ambassadeur. Si les
as me viennent, nous partagerons.» Simultanément, il offrait à
Marie-Thérèse cinq millions d'indemnité, la voix de l'électorat
de Brandebourg, contre la Silésie.

   – Retournez auprès de votre maître, avait répondu Marie-
Thérèse à l'envoyé prussien, et dites-lui que, tant qu'il laissera
un homme sur les territoires de cette province, nous périrons
plutôt que de traiter avec lui.

   Car, pour mettre Marie-Thérèse devant le fait accompli, Frédéric II avait envahi la Silésie, le 22 décembre, sans déclaration
de guerre. Quelle serait la réaction de la France? N'était-il pas
logique qu'elle aussi profitât de la mort de Charles VI pour
s'approprier quelque territoire? Une large fraction de l'opinion
condamnait l'inertie de Fleury. Mais Louis XV? Comme on
l'interrogeait sur ses intentions, il eut cette réponse, mi- figue,
mi-raisin:

   – Nous n'avons qu'à rester sur le mont Pagnotte.

   – Votre Majesté y aura froid, répondit le marquis de Souvré,
car ses ancêtres n'y ont pas bâti.

   Le mont Pagnotte était une butte, en forêt d'Hallate, d'où
l'on assistait (sans risque) à la curée. On crut que Louis XV
avait seulement fait une boutade, ou qu'il cachait son jeu. On
revint donc à la charge, au cours d'une partie de chasse:

   – Sire, nous allons avoir la guerre?

   – Quand un grand roi ne veut pas avoir la guerre, il ne l'a
pas.

   – Mais Votre Majesté est garante de la Pragmatique!

– Nous sommes plusieurs puissances qui l'avons garantie et nous nous en tirerons comme nous pourrons.

– Mais le Grand-Duc pourrait être élu empereur?

– Ma foi, ce sera qui voudra, hormis un protestant, car alors je n'entendra pas raillerie.

En vérité, Louis XV et son mentor hésitaient, hormis sur le maintien de la paix. Nous avions reconnu la Pragmatique-Sanction, mais nous ne pouvions refuser notre soutien à l'Electeur de Bavière, notre allié et client. D'un autre côté se prononcer contre l'Autriche, c'était la jeter dans les bras de l'Angleterre, où l'opinion réclamait aussi la guerre. Le but de l'Angleterre se dessinait peu à peu; c'était de diviser l'Europe afin d'étendre commodément ses possessions coloniales: elle voulait d'étendre commodément ses possessions coloniales: elle voulait contrôler la totalité du commerce avec l'Amérique et les Indes.

Par malheur pour la France, le ministre Chauvelin avait été remplacé aux Affaires étrangères par Belle-Isle, l'ambitieux descendant de Foucquet. Belle-Isle avait la cinquantaine impétueuse et devint sans peine le chef du parti belliciste, c'est-à-dire de la jeunesse. Il conçut un mirifique projet, qui était d'enlever l'empire à la Maison d'Autriche, en faisant élire un empereur francophile en la personne de l'électeur de Bavière. Belle-Isle tenait de son aïeul, le surintendant, l'esprit d'entreprise et la séduction. Beau parleur, au surplus intelligent, il sut flatter la vieillesse de Fleury, user la résistance de celui-ci sans le convaincre entièrement. Le cardinal savait qu'à brève échéance nous aurions à faire face à un conflit avec l'Angleterre, alors que notre flotte de combat comptait moins de soixante unités et que la flotte espagnole étaient encore plus faible. Il ne s'engagea donc qu'à demi, mais, sous la pression de l'opinion, dut pourtant laisser carte blanche à Belle-Isle. Ce dernier se lança à corps perdu dans la grandiose aventure qu'il avait lui-même suscitée, ne doutant point de sa réussite. Il montra tout de suite une activité fébrile, signa avec la Bavière, la Saxe, la Sardaigne et l'Espagne un traité de partage des possessions autrichiennes en Europe centrale et en Italie. Frédéric II, qui se moquait éperdument des colloques diplomatiques faisait cavalier seul. Les Autrichiens voulant le déloger de Silésie, il les avait battus à Mollwitz, de justesse il est vrai et grâce à l'initiative du maréchal de Schwerin, son principal lieutenant. Belle-

Isle lui arracha un traité d'aliance, mais à condition que Louis XV lui garantît la Silésie et lui fournît des renforts. Le cardinal de Fleury n'entendait point se laisser entraîner trop loin. Mais, pendant que le vieillard ratiocinait à son habitude, les événements marchaient. Marie-Thérèse ceignait la couronne de Hongrie ; elle s'était fait acclamer par les magnats en leur montrant son fils. L'appel pathétique de cette jeune femme embrasa leurs cœurs ; ils enfourchèrent leurs terribles petits chevaux. Fleury nomma Belle-Isle ambassadeur extraordinaire auprès de la Diète qui allait élire le nouvel empereur, au mépris de la Pragmatique-Sanction. L'électeur de Bavière, notre candidat, réclamait le secours de cent mille Français pour appuyer son élection et faire face aux Autrichiens. Fleury limita l'effort de la France à quarante mille hommes. En novembre, nous nous emparâmes de Prague : par une escalade hardie de Chevert, lieutenant-colonel du régiment de Beauce. Ce qui permit à l'électeur de Bavière de coiffer la couronne de Bohême. Il était, en apparence, à égalité avec la reine de Hongrie. La prise de Prague donna par ailleurs confiance à Frédéric de Prusse qui n'estimait guère les Français. Pour appuyer leur action, il concerta une attaque en Moravie avec les Saxons. A Francfort, où la Diète devait se tenir, Belle-Isle semait l'or à pleines mains, éblouissait par son faste et par l'ampleur de sa suite. Le 24 janvier 1742, l'Electeur de Bavière, roi de Bohême, était élu empereur sous le nom de Charles VII. Le cabinet anglais hésitait encore à prendre le parti de l'Autriche ; il suggérait à Marie-Thérèse de renoncer à la Silésie, afin de détacher le roi de Prusse de l'alliance française ; il ne s'intéressait vraiment, on le répète, qu'au commerce maritime. L'intrépide Marie-Thérèse ne voulait rien céder ; elle considérait l'élection de Charles VII comme nulle et non avenue. Avec l'aide des magnats hongrois, elle rameuta ce qu'elle put trouver de volontaires et de mercenaires et forma deux armées. Le 17 mai 1742, Frédéric II battit à nouveau les Autrichiens à Czaslau, victoire qui, momentanément, fermait la route de Prague. Puis, satisfait, il entamait des pourparlers avec le nouvel empereur. Il n'eut aucun mal à obtenir la Silésie et à mettre Charles VII dans le parti prussien. C'était un coup de maître, mais aussi une trahison qui laissait notre armée isolée au cœur de l'Europe. Car on ne pouvait douter que, dès lors, Charles VII ne fût promptement abandonné par les princes allemands et finit par renoncer lui-même à la couronne impériale. Belle-Isle se croyait un grand homme d'Etat; sa réussite avait été trop brusque et trop complète pour qu'il en perçût la fragilité. En tout cas, le manège de Frédéric II lui échappa. Voltaire qui se flattait d'être l'ami intime du roi de Prusse et dont les éloges extravagants avaient grandement orienté l'opinion française en sa faveur, écrivit fort servilement:

«Vous n'êtes donc plus notre allié, Sire? Mais vous serez celui du genre humain; vous voulez que chacun jouisse en paix de ses droits et de son héritage, et qu'il n'y ait point de troubles; ce sera la pierre philosophale de la politique, elle doit sortir de vos fourneaux. Dites: «Je veux qu'on soit heureux et on le sera; ayez un bon Opéra, une bonne comédie. Puissé-je être témoin à Berlin, de vos plaisirs et de votre gloire!».

Mais Frédéric, s'il se divertissait à écrire des vers français et à jouer les monarques-philosophes, appréciait à leur valeur les flagorneries et les suggestions des gens de lettres. Il répondit:

«Je m'embarrasse très peu des cris des Parisiens. Ce sont des frelons qui bourdonnent toujours; leurs brocards sont comme les injures des perroquets, leurs décisions sont aussi graves que les décisions des sapajous sur des matières de métaphysique...»

Fleury mourait tous les jours un peu plus, mais il s'accrochait au pouvoir et Louis XV n'osait lui faire la moindre peine, un peu comme son bisaïeul dans les derniers temps de Mazarin. Le cardinal eut une initiative malheureuse. Il écrivit au maréchal Konigseck une étrange missive, dans laquelle il déclarait sa sympathie pour Marie-Thérèse, prétendait ne s'être engagé dans l'affaire de Francfort et de Prague qu'à son corps défendant et offrait de négocier. Marie-Thérèse ne prit pas la peine de rejeter officiellement les propositions de la France, mais elle fit publier la fameuse lettre par toute l'Europe. Devant cette insulte Louis XV ordonna au maréchal de Maillebois, cantonné en Westphalie, de faire sa jonction avec l'armée de Prague. Il y eut mésentente entre Maillebois et Belle-Isle qui ne voulait point renoncer à sa conquête. Les communications furent coupées entre les deux armées. L'hiver était venu. Il devenait impossible de rester à Prague, au milieu d'une population hostile et sans espoir de secours. Dans la nuit du 17 décembre 1742, Belle-Isle évacua la ville, avec 17.000 hommes.

Cette retraite de Prague, par un froid glacial, au milieu de montagnes couvertes de neige et de verglas, sans autre aliment que du pain gelé, fut une terrible épreuve, l'ébauche en quelque sorte de la retraite de Russie. En douze jours, l'armée parcourut quarante lieues, marchant la nuit au clair de lune, pour déjouer les escadrons de hussards lancés à sa poursuite. Soixante mille Autrichiens attendaient la curée, mais Belle-Isle parvint à les éviter, et à insuffler à cette troupe de fantômes une indomptable énergie. Aux étapes, les hommes épuisés, affamés, dormaient dans la neige sans manteau et sans couverture. Douze cents d'entre eux périrent de froid. Nombre de survivants avaient les pieds et les mains gelés, ou quelque mal de poitrine dont ils ne se rétablirent jamais, tel Vauvenargues, mort à 32 ans, de cette retraite que les gazetiers, se prenant pour Xénophon, comparèrent à celle des Dix-Mille. Malades, estropiés et blessés emplirent les hôpitaux d'Egra, place forte que nous avions eu la bonne idée d'occuper. Sans Egra, l'armée de Prague eût été entièrement perdue! Belle-Isle avait laissé le brave Chevert à Prague, avec une mince garnison. Les Autrichiens le sommèrent de se rendre. Il prit des otages, fit descendre des barils de poudre dans sa cave et menaça de tout faire sauter, si on ne lui accordait pas les honneurs de la guerre. Les Autrichiens cédèrent, en admirant. Bref, tout ce que nous faisions était admirable; il n'empêche que la campagne de Prague était un désastre. Pour une fois, Voltaire oublia sa causticité et laissa parler une émotion que l'on veut croire sincère:

«Guerre qui as rempli la France de gloire et de deuil, écrivit-il, tu ne frappes pas seulement par des traits rapides qui portent en un moment la destruction! Que de citoyens, que de parents, et d'amis, nous ont été ravis par une mort lente, que les fatigues des marches, l'intempérie des saisons, traînent après elles. Tu n'es plus, ô douce espérance du reste de mes jours! O ami tendre, élevé dans cet invincible régiment du roi, toujours conduit par des héros, qui s'est tant signalé dans les tranchées de Prague...»

L'année suivante, la défaite de Dettingen que nous infligèrent les Anglo-Hanovriens, nous força à évacuer l'Allemagne. Il ne restait plus à l'empereur Charles VII qu'à négocier avec Marie-Thérèse, ce qu'il s'empressa de faire. La défaite de Dettingen n'avait d'autre raison que l'insubordination des officiers et l'amateurisme, voire l'incapacité, des généraux.

«Le service de la patrie passe pour une vieille mode, pour un préjugé, écrit mélancoliquement Vauvenargues; on ne voit plus dans les armées que dégoût, ennui, négligence, murmures insolents et téméraires; le luxe et la mollesse s'y produisent avec la même effronterie qu'au sein de la paix, et ceux qui pourraient, par l'autorité de leurs emplois, arrêter le progrès du mal, l'entretiennent par leur exemple. Des jeunes gens, poussés par la faveur au-delà de leurs talents et de leur âge, font ouvertement mépris de ces places qu'ils ne méritent pas, en effet, d'occuper; des grands, qui seraient tenus, par le seul respect de leur nom, à cultiver l'estime et l'affection de leurs troupes, se cachent puisqu'il faut le dire, ou se cantonnent, et forment jusque dans les camps de petites sociétés où ils s'entretiennent encore du bon ton, et regrettent l'oisiveté et les délices de Paris.»

IX

LA MALADIE DE METZ

Le 29 février 1743, le roi présidait le conseil des finances quand on lui annonça la mort de Fleury. Depuis plusieurs jours, le cardinal souffrait d'un accès de fièvre, mais il y avait eu tant d'alertes de cette nature au cours des années passées, que l'on ne s'inquiétait pas. Louis XV leva aussitôt la séance. Il voulait être seul, pour pleurer son ami. «... Je puis dire, écrivit-il à Philippe V d'Espagne, que je tiens tout de lui et qu'ayant eu le malheur de perdre mes père et mère avant que j'eusse connaissance, je l'ai toujours regardé comme tel, ce qui rend sa perte plus douloureuse.» La plupart des gens de cour et surtout les jeunes nobles, les gazetiers, librettistes, chansonniers, se réjouirent assez bassement de cette mort. On s'étonna pourtant qu'après seize ans de pouvoir le cardinal fût resté presque pauvre. Il fallut bien admettre qu'il n'avait cherché que le bien de l'Etat; que son dévouement au roi était aussi loyal que désintéressé. Mais ce n'était pas assez pour le regretter, car on lui reprochait son amour excessif de la paix, son renoncement systématique à cette politique de prestige que les Français chérissent en secret, tout en la condamnant. Au fond, notre peuple n'aime que les gens heureux; or, en négociant, en s'humiliant, Fleury n'avait pas su éviter la guerre. On mettait sur le compte de ses atermoiements, de l'imprécision de ses ordres, les échecs de Prague et de Dettingen.

Le conflit s'était par surcroît généralisé. On se battait partout: en Allemagne, en Flandre, en Italie, aux Indes (où commandait Dupleix), en Amérique et sur mer. Toutefois sans résultats positifs, aucun des belligérants ne s'engageant à fond. Aucune stratégie d'ensemble n'était élaborée, parce que les chefs ne parvenaient pas à s'entendre. Seul, Frédéric II savait ce qu'il voulait; il se défiait extrêmement de Marie-Thérèse, mais tout autant du roi d'Angleterre, et plus encore du gouvernement français: mais il ignorait les déterminations prises par Louis XV, peut-être à l'instigation du défunt cardinal. Louis XV avait résolu de se rendre aux armées, ce qui était le seul moyen de coordonner l'action des généraux. Mais, avant de porter le coup décisif, il importait de resserrer les alliances. La principale était évidemment celle de la Prusse, bien que Louis XV éprouvât une répugnance instinctive à l'égard de Frédéric II. Voltaire, chargé d'une mission officieuse à Berlin, s'attira cette réponse:

– Je ne suis dans aucune liaison avec la France, je n'ai rien à craindre ni à espérer d'elle... Ce n'est point à moi à parler le premier. Si l'on me demande quelque chose, il sera temps d'y répondre.

Il accepta pourtant de conclure un accord direct avec Louis XV, sans passer par des ministres qu'il méprisait. Il estimait que l'Autrichie envahirait l'Alsace pendant que l'armée française serait occupée en Flandre et il proposait de faire diversion en Bohême. Bien entendu, il présentait la note: garantie de la Silésie, agrandissements en Bohême. Louis XV accepta. Dans le même temps, l'Autriche et l'Angleterre offraient à Charles VII de lui rendre ses Etats de Bavière, ou de lui constituer un royaume composé de la Franche-Comté, de l'Alsace et de la Lorraine. Ce fut alors que nous déclarâmes, officiellement, la guerre à l'Autriche et à l'Angleterre; jusqu'ici, on s'était battu «officieusement...».

Après la mort du cardinal, Louis XV s'était attelé à la tâche au point d'espacer ses parties de chasse. Ses détracteurs murmuraient qu'il se lasserait vite de présider le conseil. On doutait aussi de sa résolution, de prendre la tête de l'armée. On pensait que Fleury l'avait trop habitué à la paresse, que les belles dames exerçaient trop d'empire sur lui. Car le beau monarque, suivant la trace de ses pères, s'adonnait désormais à la galanterie.

Faisons un retour en arrière. Pendant des années, Louis XV avait mené une vie irréprochable. Il avait été, comme on dit, un mari exemplaire, fort strict sur la morale et la religion. Puis, le temps vint où Marie Leczinska, surmenée et prématurément

flétrie par les grossesses, rebuta un époux trop amoureux.
Louis XV essaya de résister à la tentation, mais le sang Bourbon ne pouvait tolérer une continence prolongée. Or Louis se
rendait souvent à Rambouillet où habitait le comte de Toulouse, son oncle par la main gauche. La société de Rambouillet
était agréable et joyeuse, assez libre, quoique de bonne compagnie. Ce fut là que Louis XV rencontra Mme de Mailly. Elle
avait exactement son âge. Elle se prénommait Louise-Julie.
Fille du marquis de Nesle, elle avait épousé son cousin germain, le comte de Mailly. Elle avait hérité de sa mère la charge
de dame du palais de la reine. Ce n'était certes pas une beauté!
Les mémorialistes s'accordent pour lui prêter un long visage
aux joues plates, un grand front, une grande bouche, un teint
olivâtre, un regard dur et une voix de rogomme. Mais elle
savait admirablement s'habiller. Elle était spirituelle, enjouée,
d'humeur égale, d'amitié sûre. Elle aimait sincèrement Louis
XV, non le monarque, mais l'homme. Il hésita longtemps avant
de la prendre pour maîtresse; tout laisse croire qu'on l'y
poussa, que cet amour fut initialement le résultat d'une intrigue
de cour. Mais ceux qui avaient misé sur Mme de Mailly, perdirent leur peine. Elle ne demanda rien qu'un peu de tendresse.

Pareil désintéressement était si peu de mode qu'il parut suspect. Les mauvaises langues insinuèrent que cette liaison
n'était qu'une couverture. Mme de Vintimille, qui était une
des sœurs de Nesle, passa alors pour être la favorite effective.
Elle n'avait pas plus d'attraits que Mme de Mailly, mais elle
était d'un caractère à tirer parti de la situation. Elle mourut en
couches [1]. Chose étrange, la veille de sa mort, Louis XV resta
à son chevet jusqu'à deux heures du matin. Il la pleura pendant
plusieurs jours, Mme de Mailly s'efforçant de le consoler. Ce
qui n'empêcha point celle-ci de reperdre son amant. Elle eut
l'imprudence de produire à la cour une autre de ses sœurs,
Marie-Anne, veuve du marquis de La Tournelle. Le duc de
Richelieu, âme damnée de Louix XV, mena toute l'affaire pour
complaire à son maître, comme un valet de chasse rabat le
gibier! Cela fut d'autant plus aisé que Marie de la Tournelle
avait résolu d'être la maîtresse en titre. Peu lui importait de
chagriner sa sœur! Conseillée par Richelieu, elle manœuvra si

1. L'enfant qu'elle mit au monde avait tant de ressemblance avec Louis XV
qu'on le surnomma «le demi-Louis».

bien que le roi devint éperdument épris. Ayant ferré le poisson, elle exigea le titre de duchesse de Châteauroux avant de céder. Les Parisiens chantaient gaillardement:

> *Et allons, dame La Tournelle,*
> *Et allons donc, rendez-vous donc!*
> *Quand votre Roi vous appelle,*
> *Vous faites trop de façons...*
> *Encore si étiez pucelle*
> *Vous le pardonnerait-on.*
> *Si vous vous donniez pour telle,*
> *Toute la cour dirait non...*

C'étaient de curieux caractères de femmes que les sœurs de Nesle. Quelles que fussent leurs faiblesses, elles restaient capables de générosité. Les médisants exagérèrent beaucoup les sommes dépensées pour Mme de Châteauroux. Ils ignoraient par contre le rôle positif qu'elle assumait auprès du roi. Car cette altière favorite ne voulait point d'une mauviette pour amant. Elle usait de tout son pouvoir pour que Louis XV fît son métier de roi, et ne laissât pas les ministres décider à sa place. Elle n'entendait à peu près rien à la politique, mais elle connaissait à fond le caractère de Louis. Elle savait, mieux que quiconque, combien il avait tort de se fier à autrui, de douter constamment de lui-même; quelles étaient réellement la profondeur de son intelligence, l'acuité de ses intuitions, la justesse de son esprit, mais aussi combien il était moralement exposé, malgré sa robustesse apparente. Cette mélancolie bizarre en laquelle ses résolutions les plus fermes se diluaient, elle luttait contre elle du mieux qu'elle le pouvait. On connaît la réplique fameuse:

– Ah! Madame, vous me tuez!

– Tant mieux, Sire, il faut qu'un roi ressuscite.

Naguère, le vieux Fleury veillait à la paix du ménage royal. Depuis sa disparition, Louis ne se gênait pas; il ne prenait plus la peine d'épargner la susceptibilité de Marie Leczinska. D'ailleurs, la duchesse de Châteauroux ne se fût pas accommodée de l'obscurité où Mme de Mailly avait vécu. Elle revendiquait hautement son titre de favorite et se souciait peu des humiliations infligées à la reine. Au surplus la méprisait-elle de n'avoir pas su «viriliser» le roi, ni le distraire assez pour dissiper ses accès de pessimisme. Elle la tenait pour nulle : une dévote qui ne cherchait plus à plaire, ridicule sous sa perpétuelle mantille.

Les choses en étaient là, lorsque Louis XV annonça son prochain départ pour l'armée. Cette déclaration ne rencontra qu'incrédulité dans l'opinion. Il était si bien ferré par l'hameçon de l'amour qu'on le jugeait incapable de se séparer de la Châteauroux, et, sinon, de ne l'emmener pas dans ses bagages. On notera à ce propos que, pendant le règne du Roi-Soleil, personne ne reprochait à ce dernier d'emmener ses femmes (légitimes et illégitimes) à la guerre, mais les temps avaient changé. A mesure que les mœurs se dégradaient, on moralisait davantage. Il était d'usage courant, dans la haute noblesse et la bourgeoisie parisienne, d'afficher ses maîtresses ; le roi n'en avait pas le droit !

Or, le 3 mai (1744), le roi partit de Versailles, avec vingt gardes du corps, sans la reine ni le dauphin, ni Mme de Châteauroux. Le 4, il était à Valenciennes. Cette fois, on l'applaudit sans réserve et l'on rima :

> *Les bienfaits volent sur les traces*
> *Du plus aimable des vainqueurs,*
> *C'est par la conquête des cœurs*
> *Qu'il prépare celle des places.*

De Valenciennes, il gagna Lille, par Cambrai, Maubeuge et Douai, escorté par des militaires et des hommes d'Eglise (dont l'évêque de Soissons). Le roi n'était plus le même homme. Tous s'étonnaient de sa gaieté, de son alacrité, de son autorité toute nouvelle. Il voulait tout voir, tout connaître ; il visitait les hôpitaux, les casernes, les camps, les batteries, passait des revues, interrogeait les hommes et les officiers soulagés d'avoir enfin un maître. L'effet de la présence royale fut immédiat. Chacun prit à cœur de se distinguer. Nul ne s'enhardissait jusqu'à désobéir. De la sorte, on prit successivement Menin et Ypres. *Te Deum*, feux d'artifice et liesse populaire, mais de courte durée. Car, sous un prétexte futile et sur les conseils de Richelieu, la duchesse de Châteauroux, bravant l'interdiction du roi, s'empressa de le rejoindre. Le scandale fut énorme et les Parisiens purent médire à leur aise, d'autant que la reine restait à Versailles.

Cependant, comme Frédéric de Prusse l'avait prévu, les Autrichiens envahissaient l'Alsace. Louis XV décida de s'y rendre sur-le-champ ; il laissa le commandement de l'armée de Flandre à Maurice de Saxe et partit, avec un renfort de 18.000 hommes. Les dames suivaient à peu de distance. Le roi établit son quartier général à Metz, dans la demeure du Premier président. On bâtit une galerie qui reliait cette maison à l'abbaye Saint-Arnaud, où Mme de Châteauroux fut logée. Les hussards autrichiens pillaient et saccageaient la Basse-Alsace. Par bonheur, Frédéric II tenait sa promesse : 80.000 Prussiens assiégeaient Prague. C'était la fameuse diversion, objet du dernier traité. Elle obligeait l'Autriche à dégarnir promptement l'Alsace. L'occasion s'offrait de faire place nette et de recouvrer les territoires perdus.

Le 7 août, Louis XV fut pris de fièvre. On crut à un accident passager, consécutif à la fatigue, voire au chagrin causé par les saccages des Autrichiens. Puis les médecins, qui ne valaient guère plus que ceux de Louis XIV, diagnostiquèrent une fièvre maligne. En foi de quoi, ils saignèrent et purgèrent à l'aveuglette. Le 11, l'état du roi semblait désespéré. Médecins et domestiques perdaient la tête. Cependant deux factions s'organisaient autour du lit royal. D'un côté, les dévots (l'évêque de Soissons, l'aumônier, le confesseur, les princes et ducs du parti de la reine et du dauphin) ; de l'autre Richelieu, Mme de Châteauroux, et leurs séides (le parti libertin). Le confesseur du roi, qui était un jésuite, le père Pérusseau, exigeait le renvoi de la favorite avant de recevoir la confession du roi et de l'absoudre. La favorite et le duc de Richelieu bataillaient pour réfuter cette exigence, tout au moins pour en différer l'exécution. Selon eux, le roi n'était pas si mal que le prétendaient les médecins ; il pouvait se rétablir. Les dévots tenaient à la stricte application de la règle. Le congé de la favorite assurait le triomphe de leur faction, si Louis XV venait à mourir. Tel était l'enjeu ! On veut croire qu'ils se souciaient tout de même un peu du salut de l'âme du mourant ; cependant les intérêts primaient ce souci.

Doucement l'évêque de Soissons pressait le roi de se confesser.

– Il n'est pas temps, soupirait Louis. J'ai trop grand mal de tête et trop de choses à retrouver et à dire pour me confesser à présent.

Mme de Châteauroux voulut l'embrasser. Il tourna la tête :

– Je crois que je fais mal, dans l'état où je suis, de vous permettre ces caresses.

C'était un premier indice d'abandon. Le lendemain, le chirurgien La Peyronie déclara que le roi n'avait pas deux jours à vivre ; qu'il était urgent de prendre une décision.

– Je le voudrais, dit Louis XV, mais il n'est pas temps encore..

Peu après, il s'évanouit. Quand il reprit connaisance, il appela par trois fois le père Pérusseau :

– Adieu, je meurs, je ne vous reverrai plus !

Il se confessa donc, et, pour être absous, en passa par les exigences du jésuite.

– J'ai sacrifié la favorite, dit-il au duc de Bouillon, à ce que la religion veut d'un Roi Très Chrétien et du Fils Aîné de l'Eglise.

Aussitôt, l'évêque de Soissons se rendit chez Mme de Châteauroux et sa sœur :

– Mesdames, le Roi veut que vous vous retiriez de chez lui sur-le-champ

Et il ordonna la démolition de la galerie. Belle-Isle prêta son carrosse aux fugitives, pour les soustraire à la fureur populaire. Ayant reçu le viatique, Louis XV murmurait :

– Jusqu'à ce jour j'ai été bien indigne de la royauté. Que de comptes à rendre pour un prince qui va paraître devant Dieu ! Ah ! que ce passage est terrible !

Le 15 au matin, commencèrent les prières des agonisants. Le roi sombrait dans l'inconscience. Ce fut alors que se présenta un empirique du nom de Moncerveau. Il donna au moribond une bonne dose d'émétique, ou d'un remède de son invention Il se fit alors «la plus étrange évacuation». Le roi revint à lui-même ; il était sauvé.

La reine s'était enfin décidée à enfreindre l'interdiction de son époux. Folle d'inquiétude, elle accourut à Metz avec le dauphin.

– Madame, lui dit le roi, je vous demande pardon du scandale que je vous ai donné, des peines et des chagrins dont j'ai été la cause. Me pardonnerez-vous ?

Marie fondit en larmes. Quant au dauphin, il fut reçu avec froideur. Peut-être Louis XV pensa-t-il que son fils croyait déjà tenir la couronne...

On lui rendait compte de la consternation populaire à la

nouvelle de sa maladie, des messes dites à son intention. Il répondait :

– Je le sais, je sens bien que c'est aux prières de mon peuple que je dois ma guérison et j'en suis d'autant plus touché que je ne la méritais pas.

Mais à mesure que son état s'améliorait, on remarqua qu'il retombait dans ses tristesses et recevait avec agacement les humbles caresses de la reine. Quand il fut guéri, il ne voulut pas qu'elle le suivît à Strasbourg. Le duc de Richelieu retrouvait son crédit. Il déclarait que les jésuites et leur faction avaient abusé de la faiblesse du roi. Ce dernier ressentait de la honte en pensant qu'il avait manqué de courage. On l'a déjà dit, il avait une peur panique de l'enfer, peur qui ne le quittait jamais complètement même au milieu des plaisirs, avec une étrange propension aux propos macabres. Comme tous les voluptueux, il sentait jusqu'à la soufffrance combien la vie est éphémère.

Pendant cette maladie, les choses avaient été à vau-l'eau. Ce grand théoricien de Noailles avait laissé les Autrichiens s'échapper, alors qu'il pouvait aisément les détruire. Le 10 octobre, Louis XV arriva devant Fribourg qui capitula le 1er novembre. Puis «le Bien-Aimé» (c'était le surnom que lui donnait alors le peuple) rentra à Paris. La foule l'acclama ; elle délirait d'amour en retrouvant son roi miraculé et victorieux. Après ces festivités, il retomba dans son marasme. C'était le moment attendu par la duchesse de Châteauroux. Mais son triomphe fut de courte durée, car elle s'alita avec un mauvais rhume et mourut en très peu de jours édifiant son confesseur par son repentir et sa résignation. Restait la quatrième sœur de Nesle, qui était Mme de Flavancourt. Louis XV lui envoya Richelieu comme entremetteur. Elle repoussa les offres du roi, leur préférant l'estime de ses contemporains.

L'heure de Mme de Pompadour approchait.

X

LA PLAINE DE FONTENOY

L'année 1745 fut fertile en événements. Le 20 janvier, l'empereur Charles VII mourut, «en laissant cette leçon au monde, que le plus haut degré de la grandeur humaine peut être le comble de la calamité» (Voltaire). Il laissait un fils de dix-sept ans, Maximilien-Joseph. On crut alors que la guerre allait finir, puisqu'elle était devenue sans objet. En effet, rien ne s'opposait plus à ce que Marie-Thérèse fît élire empereur son époux, ci-devant duc de Lorraine et présentement grand-duc de Toscane. Les Etats d'Europe, la France elle-même, n'avaient pas de raisons de s'opposer à cette élection. Très probablement Marie-Thérèse eût-elle, dans cette perspective, accordé quelques concessions. Mais le cabinet anglais ne voulait pas d'une paix qui eût avantagé la France. il estimait gagner davantage en poursuivant les hostilités. Finançant, en grande partie, les armées alliées, il pouvait parler haut et ne s'en privait pas. Devant cette situation la France n'avait d'autre possibilité que de susciter et d'appuyer un autre candidat à l'empire. Maximilien-Joseph était trop jeune. L'Electeur de Saxe, pressenti par nos agents, n'osa pas s'opposer à l'époux de Marie-Thérèse: les malheurs de Charles VII, sa fin douloureuse et humiliée, montraient assez qu'on ne pouvait être empereur si l'on ne possédait pas l'Autriche-Hongrie. Louis XV prit donc le parti de rester simplement sur la défensive en Allemagne et en Italie, afin de retenir le gros des forces autrichiennes, et d'attaquer en Flandre. Il déclara son intention de se rendre à l'armée du Nord.

En février, la seconde infante d'Espagne, fiancée au dauphin

qui avait quinze ans, arriva à Versailles. Le mariage y fut célé-
bré avec un faste extraordinaire; il donna lieu aux festins, bals
et divertissements habituels, mettant le trésor à sec. Au cours
d'un bal masqué, le roi se déguisa en «if», avec sept compagnons tous semblables, pour mystifier les danseuses. L'insis-
tante présence d'une certaine Madame d'Etioles, d'une
éblouissante beauté, ne passa pas inaperçue… Il fallut ensuite
revenir aux choses sérieuses, envoyer au Parlement cinq édits
pour refaire de l'argent. Le Parlement s'inclina, parce qu'on
était en guerre. Le peuple retint ses murmures pour les mêmes
raisons. On croyait que la prochaine campagne serait décisive!
On faisait confiance au roi! On tremblait pour sa vie, en se
souvenant de la maladie de Metz.

Le maréchal de Saxe était alors en Flandre, avec une armée
de 106 bataillons d'infanterie et de 172 escadrons de cavalerie.
Il investit Tournay, ancienne capitale de nos possessions flamandes, fortifiée par Vauban. A l'instigation de la Hollande,
les alliés résolurent de sauver cette place. Leur armée, forte
d'environ 55.000 hommes, était composée d'Anglais (sous les
ordres du jeune duc de Cumberland), de Hanovriens, d'Autrichiens et de Hollandais.

Parti le 6 mai de Paris, avec le dauphin, Louis XV s'installa
à Pont-à-Chin, à proximité de Tournay et de l'Escaut. Le lendemain, il alla reconnaître le futur champ de bataille. Car Maurice de Saxe, au lieu de se porter au-devant de l'ennemi, préférait l'attendre dans cette plaine de Fontenoy, où selon lui, l'ennemi tenterait de franchir l'Escaut. La seule ombre au tableau
était l'état de santé de Maurice de Saxe. Il souffrait d'une crise
d'hydropisie, si grave que les ponctions ne le soulageaient pas.
Pourrait-il assurer son commandement? Avant son départ
pour l'armée, Voltaire lui avait demandé comment il pourrait
faire, étant si faible. Il avait répondu:

– Il ne s'agit pas de vivre, mais de partir.

L'héroïsme n'était pas forfanterie de sa part; il coulait de
source. Et la maladie n'entamait point son jugement.

Ayant choisi son champ de bataille, il ne renonça pas pour
autant au siège de Tournay. Il se contenta de prélever 40.000
hommes et de les diriger vers l'Escaut, ce fleuve devant servir
de point d'appui. Quand on regarde les tableaux célébrant cette
victoire, quand on étudie les gravures et les plans, on serait

tenté de croire que Fontenoy est une vaste plaine, permettant de larges déploiements de troupes. La réalité est bien différente! La «vaste plaine» n'est qu'un trapèze d'un kilomètre sur deux, entre l'Escaut et le bois de Barry. Maurice avait fait occuper les ponts (en cas de revers), fortifier les villages d'Anthoin et de Fontenoy avec des abattis et des pièces d'artillerie. Il n'y avait pas construit de fortins entre le bois de Barry et Fontenoy, parce que cet espace était protégé par un ravin avec un fond marécageux: il jugeait cette défense naturelle suffisante, et sinon il rusait, mais il ne s'ouvrait à personne de ses intentions.

Pendant la nuit du 10 au 11 mai, Louis XV étonna l'assistance par son optimisme et sa franche gaieté. La conversation roula sur les batailles auxquelles les rois avaient personnellement pris part. Louis XV ne craignit pas de dire que, depuis la bataille de Poitiers et Jean le Bon, aucun roi de France n'avait combattu avec son fils: il n'était pas superstitieux! Il ajouta que, depuis Saint Louis, jamais un roi de France n'avait remporté de victoire personnelle sur les Anglais et qu'il espérait être le premier.

Debout à la pique de l'aube, il éveilla son monde. Puis, accompagné du dauphin, du ministre de la Guerre et des aides de camp, il passa à l'Escaut et prit poste au lieu dont on était convenu: la Justice d'Anthoin.

Maurice de Saxe vient aux ordres. Souffrant trop pour tenir à cheval, il est étendu dans «son berceau», c'est-à-dire une voiture d'osier. Il y a passé la nuit, au milieu de son état-major. Certains discutent déjà son dispositif, l'ennemi étant signalé. Ils craignent d'être tournés. Ce que craint Maurice de Saxe, c'est de devoir remettre, selon la règle, le commandement de l'armée au roi. Non qu'il doute du jugement de Louis XV; il sait au contraire que celui-ci approuve son plan, mais il se méfie des beaux parleurs et des stratèges de cour. Comme devinant la pensée du maréchal, Louis XV déclare:

– Messieurs, j'entends que M. le maréchal soit obéi par tout le monde. Ici, c'est lui qui commande et je suis le premier à donner l'exemple de l'obéissance.

Tout de suite, Maurice de Saxe s'inquiète de la sécurité du roi et du dauphin. Il leur suggère de se mettre à l'abri derrière le fleuve, ce qui libérerait les gardes du corps, en cas de nécessité. Louis XV refuse. Il n'a point peur ; il ne veut pas immobiliser sa garde. Il ordonne au maréchal d'en disposer dès à présent. Maurice, toujours étendu dans son «berceau» va d'un poste à l'autre, contrôle le dispositif, apporte les dernières modifications.

Cumberland s'est mis en marche lui aussi avant l'aube. C'est bien vers Fontenoy, comme l'a prévu Maurice, qu'il dirige ses colonnes. Pour tâter l'adversaire, il commence par lancer deux attaques de diversion. Il a chargé son aide de camp Ingoldsby d'enlever le bois de Barry avec quatre bataillons et les Hollandais d'attaquer le secteur d'Anthoin-Fontenoy. mais Ingoldsby, rudement étrillé, se trompe dans ses évaluations et renonce à s'emparer du bois de Barry. Cumberland est furieux de cet échec. Se rend-il compte que la bataille est déjà perdue pour lui ? En tout cas, il fera comparaître Ingoldsby devant une cour martiale. Les Hollandais, fauchés par un feu meurtrier, reculent aussi et s'agrègent au gros de l'armée. Cumberland ne change cependant rien à son dispositif, d'une conception tactique irréprochable, mais déjà périmée. Il s'agit de lancer contre les lignes françaises une masse compacte et profonde d'infanterie. Celle-ci pénétrera comme un coin d'acier dans le dispositif adverse, trop étiré pour opposer une résistance durable. Aucune charge de cavalerie ne pourra l'entamer. Naguère, les cavaliers cuirassés se sont brisés contre les phalanges espagnoles et les stratèges en ont tiré leçon. Mais ce que néglige Cumberland, c'est que la lourde colonne s'exposera aux feux croisés du bois de Barry et de Fontenoy. L'impéritie d'Ingoldsby et le manque de pugnacité des Hollandais lui ont enlevé la moitié de ses chances. Maurice de Saxe a compris cela. Il dégarnit le bois de Barry pour étoffer son corps de réserve qui n'était jusqu'ici que du cinquième de son effectif. En face de Cumberland, il n'y a qu'une ligne de fantassins (les Gardes françaises) rangés sur quatre rangs. En avant de ceux-ci, les canons. Derrière l'infanterie, les escadrons de cavalerie disposés parallèlement à l'Escaut. L'erreur, apparente, de Maurice de Saxe est de n'avoir point construit de redoutes entre le bois de Barry et Fontenoy. Il feignait de croire le ravin impraticable avec son sol détrempé par les pluies, ses broussailles et ses fonds gorgés d'eau. D'où ce mince rideau de troupes. Quand on considère la topographie, la situation des redoutes improvisées et la

épartition des corps d'armée, on incline à penser que Maurice
e Saxe avait prévu que l'adversaire attaquerait par le ravin,
utrement dit, qu'il lui tendait un piège. Connaissant la tacti-
ue anglaise, l'attachement des stratèges à «l'ordre profond»,
t l'intrépidité de Cumberland (il avait déclaré: «J'irai à Paris,
u je mangerai mes bottes»), Maurice avait agi sagement.

8 h 30: c'est la seconde phase de la bataille, la plus longue et
a plus incertaine. Soudain, les Gardes françaises tenant le bas
u ravin aperçoivent des pièces d'artillerie, non pas tractées
ar des chevaux, mais tirées et poussées par des hommes. Les
fficiers croient qu'une petite troupe anglaise s'est égarée, et
écident de jouer un bon tour à l'ennemi en s'en emparant. Ils
'élancent, entraînant leurs soldats. Ils se trouvent nez à nez
vec l'avant-garde de la colonne Cumberland et refluent en
ésordre. En poussant de grands cris, les Anglais s'engagent
nsuite dans le ravin. C'est ici que se place le dialogue légendai-
e. Lord Hay, se découvrant, lance le fameux:

– Messieurs des Gardes françaises, tirez les premiers!

Et le compte d'Anterroches de rendre le salut et de crier:

– Non, messieurs, à vous l'honneur!

Belle image d'Epinal pour illustrer ce que l'on appela «la
uerre en dentelle». La vérité était celle-ci: le parti qui tirait le
remier était nettement défavorisé, en raison de la lenteur du
echargement des fusils (vingt-quatre mouvements). Quand le
reur était prêt, il avait devant lui les baïonnettes ennemies.
ne autre version, évidemment anglaise, veut que lord Hay ait
ré sa gourde et porté un toast aux Français, leur criant:

– J'espère que vous allez vous tenir tranquilles, jusqu'à ce
ue nous soyons près de vous et que vous n'allez pas passer la
vière à la nage comme à Dettingen!

La colonne anglaise bouscule les Gardes françaises. Elle
vance comme à la parade, ou à l'exercice, derrière ses canons.
es feux convergents des Français ne l'entament pas. Les brè-
es sont aussitôt comblées dans ce mur humain qui s'avance
ntement, inexorablement. On aperçoit les majors appuyer
urs cannes sur les fusils de leurs hommes, pour qu'ils tirent
as, que les balles ne se perdent pas «dans le bleu» (le ciel). La
olonne avance toujours, et toujours dans un ordre parfait.
es rangs entiers s'abattent, sont aussitôt remplacés. La colon-
e, telle une immense chenille rouge, dépasse Fontenoy,

progresse vers l'Escaut. Rien ne l'arrête. Successivement le
régiments d'infanterie et les escadrons se brisent contre elle..
Des cavaliers refluent en débandade, tourbillonnent autour d
roi et de son fils. Le maréchal de Saxe, craignant que Louis X\
soit blessé ou pris, lui demande de se retirer derrière le fleuve
Louis XV ne perd pas son sang-froid ; il refuse. Le maréchal s
fait hisser à cheval. Il est si faible qu'il ne peut porter la cui
rasse ; il se protège avec une rondache garnie de taffetas. Il va
ainsi, d'un point à l'autre du champ de bataille, envoyant se
aides de camps porter ses ordres.

Plusieurs sont tués ou blessés. Le lieutenant-général d'Ach
vient rendre compte au roi ; il a un pied fracassé, mais ne mon
tre aucun signe de douleur avant de tomber sans connaissance
Louis XV, au milieu de ce tumulte, est imperturbable. Il dit
propos de Maurice :

— Je suis sûr qu'il fera ce qu'il faudra.

Pourtant l'infernale colonne de Cumberland, où l'on distin
gue à présent des Hanovriens mêlés aux Anglais, continu
d'avancer. Qu'elle atteigne le fleuve et l'armée française ser
coupée en deux, désarticulée. Au milieu du feu trotte le cheva
de Maurice. Selon l'opinion de Frédéric II, il eût suffi qu
Cumberland fît une conversion à droite, ou à gauche, ou le
deux ensemble pour remporter la victoire. Mais Cumberlan
préféra maintenir la cohésion de sa terrible colonne. Soumis
au feu roulant des régiments qui se relaient, enveloppée par le
rafales de cavalerie, elle piétine au milieu des morts et de
blessés, et finit par s'étirer dangereusement.

C'est le moment attendu par Maurice de Saxe. Il est 2 heure
de l'après-midi. Il a regroupé ses brigades d'infanterie, rassen
blé toute la cavalerie disponible. Tout à coup, il contre-atta
que. La colonne plie sous le choc. Elle rétrograde, mais en bo
ordre, sans abandonner ses canons ni ses drapeaux. Elle re
monte lentement le ravin. Il n'y a pas assez d'espace pour qu
la cavalerie anglaise puisse la dégager. La victoire est acquis
pour les Français ; ils l'ont durement payée !

Louis XV allait de régiment en régiment, acclamé par le
soldats. Le maréchal de Saxe lui baisa le genou et dit :

— Sire, j'ai assez vécu ; je ne souhaitais de vivre aujourd'h
que pour voir Votre Majesté victorieuse ...

Et il ajouta :

– Vous voyez à quoi tiennent les batailles!

Après les félicitations, les compliments, les grâces et les vivats, Louis XV mena le dauphin sur le champ de bataille. Il lui montra la nuit tombant sur des milliers de morts, les chevaux mêlés aux hommes et l'ombre naissante confondant les uniformes.

– Mon fils, lui dit-il, voyez ce que coûte une victoire; le sang de nos ennemis est toujours le sang des hommes. La vraie gloire, c'est de l'épargner.

L'adversaire, démoralisé, n'opposa plus qu'une faible résistance. Tournay se rendit le 22 mai. Puis ce fut le tour de Gand, de Bruges, d'Audernarde, d'Ostende et de Nieuport. La Flandre maritime repassait sous notre contrôle. Louis XV quitta l'armée le 1er septembre, laissant le maréchal de Saxe organiser la défense des pays conquis. Il n'était plus seulement le Bien-Aimé, mais le Victorieux. On disait que cette campagne de Fontenoy était «la plus belle qu'un roi de France eût jamais faite».

XI

BÊTE COMME LA PAIX

La même année, Frédéric II remporta sur les Autrichiens la victoire de Hohenfriedberg, en Silésie, car Marie-Thérèse s'obstinait à lui arracher cette province. Il écrivit, ironiquement à Louis XV: «J'ai acquitté la lettre de change que Votre Majesté a tirée sur moi à Fontenoy.» Les rapports entre les deux monarques étaient assez aigres, Frédéric ayant prétendu que la victoire de Fontenoy était aussi inutile que si on l'avait gagnée à Pékin ou sur le Scamandre. Les conquêtes de la France en Flandre autrichienne lui portaient en réalité ombrage. Seule la possession de la Silésie lui importait. C'était un allié si peu sûr qu'après la défaite autrichienne, il fit des offres de paix à Marie-Thérèse, qui les rejeta en dépit des conseils du roi d'Angleterre. Le 13 septembre, l'ex-duc de Lorraine était élu empereur sous le nom de François Ier. Ce fut l'occasion de fêtes grandioses. Marie-Thérèse passa en revue une superbe armée, dont l'exaltation patriotique faisait tout espérer. Elle donna l'ordre d'attaquer à nouveau Frédéric II. Le 30 septembre, ce dernier remporta une seconde victoire, mais ne pesa pas plus avant: c'était un réaliste et un bon comptable. Marie-Thérèse s'allia avec Auguste III de Saxe, en vue d'une attaque simultanée vers Berlin. Frédéric II devança les alliés en envahissant la Saxe, malgré la mauvaise saison. Le 15 décembre, il entrait à Dresde. Auguste de Saxe, voyant son pays occupé par les Prussiens, obligea Marie-Thérèse à traiter. Elle dut céder la Silésie contre la reconnaissance du nouvel empereur. Frédéric II avait donc gagné la partie. Il rentra à Berlin, où son peuple lui décerna le nom de Frédéric-le-Grand. Le royaume de Prusse était devenu une puissance.

Après Fontenoy, le prétendant Charles Edouard Stuart
s'imagina que la dynastie «hanovrienne» était discréditée. Il se
mit en tête de débarquer en Angleterre et de se faire reconnaître pour seul roi légitime, ne doutant pas qu'à son approche le
peuple anglais ne se levât comme un seul homme! Il ne demanda même pas l'aide de la France. Il s'embarqua à Saint-Nazai-
re, sur un navire irlandais, avec quelques fusils et peu d'argent.
Il prit terre en Ecosse, revêtit le costume des highlanders et
marcha vers Edimbourg. L'effet de surprise fut total, et lui
valut des succès faciles. En France, l'opinion se passionna
pour cette aventure hors du sens commun. Les Anglais ne
s'émurent point. Ils laissèrent Charles-Edouard approcher
de Manchester, avec ses bandes hétéroclites. Un instant,
Louis XV sous la pression de l'opinion, songea à lui envoyer
un renfort (un millier d'Irlandais et d'Ecossais servant dans
nos armées), mais le projet fut abandonné. Louis XV avait
compris que l'on s'était exagéré l'embarras du gouvernement
anglais et la force du parti jacobite. Charles-Edouard avait
les qualités et les défauts de son aïeul, Jacques II Stuart, en
particulier l'irréalisme. Mais il était follement brave et non
dépourvu de talents. Il battit une division anglaise au début
de 1746, puis fut écrasé à Culloden. Proscrit, errant, il fut
recueilli par un vaisseau français qui le conduisit en Bretagne.

Lorsque Philippe V mourut, en 1746, on fut généralemnet
d'avis de laisser l'Espagne poursuivre seule les opérations en
Italie, où la situation tournait au désastre. Il est vrai qu'à nouveau le gros des forces françaises s'était concentré en Belgique
sous les ordres de Maurice de Saxe. Le maréchal était au comble de la gloire. Au cours d'une soirée à l'Opéra, le public lui
fit un triomphe, l'une des actrices le couronna solennellement
de lauriers au milieu des acclamations. Ce printemps-là, il
s'empara d'Anvers, presque sans combat. Il prit ensuite Mons,
Saint- Ghislain, Charleroi et Namur. Il cherchait à la vérité une
rencontre décisive, et crut la saisir le 11 octobre. Les Autrichiens, n'osant l'affronter, repassaient la Meuse, couverts par
un corps d'armée composé d'Anglais, de Hanovriens et de Hollandais. Ce corps occupait trois villages sur la rive gauche de la
Meuse, dont celui de Raucoux. Maurice de Saxe aperçut l'in-

suffisance du dispositif. Il résolut de s'emparer des trois villages, et de lancer ensuite sa cavalerie afin de changer la retraite des Autrichiens en déroute. Les trois villages furent enlevés à la baïonnette, après une violente canonnade. Mais des rafales de pluie empêchèrent l'action de la cavalerie et les Autrichiens purent se retirer en bon ordre. Ce n'était pour Maurice qu'une demi-victoire. A nouveau Paris lui fit un triomphe. Pourtant certains murmuraient que cette glorieuse affaire de Raucoux avait coûté bien des vies humaines, pour ne servir finalement à rien.

On entama des négociations, par l'entremise des Hollandais qui s'étaient engagés à regret dans cette guerre. On convint de réunir un congrès à Bréda, avec les plénipotentiaires anglais. Les pourparlers traînèrent en longueur, les Anglais se flattant de remporter une victoire décisive. Louis XV menaça les Hollandais d'envahir leur territoire, puisque, sans déclaration de guerre, ils avaient attaqué la France avec leurs alliés. Cette menace resta sans effet et la conférence fut rompue. En conséquence, dès le début d'avril 1747, les lieutenants de Maurice de Saxe envahirent la petite Hollande, qui ne pouvait certes s'opposer à pareil déferlement d'hommes bien équipés. Louis XV conféra le titre de maréchal-général à Maurice et se rendit lui-même sur le front. Devant le danger, les Hollandais avaient, comme au temps de Louis XIV, renversé le régime républicain et rétabli le stathoudérat héréditaire en faveur de Guillaume IV de Nassau, petit-neveu de Guillaume d'Orange. Les Français vinrent assiéger Maestricht, persuadés que la capitulation de cette place amènerait les alliés à traiter. L'armée anglo-hollandaise s'approcha. Elle était commandée par le duc de Cumberland et le stathouder Guillaume, beaux-frères mais ennemis! Ils établirent leurs camps respectifs de manière à ne pas se porter secours en cas de danger! Maurice de Saxe vit immédiatement la faute et l'exploita. Il attaqua, entre les deux camps, le village de Lawfeld tenu par les Anglais. Cumberland, avec une obstination très anglaise, renouvela sans sourciller son expérience de «l'ordre profond», c'est-à-dire de Fontenoy. Cependant les nôtres perdirent six à sept mille tués; les Hollandais et les Autrichiens qui n'avaient point secouru Cumberland restaient trop nombreux pour que l'on poursuivît les travaux de siège. On se rabattit alors sur Berg-op-Zoom, place qui était aussi forte que Maestricht. Elle tomba le 16 septembre, après un siège particulièrement meurtrier. Le roi honora Maurice de six canons pour décorer le château de Chambord qu'il lui avait offert à vie. Mais enfin ces exploits, sans nombre, ces victoires coûteuses, ces villes conquises, ne terminaient rien.

Sur mer, la supériorité de la flotte britannique se faisait durement sentir. Nos vaisseaux de guerre, trop peu nombreux, étaient impuissants à protéger notre commerce. Les Anglais coulaient les navires de la Compagnie des Indes, quand ils ne pouvaient s'en emparer. Afin de porter le coup de grâce à la Compagnie, ils tentèrent de détruire Lorient qui fut sauvé par l'énergique défense de ses habitants. Aux Indes, ils assiégèrent Pondichéry, mais ne purent davantage s'emparer de ce riche comptoir grâce à l'héroïsme de Dupleix.

A la fin de 1747, le vent soufflait à la paix. L'Europe était au bord de l'épuisement. Par surcroît, la récolte avait été mauvaise et la disette menaçait. En France, le pain avait brusquement augmenté; cependant, pour en finir, Louix XV avait résolu de consentir un dernier effort et créé de nouveaux impôts. Il savait les banques de Londres excédées par la longueur de cette guerre: le taux de l'intérêt s'élevait à douze pour cent; l'Angleterre ne pourrait soutenir plus longtemps un effort pareil; l'opposition grondait.

Au début de 1748, Maurice de Saxe, d'accord avec Louis XV, fit des propositions de paix au duc de Cumberland. On ouvrit un congrès à Aix-la-Chapelle. Louis XV s'y fit représenter par le comte de Saint-Séverin, auquel il faisait parvenir directement, et secrètement, ses instructions. Mais les discussions s'avérèrent épineuses. En avril, rien n'était encore décidé. Le 15, Maurice de Saxe ouvrait la tranchée devant Maestricht. Epouvantée, la Hollande céda la première, entraînant l'adhésion de l'Angleterre. Il est vrai que Saint-Séverin avait déclaré que son maître entendait faire la paix, non pas en marchand, mais en roi, et qu'il serait plus exigeant pour ses amis que pour lui-même, déclaration qui simplifiait les choses. Le 30 avril, l'armistice était signé. Les conditions en étaient scandaleuses: restitution de tout ce que la France, l'Angleterre et la Hollande avaient conquis, hormis quelques points très minimes; éloignement définitif du prétendant Charles-Edouard; reconnaissance de l'empereur François Ier, annexion de la Silésie par Frédéric II de Prusse; aménagements divers dans la péninsule italienne au profit de l'Espagne et de la Sardaigne. Les plénipotentiaires avaient de la sorte disposé des possessions autrichiennes hors la présence des envoyés de Marie-Thérèse. On eut quelque peine à la faire consentir de signer le traité de paix. Elle enrageait de devoir céder la Silésie, Parme, Plaisance et la rive droite du Tessin. Mais, sans l'or anglais, elle n'était pas en état de poursuivre la guerre. Le traité d'Aix-la-Chapelle rétablissait, à des correctifs près, la situation antérieure. On s'était battu pour le roi de Prusse, qui était le seul à rentrer dans ses frais! Mais qui croyait alors à l'avenir de la Prusse? Certainement pas Marie-Thérèse. En sorte que, d'entrée de jeu, ce fut une paix boiteuse que celle d'Aix-la-Chapelle, n'inspirant nulle confiance en raison des rivalités qui persistaient et des problèmes laissés en suspens. C'était une paix-armistice bâclée, par cela même inquiétante.

L'attitude de Louis XV est une énigme. Céda-t-il à ce pacifisme, dont on disait qu'il était sa pente naturelle, ou bien sentait-il qu'en dépit des victoires de Maurice de Saxe, on ne pouvait prolonger la guerre, à moins d'exposer le royaume à la ruine et peut-être, à une révolution? Mon opinion là-dessus, est qu'il estimait, d'ores et déjà, inévitable une âpre et longue guerre maritime avec l'Angleterre. Connaissant l'état de notre flotte, quelques années de paix lui paraissaient nécessaires pour affronter les Anglais. Il comprenait parfaitement – mieux que la plupart de ses sujets – l'importance des territoires d'outre-mer. La superbe réponse qu'il avait dictée à Saint-Séverin ne visait, en dernière analyse, qu'à masquer cette préoccupation.

Maurice de Saxe aurait voulu que l'on gardât au moins les Pays-Bas autrichiens, conquis de haute lutte, ainsi que la Savoie et Nice. Les Parisiens ne comprirent pas que l'on abandonnât, sans contrepartie, des villes, des provinces, qui nous avaient coûté si cher en vies humaines et en argent. Si l'Angleterre n'avait pas accepté que nous conservions la Flandre maritime trop voisine de ses côtes, alors pourquoi n'avoir pas signé la paix plus tôt? Un mot courut Paris: «Bête comme la paix!» disait-on, mais les cœurs étaient ulcérés et le Bien-Aimé cessait peu à peu de l'être, comme en atteste ce quatrain recopié par Barbier:

Tel qui prétendit ne rien prendre,
Prit deux étrangers pour tout prendre,
Prit un étranger pour tout rendre.
Prit le prétendant pour le rendre.

Barbier donne la clé de cette devinette:

«Le roi a déclaré, au commencement de la guerre, qu'il ne voulait rien pour lui. Les deux étrangers dont il s'est servi pour prendre la Flandre, les Pays-Bas et une partie de la Hollande, sont les maréchaux de Saxe et de Lowendal. Il a envoyé à Aix-la-Chapelle, en qualité de ministre plénipotentiaire, M. le comte de Saint-Séverin, Napolitain, qui a rendu tout ce qu'on avait pris. Enfin, après s'être servi du prince Edouard pour faire la diversion d'Angleterre, il l'a ensuite fait arrêter pour le rendre, et le mettre hors du royaume. Voilà en quatre vers, l'abrégé de la guerre.«

Mais il ajoute: «Le public est ici fort singulier. On aurait beaucoup crié si le roi, par hauteur, avait continué la guerre encore deux ans par rapport à l'article du prince Edouard, et l'on a paru fort mécontent du procédé que l'on a tenu à son égard.»

Car pour complaire aux Anglais, d'ordre du roi, le prétendant Charles-Edouard Stuart fut arrêté en sortant de l'Opéra, embastillé et conduit hors des frontières.

Mais plus triste encore fut le sort des soldats et des officiers appartenant aux régiments que l'on licenciait, avec un mois de solde, en les priant de rentrer dans leurs foyers. Barbier raconte qu'un lieutenant n'ayant que trente-trois livres en poche et habitant à l'autre bout de la France, vendait des fromages pour se faire un pécule et ne pas mendier en chemin. Il relate aussi la touchante histoire d'un pauvre lieutenant décoré de la croix de Saint-Louis. Cet officier avait enlevé sa croix pour se faire engager dans un autre régiment, comme simple soldat! Il s'arrangea pour être de garde sur le passage du roi. Lorsqu'il entendit battre les tambours, il remit sa croix. On devine le reste... Mais les bas-officiers, les vétérans, les estropiés, les miliciens enrégimentés de force et n'ayant pour tout viatique que leurs souvenirs de Fontenoy et de Raucoux ?

TROISIÈME PARTIE

LE MAL-AIMÉ

1749-1763

I

MADAME DE POMPADOUR

Lors de la signature du traité d'Aix-la-Chapelle, elle était déjà au sommet de sa faveur. Ses adversaires – ils étaient nombreux, et coriaces – insinuèrent qu'elle avait abusé de ses pouvoirs sur le roi, pour le retenir auprès d'elle à Versailles et le détourner ainsi de continuer la guerre, ce qui était faux. C'est d'ailleurs une idée reçue que de lui attribuer systématiquement les erreurs de Louis XV et la lente désagrégation de l'autorité. Elle servait de prétexte à l'opposition (Parlement et Clergé) pour ajouter au discrédit d'un régime que l'on voulait, sinon abattre, du moins réformer dans ses structures. Mais il est particulièrement ardu de déterminer son rôle exact dans le domaine politique, et même d'éclairer sa personnalité d'un jour exact, surtout quand, après avoir été la maîtresse très aimée de Louix XV, elle devint simplement son amie.

Elle était née en 1721, à Paris, de François Poisson et de Louise de La Motte. On l'avait prénommée Jeanne-Antoinette, mais, dès qu'elle fut petite fille, on la surnomma Reinette, tant elle était gracieuse. Son père était une manière d'aventurier, dont les affaires avaient mal tourné. Fils d'un tisserand de Provenchères (dans la région de Langres), il avait commencé par conduire les attelages militaires, s'était fait remarquer par les frères Pâris qui lui avaient confié plusieurs missions. Ayant amassé quelque argent, commandité au surplus par ces banquiers, il avait passé marché pour le ravitaillement de l'armée. Sa fortune crût alors dans des proportions vertigineuses. En 1725, il se chargea du ravitaillement de Paris et abusa sans vergogne de sa fonction et des protections qu'elle

lui valait. Poursuivi, condamné à une énorme amende envers
le Trésor, il avait cru plus simple de s'enfuir en Allemagne,
laissant dans une situation difficile sa femme, sa fille Reinette
et son fils Abel qui venait de naître. Mais Louise de La Motte
était l'une des plus jolies femmes de Paris. Les biens du sieur
Poisson avaient été saisis, mais le monde de la finance n'aban-
donna point son épouse. Les liaisons amoureuses de Mme Poisson défrayèrent la chronique ; ses protecteurs les plus connus
et les plus utiles furent Pâris et Montmartel (l'un des quatre
banquiers de ce nom) et Lenormant de Tournhem, fermier
général. Ce qui explique le train de vie de Louise Poisson et le
fait que Reinette ait été élevée aux Ursulines de Passy.

Dès l'adolescence, Reinette attirait l'attention par sa vivacité
d'esprit, son extrême gentillesse et son goût pour les arts. Ne
lésinant sur rien et l'aimant comme sa propre fille, Tournhem
lui donna les meilleurs maîtres de danse, de chant, de peinture
et de comédie. Louise Poisson s'appliquait à en faire une jeune
fille accomplie, avant de la pousser dans le monde et, grâce aux
libéralités du fermier général, de la marier richement. L'existence qu'elle menait n'était guère recommandable, mais on ne
pouvait reprocher à la fille l'inconduite de la mère. Au surplus,
hormis les salons du parti dévot, on n'était guère regardant sur
les mœurs ; au contraire tout était bon pour se divertir et faire
des mots ! Reinette, par sa candeur faussement innocente, la
finesse de ses réparties, ses talents de société (elle chantait à
ravir), devint familière des salons de Tencin et d'Angervilliers.
Elle y fit la connaissance des gens de lettres les plus lancés, les
plus influents, dont Voltaire et l'abbé de Bernis, et les séduisit
aisément. C'était à qui célébrerait sa jeune beauté et son esprit
pareil à une rose entrouverte ! Ces messieurs faisaient alors
toute l'opinion, c'est-à-dire les réputations. Restait pourtant le
handicap Poisson, le procès infamant, le discrédit des liaisons
maternelles. Ce fut en vain que Louise Poisson manœuvra pour
marier Reinette dans la haute noblesse. Il y a là un trait de
mœurs à souligner : la bourgeoisie dénigrait la noblesse, mais
s'efforçait de pousser ses filles dans les bras des marquis ou des
ducs, honteuse de ses origines, de sa roture, impatiente d'en
sortir !... Mais les tentatives de Mme Poisson échouèrent : le
scandale était encore trop proche ! M. de Tournhem proposa
alors son neveu, aimable jeune homme nommé Charles Lenor-

mand d'Etioles. Ce dernier appartenait à une famille de bonne
noblesse de robe, fort estimée et pourvue d'une confortable
fortune. L'opulent Tournhem dota superbement Reinette,
paya les frais d'installation du jeune ménage dans un hôtel
particulier, et trouva une situation au marié, qui devint sous-
fermier général. On a dit, répété, que ce mariage n'était qu'une
couverture. Mais les témoignages comme la correspondance
des époux, montrent que cet «arrangement» se changea rapidement en mariage d'amour. Il était, à coup sûr, difficile de ne
s'éprendre pas d'une femme aussi belle! Mais de son côté Reinette aima son mari et se montra toujours fort tendre à son
égard. Ce dernier devait fréquemment se rendre en province
pour y remplir sa mission, car il avait pris sont métier au sérieux. Il laissait toute liberté à Reinette, ayant en elle une
confiance absolue. Ne lui avait-elle pas déclaré ingénument:
«Je ne vous abandonnerai jamais, sauf, naturellement pour le
roi!» Fausse ingénuité d'ailleurs, car une diseuse de bonne
aventure lui avait prédit qu'elle serait un jour maîtresse du roi,
et, en ce temps-là, on croyait aux prophéties! Elle aimait sé-
journer à Etioles, qui était un petit château Louis XIII appartenant à son mari, en bordure de la forêt de Sénart. On la voyait
souvent se promener par les chemins forestiers, dans un phaéton bleu pastel.

   Ici débute l'un de ces petits romans de l'Histoire qui jettent
un rai de soleil dans le clair-obscur des cabinets et dans le
tumulte des événements, de même que le phaéton de Reinette
jetait une tache de couleur insolite au milieu des arbres. Le roi
chassait assez souvent en forêt de Sénart, qui n'est guère éloignée de Versailles. Il ne put s'empêcher de remarquer l'insistant et capricieux phaéton. La Diane qui le conduisait d'une
main experte ne pouvait davantage passer inaperçue. Le grand
air ajoutait à l'éclat de son visage. Mme de Châteauroux, alors
maîtresse en titre, s'inquiéta de ces rencontres. Le roi dissimulait mal son émotion en apercevant la gracieuse silhouette. Il
fit porter des chevreuils à Etioles : ce n'étaient encore que des
rapports de bon voisinage. Mais l'abbé de Bernis et quelques
autres nouaient les fils de l'intrigue. Mme de Châteauroux
étant morte, Louis XV avait en vain fait ses offres de service à
Mme de Flavancourt. Il était seul, et peut-être las des filles de
grande maison, rêvant d'un bonheur sans complication, sans

état d'âme, naturel et reposant. Marie Leczinska n'essayait pas
de le reconquérir ; elle était finalement heureuse d'être délivrée
du pensum quotidien et de ses conséquences. Sachant que
Louis XV ne pouvait rester sans femme, les prophètes de la
cour lui donnaient déjà pour favorite Mme de la Popelinière
ou la duchesse de Rochechouart. Les candidates ne manquaient point ! Louis XV restait en effet aussi beau que dans sa
jeunesse ; depuis la maladie de Metz il avait maigri, son visage
encore adolescent s'était virilisé et son regard était plus fasci-
nant que jamais. Les factions de la cour, les ministres en place
et ceux qui espéraient le devenir, supputaient les chances de
telle ou telle de ces nobles dames prêtes à sacrifier leur vertu
contre le profit, mais aussi contre la gloire d'être demi-reine et
d'exercer une influence à laquelle la terne Marie Leczinska
avait renoncé depuis longtemps. Le choix de la maîtresse en
titre passionnait donc les têtes politiques ; il amusait l'opinion.
Nul ne doutait que l'élue n'appartiendrait à la haute noblesse,
comme les sœurs de Nesle. Nul n'envisageait seulement la possibilité que le roi s'entichât d'une petite bourgeoise.

Puis, comme dans la tirade de la calomnie, un murmure
s'éleva. Luynes, des tout premiers, note dans son journal : «On
prétend qu'il (le roi) a été il y a quelques jours à un bal masqué
dans la ville de Versailles. On a même tenu à cette occasion
quelques propos soupçonnant qu'il pouvait y avoir quelque
projet de galanterie, et on croit avoir remarqué qu'il dansa hier
avec la même personne dont on avait parlé. Cependant c'est
un soupçon léger et peu vraisemblable. Le roi paraissait avoir
grand désir, hier, de n'être pas reconnu.»

Au bal paré («le bas des ifs»), donné à Versailles le 25 février
1745 pour le mariage du dauphin avec l'infante d'Espagne,
Louis XV, crevant de chaleur, ôta son masque. Il bavardait
gaiement avec une inconnue travestie en Diane. On sut qu'il
s'agissait de la châtelaine d'Etioles, Mme Lenormand, née
Poisson ! On se souvenait des malhonnêtetés du père, créature
des frères Pâris ; certains connaissaient intimement sa mère,
Louise de La Motte, l'égérie de M. de Tournhem. On voulut
croire que Mme d'Etioles ne serait qu'une passade sans importance. Mais cet arriviste de Voltaire s'empressa de célébrer le
triomphe de Reinette :

Quand César, ce héros charmant
De qui Rome était idolâtre,
Battait le Belge et l'Allemand,
On en faisait son compliment
A la divine Cléopâtre.
Ce héros des amants ainsi que des guerriers
Unissait le myrte aux lauriers.
Mais l'If est aujourd'hui l'arbre que je révère.
Et, depuis quelque temps, j'en fais bien plus de cas
Que de lauriers sanglants du fier dieu des combats
Et que des myrtes de Cythère.

On ne saurait être plus indiscret, mais Voltaire ne doutait point que Reinette ne fût appelée à une grande destinée et n'oublierait pas ses amis. Trois jours après, l'Hôtel de Ville offrait un grand bal en l'honneur du dauphin. L'affluence était énorme. Le roi, en domino noir, rencontra un autre domino, et fut reconnu à sa voix. Cette nuit-là, il reconduisit Mme d'Etioles chez sa mère, la dame Poisson. Est-ce alors qu'elle devint sa maîtresse? On l'ignore. En tout cas, la nouvelle se répandit dans Paris comme un trait de poudre. On se renseigna. On apprit qui était le domino noir de l'Hôtel de Ville. Barbier:

«Mme d'Etioles est bien faite et extrêmement jolie, chante parfaitement et sait cent petites chansons amusantes, monte à cheval à merveille et a toute l'éducation possible.» Tel est alors «l'abrégé» de Reinette, fidèlement transcrit par l'avocat. Il se peut d'ailleurs que la bourgeoisie parisienne fût secrètement flattée du choix de Sa Majesté. Cepenant on restait persuadé qu'il s'agissait d'un simple caprice, ou de l'un de ces prurits amoureux comme en éprouvait le bon Henri, pour lequel, au hasard des chemins, bergères et princesses c'était tout un!

«Le public fut étonné de la préférence que le roi lui avait donnée, écrit l'abbé de Bernis; il ignorait que ce prince, depuis qu'elle était mariée, la voyait fort souvent à la chasse dans la forêt de Sénart, que les écuyers de Sa Majesté passaient leur vie chez elle...»

Par la suite, le carrosse de Mme d'Etioles fut fréquemment aperçu à Versailles. Cependant la liaison demeurait clandestine, bien que le roi fût amoureux fou et Reinette passionnément éprise de lui. Très certainement elle le pressa de la déclarer officiellement, mais Louis XV hésitait. Un grand seigneur se fût effacé discrètement; que ferait Charles Lenormand? Il rentra à Etioles pour apprendre son infortune de la bouche du bon oncle Tournhem qui le raisonna paternellement, lui montra l'impossibilité de s'opposer à la volonté du roi. Le mari finit par se résigner; il écrivit à sa femme une belle et noble lettre lui donnant tous apaisements quant à l'avenir. On peut déduire de là que ni Reinette ni Tournhem ne craignaient que l'amour du roi ne fût une simple passade. Au contraire, faisant fond sur l'avenir, il importait de se débarrasser du mari. Peu après, le Parlement prononçait la séparation de corps des époux. Reinette avait le champ libre. Le «sacrifice» qu'elle consentait à Louis appelait un retour. Il n'eût pas tardé si le roi n'était pas reparti aux armées (nous sommes l'année de Fontenoy!). Cette fois, il ne renouvela pas la sottise d'emmener sa maîtresse. On lui sut gré de sauver ainsi les apparences. Au fond, ces bons diables de Français n'étaient pas très exigeants; tout ce qu'ils demandaient à leur prince, c'était de paraître convenable! Reinette n'essaya point de le retenir, ni de l'accaparer; elle avait plus de finesse que les demoiselles de Nesle; elle comprenait mieux le caractère du roi. S'il souffrait d'être séparé d'elle, Louis XV n'en montrait rien; il savait où était son devoir et ne souhaitait nullement renouveler la pénible aventure de Metz. Reinette séjournait à Etioles, en compagnie de l'abbé Bernis qui s'était improvisé son mentor. Malgré son éducation par les Ursulines de Passy et la fréquentation de l'intelligentsia, elle avait en effet, grand besoin de conseils pour ne pas commettre d'impairs «en ce pays-ci», c'est-à-dire la cour, où chacun s'apprêtait à guetter ses faux pas, voire à les provoquer. L'abbé n'avait pas grand mal à l'instruire, car c'était une élève douée, et qui tenait à conserver l'amour du roi. Ce dernier lui faisait parvenir de tendres billets; il brûlait de la revoir. De Gand, où il avait fait une entrée triomphale, il signa le brevet faisant Reinette marquise de Pompadour! Quand cette grande nouvelle parvint à Etioles, Voltaire saisit sa lyre et pondit ce douzain assez misérable:

> *Il sait aimer, il sait combattre,*
> *Il envoie en ce beau séjour*

Un brevet digne d'Henri quatre
Signé Louis, Mars et l'Amour.

Mais les ennemis ont leur tour;
Et sa valeur et sa prudence
Donnent à Gand le même jour
Un brevet de ville de France.

Ces deux brevets si bien venus
Vivront tous deux dans la mémoire:
Chez lui les autels de Vénus
Sont dans le temple de la Gloire.

Le roi revint à Paris puis, après les festivités d'usage, gagna Versailles le 10 septembre. Le même jour, Mme de Pompadour s'installait dans l'ancien appartement de Mme de Châteauroux. Il ne lui restait plus qu'une formalité à remplir, la plus dure, pour prendre rang de favorite, et c'était sa présentation officielle. Elle eut lieu le 14 septembre. La vieille princesse de Conti accepta de servir d'introductrice, contre le paiement de ses dettes de jeu...

Luynes rapporte qu'il y avait «un monde prodigieux dans l'antichambre et la chambre du roi». Les curiosités étaient aiguisées; on se demandait surtout quel serait l'accueil de la reine. La princesse de Conti, accompagnée de MMmes de Lachan-Montauban et d'Estrades, «présenta» Mme de Pompadour à Louis XV. La marquise fit la révérence. Ils échangèrent quelques phrases embarrassées. Puis Mme de Pompadour se rendit chez Marie Leczinska. Selon Luynes, «tout Paris était fort occupé de savoir ce que la reine dirait à Mme de Pompadour. On avait conçu qu'elle ne pourrait lui parler que de son habit, ce qui est un sujet de conversation fort ordinaire aux dames quand elles n'ont rien à dire». Mais la reine, ayant eu vent de ces racontars, parla d'autre chose. Elle savait que Mme de Pompadour était assez liée avec Mme de Saissac.

– J'ai vu Mme de Saissac à Paris, dit-elle, et j'ai été fort aise de la connaître.

La marquise était si troublée qu'elle n'entendit pas ce que disait la reine, ou ne sut que répondre. Elle balbutia la leçon apprise:

– Madame, soyez assurée de mon respect et du désir que j'ai de vous plaire.

L'épreuve était terminée. Dès lors, la marquise suivit le roi dans presque tous ses déplacements. Dès le matin, dès que l'étiquette le permettait et qu'il avait un moment libre, Louis XV se rendait chez elle. Sans doute y avait-il d'abord l'attrait sensuel, mais la marquise avait aussi l'art de l'amuser. Luynes qui ne l'aime guère, trace d'elle ce portrait:

«Il paraît que tout le monde trouve Mme de Pompadour extrêmement jolie; non seulement elle n'est point méchante et ne dit de mal de personne, mais elle ne souffre même pas que l'on en dise chez elle. Elle est gaie et parle volontiers. Bien éloignée jusqu'à présent d'avoir de la hauteur, elle nomme continuellement ses parents, même en présence du roi; peut-être même répète-t-elle trop souvent ce sujet de conversation. D'ailleurs ne pouvant avoir eu une extrême habitude du langage usité dans les compagnies avec lesquelles elle n'avait pas coutume de vivre, elle se sert souvent de termes et expressions qui paraissent extraordinaires dans ce pays-ci. Il y a quelques jours qu'elle parlait d'un de ses cousins germains qui est religieux et que l'on a fait revenir dans une maison de son ordre pour être à portée de tenir compagnie à M. Poisson, qui habite dans ce lieu depuis quelque temps. Mme de Pompadour a eu curiosité de voir ce religieux, à dessein de lui rendre service; elle n'en fut point contente: elle lui trouva peu d'esprit, et dit à quelqu'un qui l'alla voir : «C'est un plaisant outil que mon cousin; que peut-on faire d'un engin comme celui-là?» Il y a lieu de croire que le roi est souvent embarrassé de ces termes et de ces détails de famille.»

Sous-entendu: et qu'il ne tardera pas à se lasser d'elle! C'était le plus ferme espoir du parti dévot, auquel appartenaient les Luynes. Mais le franc-parler, la spontanéité de Mme de Pompadour amusaient Louis XV. D'ailleurs tout lui semblait digne d'adoration dans cette créature. Les courtisans les plus avisés lui faisaient leur cour, pour complaire au roi, mais du bout des lèvres et sans retenir parfois leurs pointes d'ironie. D'autres, comme Luynes ou d'Argenson, s'efforçaient d'évaluer son revenu. Ces bons apôtres calculaient qu'elle avait alors 180.000 livres de rentes, «par suite de divers arrangements», et que le roi l'avait «augmentée de 4 000 livres par mois». Lorsque à la fin de 1746, le contrôleur général Ory fut disgracié, on ne douta plus de l'influence pernicieuse de la Pompadour, et l'ironie des courtisans se changea en fureur contre cette parvenue. En effet Ory avait plus d'une fois eu maille à partir avec les frères Pâris et M. de Tournhem. La marquise acquittait sa dette. Cependant il parut intolérable que cette femme de rien disposât désormais des places. Alors commencèrent à circuler sous le manteau, à Versailles même, de ces pièces de vers que l'on appela «poissonnades», comme il y avait eu les mazarinades. En voici un spécimen:

> *Notre pauvre roi Louis*
> *Dans de nouveaux feux s'engage;*
> *C'est aux noces de son fils*
> *Qu'il adoucit son veuvage.*
>
> *Les bourgeoises de Paris*
> *Au bal ont eu l'avantage;*
> *Il a pour son vis-à-vis*
> *Choisi femme de son âge.*
>
> *Le roi, dit-on à la cour,*
> *Rentre dans la finance;*
> *De faire fortune un jour,*
> *Le voilà dans l'espérance...*

Mme de Pompadour était assez heureuse, elle avait assez d'empire sur le roi pour dédaigner ces piqûres d'épingle. Plus douloureuse fut l'épitaphe rédigée à l'occasion de la mort de Mme Poisson, sa mère:

> *Ci-gît qui sortant du fumier,*
> *Pour faire une fortune entière,*
> *Vendit son honneur au fermier*
> *Et sa fille au propriétaire.*

Cependant la marquise s'efforçait de désarmer les préventions, d'oublier les avanies qu'on lui infligeait et de ménager la susceptibilité de la reine. Les précédentes favorites traitaient arrogamment Marie Leczinska, envers laquelle le roi observait lui-même une froideur choquante. La Pompadour lui suggéra des prévenances dont la reine avait perdu l'habitude. Ce fut ainsi que Louis retarda son départ pour Fontainebleau, afin de recevoir la reine à déjeuner. Qu'en rentrant à Versailles, celle-ci trouva sa chambre entièrement repeinte et rénovée, avec une tapisserie représentant des motifs tirés de l'Histoire sainte. Et que le roi paya enfin les modestes dettes de jeu de sa femme. Marie avait assez de finesse pour comprendre que la marquise agissait de la sorte par générosité de cœur, non par calcul. Mais déjà, tout ce que pouvait dire ou faire la Pompadour était mal interprété.

LA SURINTENDANTE DES PLAISIRS

La cour était entrée dans un tourbillon de plaisirs. Tout devenait prétexte à des fêtes somptueuses, où chacun rivalisait de luxe. Ce n'étaient que bals et festins, feux d'artifice, prodigalités de toutes sortes, «voyages» d'un château royal à l'autre. Encore certaines de ces réjouissances étaient-elles d'obligation, par exemple le remariage du dauphin avec une princesse de Saxe. On eût préféré que Louix XV consacrât davantage de temps au travail, au lieu de se déplacer sans cesse. On admettait qu'il se divertît, mais on ne comprenait pas qu'il laissât pareillement la bride sur le cou à ses ministres, les factions se disputer le pouvoir, les intrigues anémier une autorité qui n'appartenait qu'à lui seul. Cependant nul ne connaissait son emploi du temps exact, le travail personnel qu'il assumait, sa correspondance officielle et secrète. On disait qu'il s'ennuyait de tout, ne prêtait intérêt à rien, et ce n'étaient pas les courtisans, déçus dans leurs ambitions ou franchement hostiles, qui eussent rectifié ces calomnies. Bien au contraire, celles-ci partaient de ce «pays-ci» et se répandaient par le truchement des salons à travers la ville. Les auteurs des pires poissonnades habitaient le palais et l'on peut bien dire que le premier levain de la Révolution, les courtisans le pétrirent en ricanant. Naturellement, sans chercher d'excuses à Louis XV, c'était la Pompadour que l'on tenait pour responsable de tout, que l'on accusait «d'énerver» le roi. Mais ceux-là même qui fustigeaient ses dépenses, faisaient étalage d'habits étincelant de diamants, galonnés de fils d'or véritable, de carrosses décorés de sculptures et surchargés de dorures. Il n'était pourtant pas moins vrai que

Mme de Pompadour adorait les fêtes, lançait les modes, s'entourait d'un luxe déplacé à cette époque de difficultés financières, sinon de misère publique. Jamais on n'avait vu maîtresse de roi obtenir de tels dons, imposer pareillement ses diktats à la cour, posséder autant de châteaux et de maisons, disposer d'une domesticité aussi nombreuse! La reine n'était auprès d'elle qu'une petite rentière; on feignait de s'apitoyer sur son sort, tout en la méprisant de se laisser ainsi manger la laine sur le dos. Nul ne se demandait – il suffit de lire les journaux, les mémoires de Luynes, de Croy, d'Argenson, de Barbier, pour s'en convaincre! – si le comportement de la Pompadour n'avait pas un autre but que de s'enrichir; s'il était uniquement celui d'une parvenue, d'une petite bourgeoise élevée dans le monde de la finance. Qu'elle ait été l'arbitre des élégances, aimé les plaisirs et les belles choses, on ne saurait le nier. Cependant elle aimait encore plus le roi. D'où ces inventions incessantes, ces changements, ou déplacements, pour le distraire et le garder. Sans doute il était homme d'habitudes, au point d'être gêné par les nouveaux visages. Mais l'âge mûr avait aiguisé ses sens et Mme de Pompadour le savait incapable de fidélité. Il fallait néanmoins qu'après des foucades, qu'elle voulait ignorer, il lui revînt. Elle voulait être la préférée, l'indispensable, le seul être auprès duquel il ne se lassât jamais et dont il ne pût jamais se défaire. Passé le feu de l'amour sexuel, son rôle fut donc d'amuser le maître, de le tirer de cette mélancolie qui revenait sans cesse et le rongeait. Elle s'improvisa de la sorte surintendante des plaisirs du roi, sans en porter le titre. Aux yeux du public n'apparaissait que l'extérieur de son rôle, l'aspect plaisant mais somme toute néfaste de celui-ci. On ignorait qu'elle se tuait à distraire le roi, car elle avait une santé fragile.

Meilleure psychologue que Marie Leczinska, elle aperçut tout de suite que sa seule présence ne suffisait pas à distraire Louix XV et qu'après les joutes amoureuses des premiers temps de leur liaison il retombait dans sa morosité. Cependant elle ne connaissait pas encore assez à fond son caractère et elle avait aussi trop peu d'expérience, pour comprendre ce que Louis trouvait auprès d'elle: la détente, le repos, l'oubli momentané de la politique et des intrigues. Toujours il avait rêvé d'une compagne en qui il pourrait avoir confiance, d'une amante-amie, les infidélités n'ayant à ses yeux aucune importance.

Il ne savait pas davantage qu'il l'avait trouvée en la personne de cette petite Pompadour; il la croyait superficielle, trompé par les apparences qu'elle donnait.

Ayant pris des leçons de chant et de comédie, elle se mit en tête de former une troupe d'amateurs et d'offrir au roi des spectacles privés. Les acteurs furent ses amis, ducs et duchesses qui s'étaient finalement ralliés à sa «cause». Ils n'avaient guère de talent, mais précisément, ils étaient les faire-savoir de la marquise, comédienne-née, douée par surcroît d'une voix charmante. D'ailleurs, la salle improvisée ne pouvait contenir qu'une quinzaine de spectateurs! Le succès s'affirmant, on se disputa les invitations, puis on transporta le théâtre dans l'escalier des Ambassadeurs. On jouait le répertoire à la mode, assez inégal, parfois un peu leste. On jouait même Voltaire, qui était ravi car il se croyait alors l'égal de Corneille et de Racine. Mais, en 1750, Louis XV supprima le théâtre. Il cédait à l'opinion. On prétendait, à tort, que la fantaisie de la Pompadour avait coûté deux millions. La dépense réelle ne s'élevait guère qu'à 20.000 écus, auxquels s'ajoutaient les décors et les costumes fréquemment renouvelés. De plus, les jalousies divisaient la cour... La Pompadour dut renoncer à ses triomphes personnels. A la vérité, cette fine mouche avait surtout cherché à renouveler son personnage, en apparaissant tantôt en déesse, et tantôt en princesse, tantôt en servante et tantôt en amoureuse afin d'attiser les désirs du roi.

Elle avait fait de son appartement un décor à son image, confortable, gracieux, délicat. Le roi s'y sentait en liberté, comme un homme ordinaire, loin des cérémonies officielles et des rigueurs de l'étiquette, qu'il abhorrait de plus en plus. Mme de Pompadour lui contait les faits divers de la capitale, fort spirituellement. Il riait de bon cœur à ses saillies, à ses trouvailles verbales: il lui arrivait de reprendre certaines de ses expressions hardies, à l'ébahissement des courtisans formés au langage de «ce pays-ci». C'était aussi une maîtresse de maison accomplie. Elle organisait des repas intimes et présidait les soupers des Petits-appartements, auxquels Louis XV conviait ses amis ou ceux qu'il voulait honorer. Nulle faveur n'égalait l'invitation à ces repas groupant une vingtaine de convives. Le prince de Croy raconte tout au long ses intrigues pour se faire inviter. Il était colonel de Roussillon-cavalerie, bon officier au surplus, mais il savait que les promotions allaient de préférence à ceux qui fréquentaient le palais. Il rend compte du petit souper auquel il fut admis, précieux document quand on sait que les pamphlétaires comparaient ces réunions amicales aux orgies du défunt régent et de Mme de Parabère:

«Je soupai donc, ce jour-là, pour la première fois à Versailles; il y avait sept ou huit ans que je m'étais assis à la table du Roi, à Fontainebleau. Etant monté, on attendait dans le petit salon, Sa Majesté ne venant que pour se mettre à table avec les dames. La salle à manger était charmante, et le repas des plus gais, sans gêne. On n'était servi que par deux ou trois valets de la Garde-robe, qui se retiraient après avoir donné ce qu'il fallait que chaque convive eût devant lui. La liberté et la décence m'y semblèrent bien observées.

Le souverain était gai, à son aise, mais toujours avec une grandeur qui ne se laissait pas oublier; il ne paraissait pas du tout timide, mais homme d'habitude, parlant très bien, beaucoup, et sachant se divertir. Il ne se cachait point d'être fort amoureux de Mme de Pompadour, sans se contraindre à cet égard; ayant toute honte secouée, et montrant en avoir pris son parti, soit qu'il s'étourdît, soit autrement. Il avait pris les sentiments du monde là-dessus, sans s'écarter sur d'autres, c'est-à-dire s'arrangeant, comme font bien des gens, des principes suivant ses goûts et ses passions. Il était instruit des petites choses et des moindres détails, sans que cela le dérangeât, mais il ne se commettait pas sur les grandes affaires. La discrétion était née avec lui; cependant l'on croit qu'en particulier il disait tout à sa maîtresse. En général, suivant les principes du grand monde, il me parut fort grand dans ce particulier, et tout, dans la manière d'être, était fort bien réglé.

«Je remarquai qu'il parlait à la Marquise de la prochaine campagne, comme si, réellement, il voulait se rendre à l'armée le 1er mai. Il me parut qu'il causait fort librement avec elle, comme avec une maîtresse qu'il aimait, mais dont il voulait s'amuser, et qu'il sentait n'avoir prise que pour cela. Et elle, se conduisant très bien, avait beaucoup de crédit, mais le Roi voulait toujours être maître absolu, et avait de la fermeté là-dessus.

«Voilà comme cela me parut, dis-je, mais tout cela est si douteux, qu'il est bien difficile de discerner la vérité. A mon avis ce «particulier» des cabinets n'en était pas absolument un, car il ne consistait que dans un repas, suivi d'une heure ou deux de jeu après le souper, et le véritable «particulier» se tenait dans les autres petits cabinets, où très peu des anciens et des intimes courtisans pouvaient entrer...

«Nous fûmes, ce soir-là, dix-huit serrés à table; à commencer par ma droite, et de suite: M. de Livry, madame de Pompadour, le Roi, la comtesse d'Estrades, grande amie de la Marquise, le duc d'Ayen, la grande madame de Brancas, le comte de Noailles, M. de La Suze, dit le grand Maréchal, le comte de Coigny, la comtesse d'Egmont, M. de Croix (dit Pilo), la marquise de Revel, le duc de Fitz-James, le duc de Broglie, le prince de Turenne, M. de Crillon, M. de Voyer d'Argenson et moi.

«Le maréchal de Saxe se trouvait là, mais il ne se mit pas à table, ne faisant par jour d'un repas, le dîner: il accrochait seulement quelques morceaux, çà et là, étant extrêmement gourmand. Le Roi ne l'appelait jamais que «le comte de Saxe», paraissait l'aimer et l'estimer beaucoup, et lui y répondait avec une franchise et une justesse admirables; madame de Pompadour lui était tout à fait attachée.

«L'on fut deux heures à table, avec une grande liberté, et sans aucun excès. Ensuite, Sa Majesté passa dans le petit salon, chauffa et versa son café; aucun serviteur ne paraissait là, et chacun se servait lui-même. Le Roi fit une partie de comète [1] avec mesdames de Pompadour, de Coigny, de Brancas et le comte de Noailles; il aimait beaucoup les petits jeux, mais madame de Pompadour les haïssait, et paraissait chercher à l'en éloigner.

«Le reste de la compagnie fit deux parties; le Roi ordonnait à tout le monde de s'asseoir, même ceux qui ne jouaient pas. Je restai appuyé sur l'écran à le voir jouer, et madame de Pompadour, le pressant de se retirer et s'endormant, il se leva à une heure et lui dit, à demi haut, ce me semble, et gaiement: «Allons, allons nous coucher!» Les dames firent la révérence et s'en allèrent, et lui aussi fit la révérence et s'enferma dans les petits cabinets; nous tous, nous descendîmes par le petit escalier de madame de Pompadour, où donne une porte, et nous revînmes par ses appartements, au coucher du Roi, public comme à l'ordinaire, qui se fit tout de suite...»

1. Jeu à la mode.

Pour varier les plaisirs du maître, la Marquise achetait et aménageait de magnifiques résidences, qui le changeaient de Marly, de Fontainebleau, de la Meute ou de Choisy. Ce furent successivement le château de Crécy-Couvé, près de Dreux, des «ermitages» à Compiègne, à Fontainebleau, à Versailles même, le palais de l'Elysée à Paris, les châteaux de la Celle-Saint-Cloud et de Bellevue. Un moment elle fut aussi locataire des châteaux de Champs et de Saint-Ouen. Ces demeures, elle les revendait, parfois inachevées, quand le maître s'en dégoûtait, ou bien elle les cédait à la couronne. Sans doute Louis XV se montrait-il généreux à cet endroit, non pas aussi prodigue que le supposaient ses détracteurs. Les comptes de la marquise montrent qu'elle dépensait presque le double de ce qu'elle recevait du roi à titre de pensions ou d'étrennes; la différence, elle la demandait au jeu (où elle excellait contrairement à ce qu'affirme le duc de Croy) et souvent, pour payer ses créanciers, il lui arrivait de vendre ses bijoux. Elle ne savait pas établir un budget, malgré ses origines, ou plutôt elle ne pouvait résister à la tentation de bâtir, de décorer, de collectionner, choisissant les meilleurs artistes et pratiquant un véritable mécénat. Son influence dans le domaine des arts fut décisive, car elle avait le goût exquis, mais aussi le goût des choses exquises. Le style Louis XV lui doit infiniment: on est presque tenté de l'appeler style Pompadour; il annonce déjà la simplicité Louis XVI. Elle féminisa les meubles, les soieries, la vaisselle, la peinture et la statuaire, sacrifiant l'apparat à l'élégance. Une pléiade d'artistes travaillait pour elle, attentifs à conserver sa faveur. Le décor se métamorphosait dans toutes les demeures, s'humanisait, devenait une sorte de perpétuel sourire: la vie s'était substituée à la gloire du siècle de Louis XIV. Qui se souvient encore que la Marquise fonda la manufacture de Sèvres, pour concurrencer la porcelaine de Saxe: ses ennemis crièrent encore à la prodigalité!

Mais les chasses, les déplacements continuels, les bals, les soupers tardifs, minaient lentement sa santé. Elle était si épuisée que ses rhumes n'en finissaient pas de guérir et qu'il lui arrivait de cracher le sang. Alors elle buvait du lait d'ânesse (la panacée de l'époque!), essayait de se reposer, inventant de pauvres prétextes dont le roi n'était pas dupe et qui l'agaçaient. Il fallait sourire, masquer la pâleur sous les fards, les craintes

sous la gaieté. Louis était un amant sans patience. Le temps
vint (1750) où elle ne put dissimuler son inappétence à l'amour
physique. Elle essaya des drogues, qui restèrent sans effet.
Puis se résigna. Il n'y eut pas de rupture entre les amants. Une
amitié tendre, profonde, se substitua à l'amour. elle dura
jusqu'à la mort de la marquise. Celle-ci devint une sorte de
Maintenon, mais gracieuse, charmante et toujours aussi spirituelle et rieuse. Le roi ne passait pas moins de temps auprès
d'elle. Il n'avait pas besoin de sa présence. Ses soucis, sa tristesse, ses angoisses, se diluaient dans cette douceur inaltérable.
Mme de Pompadour fermait les yeux sur les passades de Louis,
ne se permettait aucun reproche. Elle était devenue sa compagne de prédilection. Très certainement elle lui donnait ce que
l'on appelle bonheur. Mais, ce changement n'atténua pas les
haines qu'elle s'était attirées. On l'accusait désormais de se
mêler de politique, d'exercer sur Louis XV une influence funeste. Tout ministre recevant son congé la rendait responsable
de son éviction; l'opinion emboîtait le pas.

III

LE VENT SOUFFLE D'ANGLETERRE

Quand Voltaire écrit: «Ce temps ressemblait en quelque mesure au temps de la Fronde. Mais, dépouillé des horreurs de la guerre civile, il ne se montrait que sous une forme susceptible de ridicule», il définit assez bien la période qui va suivre. Mais il ne saisit pas, ou il oublie de dire, que les vrais fauteurs de troubles sont ses amis et confrères du monde des lettres. Ces philosophes, dont il se pique d'être, règnent dans les salons, modèlent l'opinion au gré de leur propre système ou de leur fantaisie. La «philosophie», telle du moins qu'ils l'entendent, et la répandent, d'autant plus aisément que la France est en pleine éclosion intellectuelle, n'est point l'amour ni la recherche de la sagesse. Elle porte en elle au contraire la destruction d'un mode de gouvernement, et d'une société. Dès 1715, Mme de Lambert déclarait: «Philosopher, c'est rendre à la raison toute sa dignité et la faire rentrer dans ses droits, c'est secouer le joug de l'opinion et de l'autorité.» Les philosophes du XVIIIe siècle se réclamaient donc du cartésianisme, en oubliant que le «Discours de la méthode» avait pour but de prouver scientifiquement l'existence de Dieu. Il n'est pas évident que ces généreux penseurs du temps de Louis XV n'aient pas, eux aussi, abouti à un résultat très différent de celui qu'ils escomptaient! Au surplus il y a lieu de diviser cette école philosophique en deux périodes, d'observer une gradation dans le progrès des «lumières». Jusqu'à 1750, Montesquieu est le chef de file. Si les «Lettres persanes» sont une plaisante satire des institutions, les «Considérations sur les causes de la grandeur et de la décadence des Romains» (1734) et «L'esprit des Lois» (1748) n'ont rien de très subversif: ils prônent la suppression de certains abus et l'institution d'une monarchie parlementaire, calquée sur celle des Anglais. A la même époque, les opinions de Voltaire ne sont guère plus avancées: il ne cessera pas d'être monarchiste, mais deviendra athée et combattra principalement l'Eglise. Pour l'heure, il se veut poète et dramaturge et, comme Racine, il assume consciencieusement le fructueux emploi d'historiographe du roi. Ce n'est qu'en 1751, à partir de la publication du premier tome de «l'Encyclopédie» que la monarchie sera constamment battue en brèche par l'intelligentsia. Sur ce point capital, Mme de Pompadour s'était trompée; elle avait conseillé à Louis XV de protéger les gens de lettres, en lui rappelant que c'étaient eux qui avaient décerné l'épithète de Grand à son bisaïeul. Mais les gens de lettres l'avaient trahie; ils aboyaient avec les loups. Louis XV n'aperçut pas la marée montante, ou dédaigna. «En ce pays-ci», il était de bon ton de railler la Ville, c'est-à-dire les salons. Chez Mme Geoffrin, ou Mme du Deffand, chez Holbach, Helvétius ou Mlle de Lespinasse, on «philosophait» à perdre haleine, mais surtout on badinait sur les choses les plus graves, on démolissait, à coup de traits d'esprit les traditions, les institutions, l'autorité royale, sans se soucier le moins du monde de la manière de les remplacer. En compagnie des gens de lettres – dont certains savaient ce qu'ils faisaient – la noblesse, les titulaires de charges importantes, les cordons bleus et les hauts magistrats du royaume jouaient à se discréditer eux-mêmes, raillaient leurs privilèges ou leur emploi, oubliaient leur foi et leur loyalisme, et sciaient avec des sourires entendus la branche qui les portait en critiquant la personne du roi. On ne voulait plus de l'absolutisme, mais on reprochait à Louis XV de ne pas faire le roi absolu, d'abandonner le pouvoir à des ministres irresponsables. D'Argenson, ministre évincé, se vante en comparant Louis XV aux rois fainéants: «Jamais, écrit-il, les ministres n'ont été aussi divisés qu'ils le sont, ni si unis. Chacun est également le maître chez soi. Tout ce qui travaille avec le roi est également ministre, et sans la moindre subordination de l'un à l'autre. S'ils s'accordent c'est par hasard, et jamais le souverain ne les accordera. Le plus petit département est aussi absolu dans son district que le plus grand. Chacun travaille à persuader le roi que sa gloire gît là-dedans; que plus il éloigne les apparences de premier ministre, plus il sera grand. Cette jalousie du vizirat serait bonne à un prince qui gouvernerait, départagerait, solliciterait et imaginerait beaucoup par lui-même. Mais, à la place de ces réalités, C'EST LE VIDE QUI REGNE. Chacun tire à soi, chacun est impuni. Personne ne concourt aux principes généraux du gouvernement. Tout se traverse, tout se croise pour le bien commun. Voilà ce qui me fait dire que jamais nos ministres n'ont été plus divisés ni plus réunis. C'est une nouvelle espèce de gouvernement, UNE REPUBLIQUE, non de citoyens assemblés pour considérer le bien de l'Etat et y concourir, mais des chefs de chaque parti qui ne songent qu'à leur seule affaire: l'un à la finance, l'autre à la marine, l'autre à la guerre, et qui y attirent tout, chacun selon ses talents plus ou moins persuasifs. Ce sont en vérité des esclaves bien sages.»

Telles étaient les idées reçues dans les salons parisiens. Personne ne se disait que le roi n'avait pas la chance de ses prédécesseurs: il ne disposait ni d'un Richelieu ni d'un Colbert, pour l'aider dans la fonction de premier ministre ou d'arbitre. Que, parmi les ministres et secrétaires d'Etat qui s'étaient succédé, aucun n'avait les aptitudes ni la hauteur de vue de cet emploi. Ce n'étaient précisément que des exécutants, des politiques de second ordre, suspects d'être inféodés à telle ou telle faction. Louis XV sut parfaitement discerner les serviteurs efficaces et les défendre en cas de besoin, mais le personnel ministériel était finalement si peu sûr que Louis XV ne pouvait lui faire confiance; il lui fallait diviser, surveiller, tenir une correspondance confidentielle. On eût voulu qu'il tranchât dans le vif, prît des décisions péremptoires et immédiates. Il écoutait sans mot dire, c'était un homme de réflexion, de cabinet, voire de paperassier. Au surplus, l'administration du royaume s'était singulièrement ramifiée depuis Henri IV; le rôle des bureaux des techniciens, pour ne pas dire des technocrates, s'affirmait. On ne pouvait dès lors gouverner à la façon de jadis, arrêter de grandes orientations au terme d'une heure de débats. Pour être efficaces, les grandes décisions devaient être longuement préparées. Mais l'on reviendra là-dessus.

Tout laisse penser que Louis XV, qui avait la tête politique faisait une analyse objective de la situation et qu'il jugeait celle-ci peu rassurante. Le traité d'Aix-la-Chapelle n'était qu'un armistice, une paix armée dont l'Angleterre ne s'accommoderait pas longtemps. Des années de guerre avaient accru la dette et l'on reconnaissait un arriéré de cent quatre-vingts millions. Or les grandes nations d'Europe n'avaient que partiellement licencié leurs troupes dans l'attente d'un conflit qui paraissait inévitable. L'Angleterre n'avait pas davantage désarmé ses escadres. Il fallait solder les régiments que l'on avait maintenus, les nourrir, augmenter le parc d'artillerie et surtout nos forces navales, verser leurs indemnités aux soldats et aux officiers congédiés. On avait promis de supprimer l'impôt du dixième dès la fin de la guerre. Le contrôleur-général Machault d'Arnouville dut le proroger jusqu'au 1er janvier 1750. Les contribuables protestèrent: le roi ne tenait pas ses promesses; à quoi servirait cet argent, sinon à nourrir les prodigalités de la cour et les constructions de la Marquise? Machault remplaça le dixième par le vingtième, allègement apparent car l'assiette de cet impôt devait être plus rigoureuse. Il lança aussi un emprunt de 30 millions remboursable en douze ans. Cet emprunt avait pour but d'amortir les créances immédiatement exigibles. Le vingtième permettait d'alimenter une caisse pour le rachat progressif des rentes d'Etat et, pour une autre part, à construire des vaisseaux de guerre. Machault renouvela les baux des fermiers et sous-fermiers généraux, dont il accrut le montant. Ce n'étaient-là que des palliatifs. On espérait cependant qu'ils permettraient d'équilibrer le budget. Prié d'enregistrer les édits bursaux, le Parlement s'ébroua, crut de son devoir de formuler des remontrances, à la vérité fort prudentes, presque timorées. Mais l'intelligentsia veillait. Les brochures se mirent à pleuvoir contre le vingtième, la mauvaise paix d'Aix-la-Chapelle, le gouvernement, le roi lui-même auquel on reprochait de folles dépenses. Louis XV en fut blessé. Il aimait être aimé par son peuple; il croyait impossible de perdre son affection.

Pourtant le peuple ne bougea pas. Ce fut du clergé que vinrent les premières difficultés. On notera à ce propos que «les philosophes» n'auraient pu discréditer la monarchie, malgré tout leur talent, s'ils n'avaient trouvé des alliés précisément dans les milieux qui auraient dû la défendre, ne fût-ce que dans leur propre intérêt. Les uns et les autres payèrent fort cher, et SOUVENT DE LEUR VIE, leur libéralisme d'opérette.

Le clergé se retrouva uni pour contester le droit du roi de lui imposer le vingtième. Il proposa de se racheter par un versement forfaitaire et global. On objecta que les biens ecclésiastiques étaient trop considérables pour faire l'objet d'une exemption, ou d'un traitement de faveur. Machault proposa d'en faire le dénombrement exact, afin d'éviter que le bas-clergé fût quasi seul à supporter la charge. Evêques et cardinaux soutinrent qu'on portait atteinte à leurs privilèges, qu'ils qualifiaient, non sans audace, de droit divin; mais ils s'engageaient à réformer eux-même la répartition de l'impôt. L'intelligentsia, déjà fortement athée, s'empara de l'affaire. Des ouvrages anticléricaux furent publiés, montrant que les terres de l'Eglise faisaient partie intégrante de la nation et qu'en conséquence elles tombaient sous le coup de la loi; qu'il était inadmissible, et contraire à l'Histoire, que l'Eglise formât un corps indépendant dans l'Etat. Machault encourageait discrètement ces publications, s'il ne les inspirait pas toutes; elles apportaient de l'eau à son moulin. Cela se sut, assez vite, et ne motiva pas en sa faveur. Ces livres n'intéressaient pas les gens du peuple; Barbier en atteste. Machault crut néanmoins avoir l'opinion pour lui. En 1750, il fit savoir à l'assemblée du clergé que le roi demandait cinq cent mille livres pendant cinq ans au titre du vingtième, outre le don gratuit et l'état des biens ecclésiastiques et de leurs revenus. Après quoi, l'assemblée eut ordre de se séparer et, le 15 septembre, un arrêt du conseil ordonna la levée de l'impôt. Le clergé se fit un devoir de saboter l'opération, tout en continuant ses protestations verbales et écrites, et en s'efforçant d'intéresser l'opinion à son sort. C'était après tout la violation d'un usage séculaire que le roi venait de commettre. Mais on l'accusa de vouloir spolier l'Eglise. Certains juristes soutenaient qu'il n'avait pas le droit d'exiger arbitrairement des tributs sans l'intervention des trois ordres. L'idée d'une réunion des Etats Généraux était dans l'air. «Je crains, prophétisait d'Argenson, qu'il ne s'élève des hommes qui deviendront grands et chers au peuple, sans beaucoup de mérite ni de génie à eux. Et qu'on ne dise pas qu'il n'y a plus d'hommes, la statue est dans le bloc de marbre... Voyez combien il y a aujourd'hui d'écrivains instruits et philosophes! Le vent souffle de l'Angleterre depuis quelques années sur ces matières-là; ces matières sont combustibles.»

On négocia; on transigea sur le montant du forfait demandé par Machault et, finalement, le clergé, premier ordre de l'Etat, sauva le privilège et resta un corps indépendant, quasi dispensé

de contribuer à l'effort national. Si étrange que cela paraisse,
c'était alors la monarchie qui incarnait réellement le libéralisme et cherchait à réformer des institutions périmées. Mais
elle se heurtait aux deux ordres privilégiés. Ceux-ci rêvaient
des libertés anglaises, mais n'entendaient renoncer à aucune
de leur prérogatives. Agissant de la sorte, de toute évidence ils
sclérosaient le régime.

   Des difficultés analogues s'élevèrent dans les pays d'Etat,
dont les assemblées gardaient encore le droit de voter les impôts. Les représentants de la noblesse au sein de ses assemblées
furent les plus virulents. Machault dut sévir contre certains
d'entre eux, notamment en Bretagne. C'était en vain qu'il allé-
guait les besoins de l'Etat et l'égalité fiscale. On estimait qu'il
portait atteinte aux libertés provinciales. Il fallut reculer, une
fois encore, accorder des concessions, confirmer les droits des
assemblées. Par tout le royaume on criait contre les disparités
de l'impôt; dès que le pouvoir risquait, timidement, d'unifier
la fiscalité, c'était la révolte.

De même en ce qui touchait la sécurité publique. Les Parisiens
se plaignaient des voleurs et des vagabonds. La police, que l'on
détestait, procéda à des rafles. On arrêta quantité de mendiants
soit pour les incarcérer, soit pour les contraindre au travail.
Gros émoi dans le quartier Saint-Antoine! On accusa le gouvernement de faire enlever des filles, des garçons, même des
enfants, pour les déporter en Amérique où l'on manquait de
bras. Des émeutes éclatèrent en plusieurs quartiers de la capitale. Des policiers furent houspillés; on saccagea leurs maisons.
On appela la cavalerie pour disperser les attroupements; il y
eut des morts, des blessés, dont on exagéra le nombre. Déjà,
un mot d'ordre circulait: de se rendre à Versailles, d'incendier
le palais maudit! Quelques émeutiers furent exécutés en place
de Grève. On augmenta les effectifs du guet. Tout rentra dans
l'ordre.

   Louis XV n'était plus le Bien-Aimé. Devant se rendre à
Compiègne, il évita la traversée de Paris. D'Argenson prétend
qu'il redoutait le sort d'Henri IV.

IV

L'AMORCE DU CONFLIT

Il est cependant un aspect du régime qui échappait du tout à la sagacité des philosophes et des tenants de l'opposition. Ils se plaignaient du «viol du pouvoir» et du despotisme des ministres, tout en plaignant ceux qui recevaient leur congé. Mais ce faisant, aucun d'entre eux n'apercevait le changement institutionnel profond qui s'opérait: le mouvement amorcé par Louis XIV et Colbert s'accentuait; la monarchie réputée absolue devenait une monarchie administrative, sans équivalence en Europe, préparant par avance les puissantes structures dont il suffira aux révolutionnaires de modifier les titulatures et à Napoléon de les codifier. L'autorité royale, les décisions du Conseil d'En-haut et des différents comités ministériels (les Dépêches, les Affaires étrangères, les Finances, etc.), s'appuyaient sur les travaux préliminaires des conseillers d'Etat. C'était à ces derniers qu'il revenait d'étudier les dossiers et de formuler les propositions utiles. Excellent entraînement pour assumer ensuite la responsabilité des affaires! On recrutait parmi eux les intendants de province, les lieutenants de police, les contrôleurs des finances et les directeurs qui leur étaient adjoints, voire les secrétaires d'Etat. Les conseillers préparaient les édits, mais siégeaient aussi au contentieux, tantôt comme notre actuel Conseil d'Etat, pour juger les conflits entre les particuliers et l'administration, tantôt comme une cour de cassation pour juger les conflits de juridictions. Ceux d'entre eux qui étaient nommés intendants avaient donc reçu une formation complète, diverse, enrichie par la pratique, à la fois juridique et technique. L'œuvre de ces hauts fonctionnaires dans

les Généralités et de leurs collaborateurs immédiats, les subdé-
légués, mériterait un large développement. On leur doit en
particulier la rénovation du réseau routier. Sous le règne de
Louis XIV, mis à part les routes pavées, les grands chemins
n'étaient encore que des pistes boueuses ou poudreuses selon
les saisons, sillonnées d'ornières profondes que l'on comblait
avec des fagots ou des pierres! Sous l'impulsion de Trudaine
(et du contrôleur général Ory dont il dépendait), on créa une
véritable administration des ponts et chaussées, et, comme l'argent faisait (comme toujours) défaut, on institua un système de
corvée royale, d'ailleurs rachetable, et l'on classa les routes en
cinq catégories. Les intendants furent chargés de veiller à l'exécution d'un plan visant à doter la France d'un véritable réseau
routier et comportant, non seulement la réfection des voies
mais la réparation, voire la construction des ouvrages d'art
nécessaires. Il apparut très vite que la bonne volonté ne pouvait
toujours pallier le manque de connaissances. Trudaine créa
donc un bureau de dessinateurs, transformé en 1747 en une
véritable école d'ingénieurs, recrutés par concours. En 1750, il
dota ces fonctionnaires d'un véritable statut et fixa l'échelle de
leur traitement et de leurs indemnités. Après trois ans d'étu-
des, on était nommé sous-ingénieur, puis ingénieur, ingénieur
en chef, inspecteur général des ponts et chaussées. Innovation
dont on ne mesura pas l'importance: Trudaine venait d'inven-
ter la «fonction publique», dans un temps où l'on achetait quasi
toutes les charges civiles, judiciaires et militaires. Le mouvement ne s'arrêtera plus. Sans qu'il y parût, c'était le plus scandaleux des privilèges qui disparaissait: payer sa charge et en
récupérer le prix sur les deniers publics ou les administrés!
D'ailleurs, le même mouvement s'ébauchait dans l'administration des finances, dans celle des mines, des eaux et forêts, des
postes... Pierre à pierre, quasi dans le secret, d'une année à
l'autre, la France moderne se construisait! Il paraît difficile de
refuser à Louis XV le mérite d'avoir compris, promulgué et
encouragé ces changements. Après la disgrâce d'Ory, Trudaine
resta en fonctions; il avait carte blanche pour mener à bien
l'œuvre gigantesque qu'il avait entreprise. La rénovation du
réseau routier transforma complètement les conditions de
voyage et de transport des marchandises; elle explique l'extraordinaire développement du commerce dans la seconde

moitié du siècle. Les difficultés comme les conséquences de l'opération, Louis XV les avait appréciées. Il avait approuvé les projets que lui soumettait Trudaine. C'était, on le repète, un homme de cabinet, aimant la lecture des mémoires, les étudiant à tête reposée.

Ce n'est point davantage par hasard ou sur sa propre initiative, que le chancelier d'Aguesseau s'efforça d'unifier le droit civil et de codifier la procédure. Certaines des grandes ordonnances dont il fut l'auteur inspirèrent les rédacteurs du Code civil: sur les fondations (1731), sur les testaments (1735), sur les substitutions fidéicommissaires (1747) et sur les établissements de mainmorte, réglementant la capacité d'hériter (1749). La promulgation de ces textes répondait à une évolution sociale dont les philosophes n'avaient certainement pas conscience, mais que percevait parfaitement le roi.

De même Louis XV avait-il constaté l'inadaptation de notre armée à une guerre moderne. Le courage n'était pas en cause, mais l'insubordination et le manque d'entraînement des soldats et des officiers le rendaient parfois inutile. Maurice de Saxe proposait l'armée prussienne comme modèle. Il était parvenu à imposer le pas cadencé, à enseigner aux troupes les évolutions rapides exécutées avec ensemble. On avait, dans la même perspective, allégé le fourniment du soldat et simplifié son uniforme. Jusque-là, la noblesse riche pouvait acheter un régiment; il n'était pas rare de voir des colonels de quinze ans commander à des capitaines totalisant trente ans de services et plusieurs campagnes; on les surnommait «colonels à la bavette». Heureusement ils étaient doublés par des lieutenants-colonels connaissant le métier militaire, mais trop désargentés pour s'offrir un régiment. Louis XV voulut s'attaquer aussi à ce privilège; encore fallait-il procéder avec circonspection, ne point enlever systématiquement aux nobles d'ancienne roche le seul métier qu'ils consentissent à faire. Il se contenta donc d'exiger de ceux-ci un minimum de formation, et surtout qu'ils apprissent à obéir. Les officiers du génie et de l'artillerie avaient déjà leurs écoles. Mais, généralement, les nobles dédaignaient ces armes; ils préféraient la cavalerie et ne prenaient un commandement dans l'infanterie qu'à contrecœur. Au sein d'un même régiment il y avait en outre trop d'inégalités: les notions de roture et de fortune nuisaient à la fraternité d'armes. Il était urgent d'abolir ces préjugés, de faire prévaloir enfin le service de la patrie; c'est d'ailleurs ce que Louvois avait tenté de faire. D'accord avec le ministre de la Guerre, alors d'Argenson, Louis XV institua une nouvelle noblesse militaire. L'édit du 25 novembre 1750 conféra la noblesse héréditaire à tout officier ayant le grade de général et la noblesse personnelle aux titulaires de la croix de Saint-Louis. Toute famille où cette croix aurait été obtenue par trois générations successives devenait noble. La qualité nobiliaire conservait encore tant d'attraits (à commencer par l'exemption de la taille) que cette mesure réveilla l'émulation. Napoléon s'en inspira en fondant la Légion d'honneur et la noblesse d'Empire.

Ce n'étaient là que hochets, satisfactions d'amour-propre. En janvier 1751, Louis XV créa une école militaire ouverte à cinq cents jeunes gens sans fortune et pouvant prouver quatre générations de noblesse. On se disputa l'initiative de cette création; Mme de Pompadour s'en attribua même le mérite. A la vérité, la Marquise s'occupa des plans avec l'architecte Gabriel. Une fois de plus, on cria à la prodigalité! Et Louis XV passa outre, une fois de plus... On croyait que cette école perpétuerait l'esprit de caste. On y enseigna au contraire qu'honneur et noblesse sont synonymes dans le métier des armes, et que le devoir prime la personne. Finalement, Louis XV atteignit son objectif, qui était de disposer d'une pépinière de généraux et de capitaines possédant des connaissances solides et ayant pris l'habitude de la discipline. Bonaparte y sera élève; il aura pour condisciples plusieurs de scs futurs maréchaux. Louis XV avait la plus grande estime pour Maurice de Saxe; il regrettait certainement de devoir Fontenoy et la conquête de la Flandre à un étranger. L'école militaire fournirait à son successeur des états-majors compétents.

On menait un effort parallèle dans le Département de la Marine confié à Maurepas, puis, après la disgrâce de celui-ci, à Rouillé. Les arsenaux furent réorganisés; les ports améliorés, les chantiers travaillèrent sans relâche. En 1750, nous comptions environ soixante-dix vaisseaux de ligne. Louis XV voulait porter ce chiffre à cent dix, pour être en mesure d'affronter l'Angleterre. Car, pendant le laps de temps qui sépare le traité d'Aix-la-Chapelle de la guerre de Sept Ans, son principal souci resta l'Angleterre et sa redoutable flotte. Plus clairvoyant que Voltaire, Montesquieu, Diderot et les philosophes des salons, il avait compris que la partie se jouerait sur mer, parce que les banquiers de Londres ne pouvaient tolérer la concurrence française aux Indes et en Amérique.

Toutes les mesures allaient dans le sens de l'Histoire. Elles ne désarmaient point une opposition dont le prétendu progressisme allait à contre-courant. On ne mettait en relief que leur aspect négatif; on imputait aux folies de la marquise et à la complaisance de son amant, les nouveaux emprunts, l'impôt du vingtième. Le Parlement faisait chorus, mais sournoisement, car ses échecs répétés et les humiliations qu'il avait subies de la part du monarque l'incitaient à la prudence. Il lui manquait le suffrage du peuple. Il cherchait à sortir de son isolement, à se faire des alliés. En cette attitude, nul souci de l'Etat et encore moins des pauvres gens, encore que l'on invoquât sans cesse «la misère publique».

La querelle de l'Hôpital général fut le premier prétexte d'un conflit qui devait se prolonger jusqu'à 1789. On entendait par Hôpital général l'ensemble des établissements hospitaliers de Paris, dont la gestion était assurée par une sorte de comité. L'archevêque de Paris voulait en exclure les jansénistes. Ayant échoué, il s'adressa à Louis XV qui, pour apaiser la querelle du vingtième avec le clergé, modifia la composition du comité. Le Parlement tenait son affaire: il refusa d'enregistrer l'arrêt. Le roi confirma sa décision. Nouveau refus du Parlement. Une délégation vint signifier au roi que les lois ne pouvaient être modifiées arbitrairement. Bref le Parlement essayait une nouvelle fois, de s'arroger le pouvoir législatif. Louis XV ne céda pas. Il ordonna l'enregistrement pur et simple. Le Parlement prétendit néanmoins formuler des remontrances. Bien entendu la composition du comité de l'Hôpital général n'intéressait personne. Mais l'opposition militante politisa l'affaire. Le roi interdit au Parlement de s'occuper désormais de l'Hôpital. Les parlementaires refusèrent de siéger. Le roi leur donna l'ordre de reprendre leurs séances. Ils obtempérèrent; tout en décidant d'organiser une opposition systématique, mais légale aux décisions du gouvernement.

Ce n'était là qu'une escarmouche et qui, venant des «robes rouges», ne pouvait surprendre. Tout en qualifiant le pouvoir d'anarchique et arbitraire, ils se faisaient fort d'établir eux-mêmes l'anarchie. On comprend dès lors combien il était difficile pour Louis XV d'assumer le redressement du royaume, de promouvoir des réformes, en profondeur, dont il était trop intelligent pour ne pas sentir l'urgence. Or il semble bien que son défaut essentiel fut précisément un excès d'intelligence. Il est préférable qu'un homme politique ait quelques idées simples et fortes, plutôt que d'apercevoir sans cesse l'avers, l'envers, le pourquoi des choses et leurs conséquences certaines ou possibles. Louis ne manquait ni de bons sens ni d'autorité, mais en public une sorte de timidité le paralysait, en sorte qu'il ne paraissait être que l'effigie d'un roi. Quant aux manifestations de son autorité, elles ressemblaient par trop à des coups d'humeur, alors qu'elles avaient été mûries et soupesées. Peut-être laissait-il faire, mais sans cesser de veiller. Une autre de ses faiblesses était cette conviction d'être un monarque de droit divin, conviction liée à l'éducation qu'il avait reçue et à l'atmosphère trompeuse de Versailles. Dans une conjoncture aussi délicate, il eût fallu quelque Frédéric II hilare et cynique, jouant à l'homme de lettres avec Voltaire, se proclamant démocrate avec les philosophes, mais instituant la discipline prussienne, populaire et implacable, et, par son réalisme sans défaut, tirant son pays du néant. Il est probable qu'il eût promptement annexé «les lumières» à son profit exclusif et que «robes rouges» (le Parlement) et «robes noires» (le clergé) ne se fussent pas liguées contre lui. Mais la France était une vieille et puissante monarchie, où la liberté n'avait jamais cessé d'être et dont, à défaut de Fronde, l'esprit fondeur était de tradition.

V

ROBES ROUGES ET ROBES NOIRES

Le clergé ayant obtenu partiellement satisfaction sur l'impôt du vingtième, ne s'en tint pas là. Les progrès de la libre pensée l'inquiétaient. Sans doute le peuple restait-il croyant, mais l'athéisme, parti des salons, se répandit dans Paris, gagnait la noblesse et la bourgeoisie. L'esprit critique n'épargnait pas plus l'Eglise que le pouvoir. On ne supportait plus qu'elle opprimât les consciences. On aspirait à la liberté de croire comme à celle de pratiquer la religion que l'on avait choisir ou dans laquelle on était né. Le clergé tenait les philosophes pour responsables de ce nouvel état de choses et cherchait à les anéantir au lieu de leur opposer des hommes et des écrits de talent. Semblable en cela à Louis XV et à ses ministres, l'Eglise ne put, ou ne sut, canaliser ce courant d'idées, élargir ses vues, assouplir sa position. Au long des siècles, elle avait rendu d'immenses services à l'homme ; elle avait joué un rôle intellectuel social et civilisateur de premier ordre, mais elle était devenue trop riche et, sclérosée par l'opulence, se montrait incapable de s'adapter. La plupart de ses prélats – dont, il est vrai, certains étaient des modèles de vertu – tenaient moins à l'exactitude dogmatique qu'à leurs revenus et à leurs privilèges. C'était évidemment le dogme qu'ils invoquaient, mais les esprits critiques percevaient bien que ce n'était là que prétexte. En réalité, l'Eglise était devenue une puissance réactionnaire, de même que le Parlement. Mais les parlementaires, s'abusant sur eux-mêmes, avaient un objectif qui était de changer le gouvernement à leur profit, alors que le haut clergé ne voulait que maintenir sa place dans la nation, qui était institutionnellement la première.

Le recul de Louis XV dans l'affaire du vingtième ne traduisait point réellement une faiblesse, mais le besoin de ne pas s'aliéner le corps ecclésiastique. Il enhardit les prélats. Ils demandèrent et ils obtinrent, un contrôle sévère des écrits subversifs, entendez par là des écrits philosophiques. Les hommes de lettres eurent maille à partir avec la police et les deux premiers tomes de «l'Encyclopédie» furent saisis en raison de certains articles anticléricaux. Mesure inopportune et maladroite car les propagateurs des «lumières» n'étaient pas tous désintéressés, n'avaient point tous la rigueur ombrageuse qui caractérisera Jean-Jacques Rousseau! Ils aimaient d'être flattés. Rien ne leur plaisait tant que d'être admis dans les salons les plus huppés. Des invitations à la cour, une consécration officielle sous forme de pension ou d'emploi, les eussent comblés et désarmés! Mais il eût fallu que Versailles fût peuplé de vivants, assouplît la sacro-sainte étiquette, cessât d'être une espèce de musée rivalisant avec l'Escurial. Plus encore, que le roi aimât les littérateurs. Il s'y était essayé sous l'influence de Mme de Pompadour, mais sa timidité rentrée, son pessimisme, s'accommodaient mal de leurs traits d'esprit, de leur fantaisie parfois douteuse et de leur «insolence». Rois des salons parisiens, ils eussent volontiers traité le roi de Versailles en égal. Il préféra les fuir, tout en les protégeant par l'entremise de la favorite. Ce serait pourtant une erreur de croire qu'il ne lisait pas, qu'il ignorait les idées nouvelles, mais on ne sait quelle put être son opinion sur «l'Esprit des lois» ou sur «l'Encyclopédie». On ne sait pas davantage s'il était conscient de la révolution intellectuelle qui s'opérait à Paris, alors que Louis XIV avait lui-même décelé les génies de son temps et leur avait permis de s'épanouir. Mais c'étaient d'autres «lumières» que répandaient les écrivains du XVIIIe siècle! Cela dit, les pamphlets et chansonnettes préoccupaient davantage le pouvoir, parce qu'ils étaient lus par le peuple, alors que les écrits philosophiques n'intéressaient que les élites, ou supposées telles. Au surplus la censure était discrète, voire un peu complice. L'indulgence que montrait Malesherbes est significative; elle ne traduisait point les incertitudes du pouvoir, mais bien la tolérance de Louis XV.

Quoi qu'il en soit, la saisie de «l'Encyclopédie» fut interprétée comme une prise de position en faveur de l'Eglise. Celle-ci ne s'en tint pas là. Elle relança, une fois de plus, la lutte contre les «hérétiques». Est-il besoin d'ajouter que les intendants, les gens de police et les magistrats obéirent fort mollement aux ordres? Néanmoins, ces persécutions aggravèrent le discrédit du régime. La prélature exigea davantage. Sa bête noire restait le jansénisme, qui ressuscitait sans cesse et, en province surtout, gardait toute sa force. Fleury avait essayé de l'extirper, sans trop de heurts, en le ridiculisant. Depuis sa mort, la vieille querelle semblait oubliée; elle n'était qu'assoupie. La question du refus des sacrements la fit rebondir.

Certains curés exigeaient des mourants une déclaration attestant qu'ils adhéraient à la bulle Unigenitus et, sinon, un billet de confession certifiant qu'ils ne s'étaient point confessés à des prêtres jansénistes. En 1749, l'ancien recteur de l'Université, Coffin, était de la sorte mort sans recevoir les sacrements. Devant ce scandale, le Parlement avait pris l'initiative d'interdire les billets de confession. Pour faire pièce aux parlementaires, qui outrepassaient à la vérité leurs droits, le roi réserva les affaires de cette nature au Conseil. L'opposition s'agita. Les fidèles s'inquiétèrent. On accusa l'Eglise d'arbitraire. Le Parlement guettait l'occasion de reprendre le combat. En 1752, le curé de Saint-Etienne-du-Mont refusa les sacrements à un oratorien suspect de jansénisme. Ce fut la goutte d'eau qui fait déborder le verre. Le curé fut cité devant le Parlement, qui lui ordonna de conférer les sacrements au mourant, sous peine de saisie de son temporel et signifia à l'archevêque de Paris de donner des instructions en conséquence. Le conseil du roi cassa l'arrêt du Parlement. L'oratorien mourut sans avoir été administré, et le Parlement décida alors de présenter ses remontrances à Louis XV. Ayant la grande police dans ses attributions, il prétendait connaître de la discipline écclésiastique, en raison du fait que les infractions étaient de nature à perturber l'ordre public. Or la pratique des billets de confession suscitait des conflits propres à encourager le scepticisme et l'impiété. Au surplus la querelle du jansénisme portait atteinte aux droits de l'Etat, formellement reconnus par la bulle Unigenitus.

Louis XV partageait ce point de vue: il ne méconnaissait point les pouvoirs du Parlement en cette matière; il souhaitait simplement agir directement, sans éclat. Le curé de Saint-Etienne-du-Mont fut déplacé. Le Parlement persuadé d'avoir gain de cause, prit un arrêt interdisant au clergé tout acte susceptible de provoquer un schisme. Il sortait évidemment de son rôle et

Louis XV dut lui interdire de se mêler désormais des questions spirituelles, mais en enjoignant aux curés de faire leur devoir de prêtres. D'où protestation de l'archevêque et des curés parisiens invoquant leur droit exclusif d'apprécier s'il y avait lieu de conférer les sacrements aux malades, et accusant le Parlement d'offenser la religion! C'était poser le problème de la séparation de l'Eglise et de l'Etat. Mais pour les parlementaires, il s'agissait simplement de contrôler l'Eglise, de même qu'ils prétendaient freiner l'autorité royale. Dès lors, ce fut une guerre ouverte, dont se divertissaient les bourgeois de Paris et les beaux esprits. Le Parlement, ayant le vent en poupe, multiplia les procédures contre le clergé; attaqua les billets de confession, les mandements des évêques, les bréviaires. Les arrêts du conseil cassaient les arrêts du Parlement; en s'annulant, les deux instances faisaient le jeu de l'opposition. Louis XV et ses ministres eurent le tort de laisser la situation s'installer, s'envenimer. Les uns prétendaient que ces questions ne pouvaient intéresser un monarque adonné aux plaisirs. Les autres, qu'il laissait les robes rouges s'opposer aux robes noires, afin de les tenir en lisière. Mais le conflit faisait tache d'huile. Les parlements provinciaux se mirent dans le sillage du Parlement de Paris, sanctionnèrent eux aussi les refus de sacrements. Les progrès de l'incrédulité ajoutaient au malaise politique.

Le Parlement fit un pas de plus. Il somma l'archevêque de Paris, sous menace de saisie, d'ordonner au curé de Saint-Médard de porter les sacrements à une sœur janséniste. Mais l'archevêque, en tant que pair de France, n'était pas justiciable du seul Parlement. Ce dernier devait s'adjoindre les pairs. Louis XV interdit leur convocation. Il disait:

– Ces grandes robes et le clergé sont toujours aux couteaux tirés; ils me désolent par leurs querelles. Mais je déteste bien plus les grandes robes : mon clergé au fond m'est attaché et fidèle; les autres voudraient me mettre en tutelle... Ils finiront par perdre l'Etat; c'est une assemblée de républicains.

Cependant le conflit entrait dans sa phase aiguë. Louis XV ayant intimé aux parlementaires l'ordre d'arrêter leurs procédures, ils décidèrent de se mettre en grève, ce qui bloquait les procès en cours au détriment des justiciables. Louis XV institua une chambre extraordinaire des vacations. Tout fut mis en œuvre pour rendre ses décisions inopérantes. Une fois de plus les

fauteurs de troubles furent exilés à Pontoise et l'on envisagea de
créer un nouveau Parlement, dont les membres ne seraient plus
propriétaires de leur charge, mais nommés et rétribués par le
roi. Mais il eût fallu rembourser – fort cher – les magistrats évincés et l'on manquait d'argent! D'ailleurs ils eussent fait figure de
martyrs; il n'était pas douteux que l'opposition eût suscité quelque mouvement en faveur des «Pères de la Patrie». On transigea
donc et, en août 1754, les robes rouges rentrèrent à Paris, au
milieu des applaudissements, cependant que quelques robes noires étaient invitées à regagner leur diocèse et à modérer leur zèle
sur le chapitre du jansénisme. Ce n'étaient là que des demi-me-
sures, une sorte de politique de bascule. En laissant mûrir l'abcès, on crut qu'il se viderait de lui-même. Au surplus Louis XV
avait de plus graves soucis. Les agissements des Anglais en Amérique et aux Indes ne laissaient aucun doute sur l'imminence
d'un conflit. Le roi se devait de le différer aussi longtemps que
possible. Les parlementaires n'étaient point dupes de son revirement à leur égard. Ils savaient qu'il avait besoin d'eux pour
légaliser les édits bursaux et permettre la levée de nouveaux
impôts. Sans argent, comment armerait-il ses vaisseaux, équipe-
rait-il ses régiments?

Cependant l'opinion, sollicitée par les risques de guerre, se
désintéressait de la querelle du clergé et du Parlement, malgré
les efforts de la presse anticléricale. Il est vraiment dommage
que Louis XV n'ait pas compris l'importance des «média», ni
songé à créer sa propre gazette, comme Louis XIII et Richelieu
l'avaient fait naguère. Il pouvait de la sorte regagner le terrain
perdu, ne fût-ce qu'en donnant au public des informations officielles, en réponse aux calomnies et aux insinuations des détracteurs professionnels. Mais Louis XIII et Richelieu avaient à bâtir
un régime, alors que Louis XV eut le malheur d'hériter d'une
monarchie toute faite. Il crut recouvrer la confiance de son peuple en remaniant le ministère. Machault passa à la marine,
Rouillé aux affaires étrangères et Moreau de Séchelles devint
contrôleur général. On prit des mesures énergiques: Louis XV
diminua, spectaculairement, ses dépenses «voyages» et de bâtiments. Les sous-fermiers furent supprimés. On augmenta le bail
des fermiers généraux, tout en exigeant une avance immédiate de
soixante millions. On contraignit l'assemblée du clergé à voter un
don gratuit de seize millions. On créa aussi de nouvelles rentes.

A la rentrée du Parlement de 1755, la lutte avec le clergé reprit de plus belle, au mépris de l'intérêt général. Elle se compliqua d'un conflit de juridictions. Un conseiller d'Etat ayant à soutenir lui-même un procès prétendit le faire juger par le Conseil. Le Parlement soutint qu'il devait assumer la procédure. Le roi rétorqua que les jugements du conseil étaient par nature exécutoires dans tout le royaume. Le Parlement mit en avant l'indépendance de la magistrature, oubliant le principe selon lequel il jugeait par délégation du roi! Estimant que la réponse de celui-ci portait atteinte aux lois fondamentales de la monarchie, il réclamait la convocation des pairs de France. Louis XV interdit à ces derniers de siéger. Le Parlement formula de nouvelles remontrances. Elles avaient au moint le mérite de clarté:

«Toute décision émanée du roi au sujet des lois devait être revêtue des solennités essentiellement requises pour l'établissement desdites lois.» Ce qui signifiait que le roi n'avait plus le droit de légiférer sans l'approbation du Parlement. Louis XV ne daigna pas répondre à cette attaque directe. Les Anglais multipliaient les casus belli; ils venaient de saisir et de mettre sous séquestre deux de nos vaisseaux; la guerre était près d'éclater entre les deux nations; il tombait sous le sens que le conflit se généraliserait à brève échéance. On accusait de plus en plus la marquise de Pompadour «d'énerver» Louis XV. Mais les provocations du Parlement, l'intransigeance du clergé, l'insuffisance de notre flotte, les intrigues des cours étrangères?

L'approche de la guerre n'impressionnait nullement les parlementaires. On eût dit qu'ils prenaient à cœur d'accroître les embarras du roi. Ils retardaient au maximum l'enregistrement des édits bursaux. Relayés par les parlements provinciaux, ils sabotaient le second vingtième établi par Moreau de Séchelles. Ils s'étaient mis en tête de hiérarchiser ces assemblées, les parlements de province recevant dès lors les directives et consignes du Parlement de Paris. Il fallut un lit de justice pour obtenir l'enregistrement des édits. Alors ce fut la cour des Aides qui prit la relève. Issue des Etats-Généraux, elle prétendait assumer pleinement sa mission, qui était de défendre les droits du peuple. Le clergé ne fut pas en reste. Louis XV finit par consulter le pape Benoît XIV. Il tint ensuite un nouveau lit de justice pour régler le problème de la police ecclésiastique et du refus des sacrements. Cent quarante-cinq parlementaires se démirent de leur charge. Le roi ne céda pas à ce chantage ; il déclara qu'il voulait être obéi aussi bien par les magistrats que par les évêques.

Le 1er janvier 1757, d'Argenson notait dans son Journal, non sans quelque exagération : «Le peuple est en rage muette, et qu'on ne croie pas qu'il manque de canaux multipliés pour faire passer dans les masses l'idée de résistance ! Les gens de justice sont partout, agents supérieurs ou inférieurs, leurs innombrables suppôts, les plaideurs, une estime générale pour la magistrature, qui est réellement la portion la plus estimable aujourd'hui de la nation par ses mœurs, son savoir et ses lumières, tout le second ordre de l'Eglise opposé à la bulle Unigenitus, et leurs dévots, ce qui va encore plus loin ; toutes les provinces, les cours supérieures, la misère qui prêche, les magistrats qui consolent, un sourd mécontentement contre la cour, une fureur non déguisée contre l'avidité des hommes de finance, une révolte ouverte contre les intendants, l'envie, la pauvreté, la faim...»

D'Argenson oublie simplement que «les magistrats qui consolent» n'étaient que des privilégiés parmi les autres, non les élus de la nation.

VI

L'ATTENTAT DE DAMIENS

On entrait dans Versailles comme dans un moulin. L'affluence était telle que les superbes Suisses avec leurs hallebardes ne pouvaient détecter la présence d'un suspect. Pour entrer au palais il suffisait d'être correctement vêtu. A condition de ne pas attirer l'attention par un comportement anormal, on pouvait circuler quasi librement dans le dédale des galeries et même entrer dans les appartements du roi. L'anecdote rapportée par Mme du Hausset, femme de chambre de la marquise de Pompadour, est sur ce point significative. Un jour Louis XV, quelque peu troublé, entre brusquement chez la favorite et dit:

– Il vient de m'arriver une singulière chose; croiriez-vous qu'en rentrant dans ma chambre à coucher, sortant de ma garde-robe, j'ai trouvé un monsieur face à face de moi!

– Ah Dieu, Sire! s'exclama la marquise.

– Ce n'est rien, mais j'avoue que j'ai eu une grande surprise: cet homme a paru tout interdit. Que faites-vous ici? lui ai-je dit d'un ton assez poli. Il s'est mis à genoux en me disant: Pardonnez-moi, Sire, et avant tout faites-moi fouiller. Il s'est hâté lui-même de vider ses poches; il a ôté son habit, tout troublé, égaré; enfin il m'a dit qu'il était cuisinier.

Le pauvre diable était venu voir un de ses collègues; il s'était trompé d'escalier et, ayant trouvé toutes les portes ouvertes, il était entré par mégarde dans la chambre du roi. Louis XV sonna. Un domestique reconnut le bonhomme, réputé pour sa recette de «bœuf à l'écarlate». Louis XV lui fit cadeau de cinquante louis.

Abel de Marigny, frère de la marquise et surintendant des

bâtiments, dit alors:

– C'est une chose bien étonnante que celle qui aurait pu malheureusement arriver. Le roi pouvait être assassiné dans sa chambre sans que personne en eût connaissance et sans qu'on pût savoir par qui.

La marquise fut quinze jours à se remettre de son émotion, puis on oublia l'incident. Il semble même que la surveillance des petits appartements ne fût pas renforcée, tant le laxisme était grand. Louis XV ne croyait pas qu'on oserait attenter à sa personne ointe et sacrée, en dépit du mécontentement général.

Le 5 janvier 1757, un inconnu s'introduisit dans la cour du château et put s'y promener librement de dix heures du matin à cinq heures de l'après-midi. Personne ne lui demanda ce qu'il attendait, n'essaya de l'éloigner. Un garde remarqua son manège, mais pensa que le visiteur guettait la sortie du roi pour lui présenter un placet. Il nota pourtant qu'un homme, âgé de trente à quarante ans, avait abordé le prétendu quémandeur et s'était entretenu avec lui pendant quelques minutes. Le mystère est dans cet entretien. On avança le carrosse du roi. L'homme parla aux postillons. Lorsque parut Louis XV, il bondit comme l'éclair et lui porta un coup de couteau; puis il s'immobilisa, comme pétrifié. Le roi glissa la main dans sa veste et la retira ensanglantée.

– Je suis blessé, dit-il, C'est un coquin! Qu'on l'arrête et qu'on ne le tue pas.

La blessure était superficielle. Le temps étant très froid, Louis XV s'était habillé en conséquence: une chemise, une camisole, une veste de velours ouatée, un habit de velours et une sorte de redingote doublée de fourrure. Cette quintuple épaisseur avait empêché le coup d'être mortel.

On mena l'assassin dans la salle des gardes. On le déshabilla et on lui attacha les mains derrière le dos. Un grand couteau à manche de corne, trente-cinq louis et une instruction chrétienne de petit format furent trouvés dans ses poches. Les ministres accoururent. L'homme déclara s'appeler Robert-François Damiens, né en Artois en 1715, d'un père fermier, ci-devant laquais. Il dit qu'il ne regrettait rien; que, si c'était à refaire, il recommencerait. On fit rougir des pinces et on lui tenailla cruellement les pieds. Comme il refusait de dénoncer ses complices, on menaça de le jeter dans le feu. Le prévôt du palais

intervint alors. Il usa de son autorité pour soustraire Damiens
à ces brutalités, le faire enfermer dans une cellule de la prévôté
et procéder lui-même à son interrogatoire. Damiens maintint
ses dénégations. Il déclara ne s'être servi que de la petite lame
de son couteau, car il ne voulait pas tuer le roi, mais lui donner
un avertissement. Il ajouta que le dauphin était pareillement
menacé. Comme le prévôt lui demandait les mobiles de son
crime, Damiens répondit que «tout le peuple de Paris périssait
et que, malgré toutes les représentations que le Parlement fait,
le roi n'a jamais entendu à aucune.»

On crut à un complot contre la famille royale. On ne put
identifier, ni retrouver, l'inconnu «de trente à quarante ans»
qui avait abordé Damiens et lui avait parlé avant l'attentat. On
scruta donc minutieusemnet le passé du coupable. On apprit
que, dans sa jeunesse, sa mauvaise tête l'avait fait surnommer
«Robert le Diable»; qu'il avait été apprenti serrurier, puis laquais chez la maréchale de Montmorency, le comte de Mari-
dort et divers conseillers du Parlement. Il avait assisté, chez ces
derniers, à des discussions passionnées. Il avouera plus tard:
«Tout le monde disait que cela ne finirait pas bien.» Mais l'un
de ces messieurs avait eu l'imprudence de déclarer: «Tous ces
troubles finiraient, si quelqu'un pouvait toucher le roi; ce serait
une œuvre méritoire». Comment ce pauvre hère de laquais
interpréta-t-il cette déclaration? Quelle idée germa dans sa
faible cervelle? Néanmoins l'incubation dura trois bonnes années, car Damiens entra ensuite au service d'une dame galante;
puis devint garçon de librairie, fila avec la caisse et, recherché
par la police, se réfugia en Artois. Lorsque les parlementaires
démissionnèrent en masse, il crut le moment venu de «toucher» le roi, pour sauver ces messieurs. Bien qu'il courût le
risque d'être arrêté pour vol, il n'hésita pas à se rendre dans la
capitale et, de là, à Versailles, où, sous un nom d'emprunt, il
prit logement dans une auberge.

Après l'attentat, en attendant de le remettre à la justice, le
prévôt le fit enchaîner. Le serrurier qui le rivetait l'engagea à
dénoncer ses complices.

– Que de monde dans l'embarras! soupira Damiens.

Un des exempts qui le gardaient lui suggéra d'écrire au roi;
Damiens lui dicta cette étrange lettre:

«Sire, je suis bien fâché d'avoir eu le malheur de vous approcher, mais si vous ne prenez pas le parti de votre peuple, avant qu'il soit quelques années d'ici, vous et M. le dauphin, et quelques autres, périront. Il serait fâcheux qu'un aussi bon prince, pour la trop grande bonté qu'il a pour les écclésiastiques, dont il accorde toute sa confiance, ne soit pas sûr de sa vie ; et si vous n'avez pas la bonté d'y remédier sous peu de temps, il arrivera de très grands malheurs, votre royaume n'étant pas en sûreté.

« Par malheur pour vous que vos sujets vous ont donné leur démission l'affaire ne provenant pas de leur part. Et si vous n'avez pas la bonté pour votre peuple d'ordonner qu'on leur donne les sacrements à l'article de la mort, les ayant refusés depuis votre lit de justice, dont le Châtelet a fait vendre les meubles du prêtre qui s'est sauvé, je vous réitère que votre vie n'est pas en sûreté.

« Sur l'avis qu'il est très vrai que je prends la liberté de vous informer par l'officier porteur de la présente, auquel j'ai mis toute ma confiance. L'archevêque de Paris est la cause de tout le trouble par les sacrements qu'il a fait refuser. Après le crime cruel que je viens de commettre contre votre Personne sacrée, l'aveu sincère que je prends la liberté de vous faire, me fait espérer la clémence des bontés de Votre Majesté. »

Louis XV lui fit répondre que cette lettre était imprécise : il voulait le nom des complices. Damiens nomma plusieurs parlementaires, puis se rétracta. La police s'efforça de reconstituer son emploi du temps à Paris et à Versailles, d'identifier les personnes qu'il avait, éventuellement, rencontrées. Le roi, on l'a déjà dit, était foncièrement bon. Sa blessure était peu grave. En tout cas, elle ne mettait pas ses jours en danger. Il inclinait à l'indulgence, estimant que Damiens n'était qu'un illuminé, et non un irresponsable manipulé par l'opposition. Pour cela même il se méfiait des juges et préférait faire mettre Damiens dans un cachot ou dans un hôpital, sans autre forme de procès. Mais la nouvelle de l'attentat s'était répandue dans Paris, provoquant un émoi considérable. Le peuple s'était assemblé devant le palais, outré de fureur et de désespoir, et réclamant à grands cris le départ de la marquise. Celle-ci était plus morte que vive, et connaissant le caractère du roi aussi bien que les méthodes des jésuites, craignant de recevoir son congé comme Mme de Châteauroux lors de la maladie de Metz. Elle aimait le roi, mais elle appréhendait aussi les huées de la populace. Le docteur Quesnay la rassurait de son mieux. Il examinait le blessé cinq ou six fois par jour, garantissait sa guérison et disait jovialement:

– Il n'y a rien à craindre, Madame! Si c'était tout autre, il pourrait aller au bal.

Mais Louis XV éprouvait une peur rétrospective. Ce n'était pas la mort qu'il redoutait le plus, mais l'enfer, car il savait son âme chargée de péchés. Le parti dévot se fit un devoir d'exploiter la situation. Dieu avait armé la main de ce criminel, mais détourné le coup. C'était le dernier avertissement qu'il accordait au roi. L'heure de changer de vie avait sonné; il était urgent de renvoyer la favorite, objet de scandale et de perdition. Mme du Hausset dépeint fort exactement les angoisses de la marquise jugeant la partie perdue, déjà résignée. Elle montre les courtisans venus contempler sa déchéance, tout en feignant de s'apitoyer, l'abbé de Bernis conseillant la patience, les va-et-vient de Machault, le garde des sceaux, la visite de celui-ci venant de la part du roi signifier enfin le congé!

«Tout le monde sortit, il y a resta une demi-heure; M. l'abbé revint et Madame sonna; j'entrai chez elle où il me suivit. Elle était en larmes: «Il faut que je m'en aille, dit-elle, mon cher abbé.» Je lui fis prendre de l'eau de fleur d'orange dans un gobelet d'argent, parce que ses dents claquaient. Ensuite elle me dit d'appeler son écuyer; il entra et elle lui donna assez tranquillement ses ordres pour faire tout préparer à son hôtel à Paris, et dire à tous ses gens d'être prêts à partir, et à ses cochers de ne pas s'écarter.»

Elle s'enferma ensuite avec l'abbé de Bernis, son fidèle conseiller et confident. Soubise, Gontaut, quelques dames vinrent aux nouvelles. Après le départ de Bernis, la marquise les reçut. Parlant du garde des sceaux, elle dit:

– Il croit ou feint de croire que les prêtres exigent mon renvoi avec scandale; mais Quesnay et tous les médecins disent qu'il n'y a plus de danger.

Survint la maréchale de Mirepoix, qui s'écria:

– Qu'est-ce donc, Madame, que toutes ces malles? Vos gens disent que vous partez?

– Hélas! ma chère amie, le Maître le veut, à ce que m'a dit M. de Machault.

– Et son avis à lui, quel est-il?

– Que je parte sans différer.

– Votre garde des sceaux veut être le maître, et il vous trahit.
Qui quitte la partie, la perd.

Un peu plus tard, M. de Marigny confia à la suite:

– Elle reste, mais, motus! On fera semblant qu'elle s'en va
(sic), pour ne pas animer ses ennemis.

Ainsi se dénoua cette petite comédie, dont le garde des
sceaux fit les frais. Ayant demandé le renvoi de la Pompadour,
ce fut lui qui reçut son congé: le roi ne pouvait souffrir les
témoins de ses défaillances!

Cependant Damiens fut transféré à la Conciergerie. Il
croyait que sa lettre au roi avait produit bon effet, qu'il serait
simplement conduit à la Bastille. Les juges le firent attacher
sur un matelas, avec des courroies fixées à la muraille par des
anneaux. Un chirurgien pansa ses brûlures aux pieds: elles
étaient assez profondes pour que l'un des tendons d'Achille fût
détruit. Le Parlement montra tout le zèle dont il était capable;
il envoya une motion au roi pour l'assurer de son dévouement; les
conseillers démissionnaires reprirent leurs fonctions. Louis XV,
non sans méfiance, autorisa l'ouverture du procès. On procéda
aux interrogatoires, dont les résultats furent, comme on pouvait le prévoir, négatifs. Plus le malheureux Damiens s'affai-
blissait, plus il s'enfonçait dans son mutisme, persuadé qu'on
l'avait trompé. Le 26 janvier, il comparut devant l'assemblée,
en séance solennelle. Il aperçut ses anciens maîtres siégeant
sur les fleurs de lys et les apostropha. Il avait cru protéger les
robes rouges, sauver la nation, et comprenait enfin l'inutilité
de son geste. Ayant commis le crime de lèse-majesté, on lui
appliqua la série de supplices atroces jadis infligés à Ravaillac:
poingt droit coupé et arrosé de soufre en fusion, chairs tenail-
lées, arrosées de cire brûlante et de plomb fondu, écartèlement
à quatre chevaux, pour finir sur le bûcher. Quand on lui lut son
horrible condamnation, il se contenta de dire: «La journée
sera rude!» On le brodequina férocement, sans lui arracher le
moindre indice. Comme à l'accoutumée, il y avait foule sur la
place de Grève pour assister à l'exécution. Elle ne dura pas
moins de deux heures un quart: il fallut ajouter deux forts
chevaux pour achever l'écartèlement; encore le bourreau dut-il
sectionner les muscles des bras et des jambes. Damiens criait

encore, quand on le jeta sur le bûcher. Cette barbarie, en plein siècle des lumières et dans le pays «de la douceur de vivre», ne choqua personne, hormis le roi! Mme du Hausset:

«Beaucoup de personnes, et des femmes même, ont eu la curiosité barbare d'assister à cette exécution, entre autres madame de P..., femme d'un fermier-général, et très belle. Elle avait loué une croisée ou deux, douze louis, et l'on jouait dans la chambre en l'attendant. Cela fut raconté au roi, et il mit les deux mains sur ses yeux, en disant: Fi la vilaine! On m'a dit qu'elle et d'autres avaient cru faire leur cour par là, et signaler leur attachement pour la personne du roi.»

Louis XV n'était point dupe des motions du Parlement, ni de la célérité qu'il avait montrée en la circonstance. Il avait parfaitement compris que Damiens n'était finalement qu'une victime. La querelle du Parlement et du clergé aboutissait à ce crime, mais, sur bien des points, le procès restait obscur.

– Sans ces conseillers et ces présidents, disait le roi, je n'aurais pas été frappé par ce monsieur... Lisez le procès; ce sont les propos de ces messieurs qu'il nomme, qui ont bouleversé sa tête...

Cet attentat manqué accrut la mélancolie et la méfiance de Louis XV, l'isola encore plus de son entourage et de son peuple. Il lui donna l'exacte mesure de la haine dont il était désormais l'objet. Jusqu'ici, en dépit des libelles et des chansons satiriques, il s'était cru aimé par ses sujets, exception faite des parlementaires. Et voici qu'un abîme s'ouvrait devant ses yeux! En demandant le renvoi de la Pompadour, Machault avait agi avec trop de précipitation; il croyait le couteau de Damiens empoisonné et songeait déjà au dauphin. Ce manque de clairvoyance et cette déloyauté offensèrent le roi. Il sacrifia donc son ministre préféré, non seulement pour plaire à la marquise impatiente de se venger! Il sacrifia de même le comte d'Argenson responsable de la police et adversaire de la favorite. Ces mesures trahissaient le désarroi de Louis, son extrême inquiétude. S'ensuivit une période d'instabilité pendant laquelle ministres et secrétaires d'Etat se succédèrent. On imputait ces changements à la marquise, dont il est vrai qu'elle fit nommer plusieurs de ses amis. Mais alors, la guerre de Sept Ans était à son paroxysme et il faut répéter que Louis XV ne disposait d'aucun collaborateur qui fût vraiment à la hauteur de la situation. Depuis l'attentat de Damiens, son pessimisme s'était changé en misanthropie; il n'avait plus d'estime pour personne, ni d'illusions. Quand il venait de nommer un nouveau ministre, il disait:

— Il a étalé sa marchandise comme un autre, et promet les plus belles choses du monde, dont rien n'aura lieu. Il ne connaît pas ce pays-ça, il verra…

Et quand on lui parlait des projets pour la marine:

— Voilà vingt fois que j'entends parler de cela. Jamais la France n'aura de marine, je crois.

Le doute et de désenchantement désorientaient sa politique plus sûrement que les caprices et les plaintes de la marquise.

VII

LE RENVERSEMENT DES ALLIANCES

La guerre de Sept Ans commença bien avant d'être déclarée. Elle fut précédée d'une sorte de guerre froide au cours de laquelle le gouvernement de Louis XV fit de louables efforts pour éviter un conflit ouvert. L'anglomanie qui sévissait plus que jamais, entretenue par les philosophes, entravait par surcroît la tâche des ministres. On ne voulait pas admettre qu'on armât sans cesse de nouveaux vaisseaux pour combattre un pays aussi admirable. Ni comprendre que l'Angleterre, gênée par notre commerce, jalouse de nos colonies, multipliât les provocations. Nous possédions alors les plus riches comptoirs des Indes (Bombay, Madras, Pondichéry, Chandernagor, pour ne citer que les principaux). L'ambitieux Dupleix y exerçait la charge de gouverneur général, au nom de la compagnie des Indes. Il estimait, à juste raison, que les gains de la Compagnie seraient plus considérables, si l'on installait sur place des factoreries, lesquelles fabriqueraient directement les étoffes indiennes dont raffolait Paris. Il croyait pouvoir établir une zone de protection autour des comptoirs, ce qui épargnerait l'entretien de garnisons permanentes, en acceptant au besoin la vassalité de quelque prince local. Il mit à profit les guerres de succession qui sévissaient de façon endémique. Les Anglais, qui possédaient à peu près le même nombre de comptoirs, se tenaient sur l'expectative : ils observaient les progrès de Dupleix et guettaient ses premiers revers pour intervenir. Ils sortirent brusquement de leur neutralité et s'approprièrent certains territoires conquis par les Français. En Europe, les projets de Dupleix surprenaient par leur ampleur. Ils inquiétaient les actionnaires de la Compagnie. Quant aux ministres de Louis XV, ils s'effrayèrent des conséquences probables et refusèrent leur aide. Bien plus, ils sacrifièrent Dupleix à la demande du Cabinet britannique. Son successeur n'eut aucune peine à s'entendre avec son collègue anglais; il lui cédait la meilleure part, mais la guerre était évitée. Nous étions alors en 1754. Dupleix était revenu en France, il ne parvint même pas à rentrer dans ses fonds et mourut obscurément. Il ne redevint à la mode qu'après la conquête totale de l'Inde par les Anglais.

En Amérique du Nord, nous étions pareillement rivaux. La France possédait le magnifique Canada, que l'on appelait la Nouvelle-France : et jamais nom ne fut plus approprié, car une poignée de colons avait construit ce pays de toutes pièces, sans pour autant priver les autochtones de leur subsistance ni les opprimer. Mi-chasseurs, mi-explorateurs, ils avaient découvert et cartographié ces étendues immenses, parsemées de lacs et de forêts, sillonnées de rivières innombrables [1]. La colonie, formée d'émigrants volontaires partis en majorité du Poitou, d'Aunis et de Normandie, et d'émigrants forcés, tristes résidus des rafles policières perpétrées dans la capitale, n'excédait pas quatre-vingt mille personnes. Les territoires anglais se limitaient à une frange côtière, mais s'étendant de l'Acadie à la Georgie. Leur colonie, grossie par des émigrations systématiques et régulières, comptait plus d'un million de personnes. Leur flotte commerciale était plus nombreuse que la nôtre. Ils bénéficiaient en outre d'une compréhension entière et de l'appui intéressé de leur gouvernement. Tel n'était pas le cas des colons français, considérés par la métropole comme des aventuriers «romantiques», trappeurs et chercheurs d'or. L'Angleterre avait résolu de les évincer et, puisque le Canada se révélait si fertile, de s'en emparer. Pendant le précédent conflit, elle avait pris Louisbourg dans cette perspective, mais avait dû restituer cette place après le traité d'Aix-la-Chapelle. Depuis lors, elle n'avait guère cessé les provocations et les chicanes, contestant le nouveau tracé des frontières entre les deux colonies, violant le territoire français, agissant sur les indigènes, installant illégalement des comptoirs de pelleterie et des bastions pour les protéger. Les Français faisaient face, malgré

1. C'est ainsi qu'en 1743, le chevalier de La Verendrye et ses fils avaient découvert les montagnes Rocheuses, dont on ne soupçonnait pas l'existence!

l'indifférence de Paris à leurs difficultés. Mais leurs rivaux anglais, forts de leur supériorité numérique, voulaient une guerre ouverte et faisaient pression sur le parlement britannique. Le peuple de Londres réclamait lui-même la guerre. Le gouvernement anglais attendit cependant la fin de ses négociations avec l'Espagne pour agir. S'étant assuré la neutralité espagnole moyennant quelques concessions, il expédia une flotte en Amérique. En juillet 1755, deux de nos vaisseaux, l'Alcide et le Lys, furent capturés dans les eaux de Terre-Neuve, sans déclaration de guerre. *Casus belli!* Louis XV rappela son ambassadeur et demanda réparation. Le ministère anglais répondit en délivrant des lettres de marque à ses corsaires. En quelques mois, nous perdîmes trois cents navires et des cargaisons estimées à trente millions. Cependant, en Amérique, les colons français, maîtres de la navigation sur le Saint-Laurent, infligèrent de sévères défaites au général Braddock, mais ils demandaient l'envoi de renforts.

C'était malheureusement le moment choisi par le Parlement pour intensifier sa lutte contre le clergé et pour entraver au maximum l'action de Louis XV, sous couleur de défendre l'indépendance de la magistrature.

Les Anglais armaient à outrance, tout en essayant de rejeter sur la France la responsabilité du conflit, dont ils savaient déjà qu'il embraserait une nouvelle fois l'Europe. Comment la France pourrait-elle soutenir simultanément le combat sur terre et sur mer? Elle ne pouvait alors aligner que 67 vaisseaux et 31 frégates. L'Angleterre possédait 131 vaisseaux de 50 à 110 canons et 81 frégates, dont certaines portaient 44 canons. On pensait que l'activité de nos corsaires porterait un coup fatal au commerce ennemi; ce n'était là qu'une hypothèse.

L'Europe hésitait encore sur le parti à prendre. L'Autriche n'avait point renoncé à recouvrer la Silésie. La Russie s'apprêtait à intervenir au mieux de ses intérêts. Frédéric de Prusse, pour parer à toute éventualité et devancer ses adversaires, entretenait une armée considérable. Hormis ce dernier, la France n'avait pas d'alliés. Louis XV se tourna d'abord vers l'Espagne, en invoquant les liens de parenté entre les deux couronnes. Mais Ferdinand VI, ayant traité avec l'Angleterre, ne voulait que la paix. Il offrit sa médiation, dont les Anglais n'avaient que faire. Frédéric II proposa alors son alliance: il se sentait menacé à la fois par l'Autriche et par la Russie, mais l'on connaissait d'expérience sa duplicité. De plus, Louis XV le détestait, en raison de son athéisme et de son insolence. Machault, qui était encore ministre, jugeait préférable de limiter le conflit à la guerre navale. En réalité Louis XV avait entamé des négociations avec Marie-Thérèse. Depuis plusieurs années l'impératrice faisait des avances à Versailles. Son ambassadeur, Kaunitz, avait su plaire au roi et gagner la faveur de Mme de Pompadour. De plus en plus celle-ci jouait désormais le rôle de la Maintenon : elle s'était fait donner un tabouret de duchesse ; elle assistait aux conseils ; elle recevait les ministres qui paraissent être ses créatures aux yeux de l'opinion ; elle recevait aussi les ambassadeurs et, en 1756, elle fut nommée dame du palais de la reine, espérant par là annihiler le parti dévot. Kaunitz, devenu chancelier de l'impératrice, accentua sa politique de rapprochement. Il accabla notre ambassadeur de prévenances et d'honneurs et donna les consignes les plus strictes à son propre ambassadeur. Connaissant l'emprise de la Pompadour sur l'esprit de Louis XV, il osa suggérer à Marie-Thérèse d'écrire personnellement à la marquise : une Habsbourg traitant la ci-devant Reinette Poisson en amie, quelle promotion ! Le tisserand de Provenchères dut se retourner dans sa tombe. Mais l'impératrice voulait la Silésie et se disait que seuls les Français étaient capables de vaincre les Prussiens. En échange de bons procédés, la marquise fit charger son ami, l'abbé de Bernis, de négocier avec les envoyés autrichiens. Il faut dire que Bernis, précédemment ambassadeur à Venise, avait fait la preuve de ses talents. Mais l'affaire était délicate, d'autant que l'Autriche restait notre ennemie héréditaire aux yeux de l'opinion. Les anglomanes, insoucieux des périls auxquels la France était exposée, ne manqueraient pas de crier à la trahison. Toutefois les propositions autrichiennes étaient à la fois constructives, raisonnables et alléchantes. D'ailleurs avions-nous le choix ? Il faut ajouter que, si Louis XV avait préféré les offres de Frédéric II, monarque d'un pays luthérien, à celles de la catholique Autriche, les dévots fussent entrés en lice. L'abbé de Bernis donna donc son accord, sous réserve de l'approbation du ministère. Mais Louix XV n'avait aucune confiance dans plusieurs ministres, les sachant inféodés à l'une ou l'autre des factions. Il examina les propositions autrichiennes en comité restreint et dans le plus grand secret, comité composé de Machault, Rouillé, Moreau de Séchelles et Saint-Florentin. On attribua cette prudence au goût de Louis XV pour le mystère, et à un nouveau caprice de la marquise. Les «média» enrageaient de n'être pas informés des tractations, ne fût-ce que pour critiquer! Le traité avec l'Autriche fut signé le 1er mai 1756. Mais le cabinet britannique nous avait devancés, en s'alliant avec le roi de Prusse dès le mois de janvier. Contre la garantie du Hanovre, le roi George II garantissait la Silésie à Frédéric. Comme l'avait prévu Bernis, l'opinion française fut en majorité défavorable à l'alliance autrichienne. En sous-main, Louis XV fit publier une gazette (l'Observateur hollandais) pour justifier sa position, discréditer les prussophiles et les anglomanes invétérés. L'essentiel de sa doctrine tenait au réalisme politique: ce n'était plus l'Autriche qui était à redouter, mais l'ambition cynique du roi de Prusse et la cupidité des financiers britanniques. L'opinion française était versatile. Les admirateurs professionnels de Frédéric retournèrent leur veste et se mirent à le haïr. Cette montée de la violence, c'était précisément ce que Louis XV voulait éviter. On doit reconnaître que son pacifisme était sincère; qu'il ne dépendit pas de sa volonté que le conflit se généralisât, mais qu'au contraire – et l'on y insiste – il fit tout ce qu'il était possible pour empêcher la guerre. L'hostilité permanente du Parlement n'était pas étrangère à cette volonté de paix extérieure.

Le 10 avril 1756, la flotte appareilla de Toulon. Elle transportait un corps expéditionnaire sous les ordres du maréchal-duc de Richelieu. Sa destination avait été tenue secrète. Emotion des Anglais! Ils crurent que la flotte française ferait voile sur le Canada et expédièrent l'amiral Byng avec son escadre pour fermer le passage de Gibraltar. Le 19 avril, les Français débarquèrent dans l'île de Minorque. Byng attaqua l'escadre de La Galissonnière qui croisait au large, mais, après quelques heures de canonnade, dut rompre le combat. Le 27 juin, Port-Mahon tomba. Dès que la nouvelle fut connue en France, on cria au triomphe! Les Anglais ne contrôlaient plus la Méditerrannée. Prosaïquement Louis XV pensait que la restitution de Minorque à l'Espagne gâterait les rapports de Madrid et de Londres et, peut-être entraînerait Philippe VI à la guerre. Furieux, les Anglais arrêtaient l'amiral Byng et le mettaient en jugement. Dans le même temps, ils éprouvaient de sérieux revers au Canada: sous l'impulsion de Montcalm, les colons français prenaient l'offensive et s'emparaient de plusieurs forts. Ce n'était là que la première manche du combat. Louis XV savait que les Britanniques se ressaisiraient. Il repoussa les suggestions de l'abbé de Bernis, visant, puisque nous étions en position de force, à offrir la paix, en rendant au besoin Minorque. Il était évident qu'un tel marché eût été interprété comme un signe de faiblesse. Car, si les Anglais ne méconnaissaient ni nos talents ni nos ressources, ils étaient parfaitement instruits de nos difficultés intérieures et de la situation de nos finances. Ils avaient de plus consenti de trop gros sacrifices pécuniaires pour se contenter de la restitution de Minorque; c'était le Canada qu'ils voulaient, pour se défrayer!

De son côté, Marie-Thérèse cherchait à mettre tous les atouts dans son jeu. Elle s'était alliée avec la czarine Elisabeth de Russie, employée à renouer les échanges diplomatiques entre cet empire et la France; elle s'était acquis l'appui de la Suède et celle de l'Electeur de Saxe, nouant ainsi une véritable coalition contre le roi de Prusse. Celui-ci dont les services secrets s'étaient méthodiquement infiltrés dans toutes les cours, écrivit à l'impératrice pour lui demander, sans précautions oratoires, où elle voulait en venir. Voulait-elle la guerre ou la paix? Marie-Thérèse atermoya, pour terminer ses préparatifs. Sans s'émouvoir, Frédéric II envahit la Saxe, après avoir lancé une proclamation de pure forme. Il expédia un corps de 30.000 hommes en Bohême pour barrer la route à l'armée autrichienne. L'Electeur de Saxe n'avait que 17.000 soldats à opposer aux 64.000 Prussiens commandés par Frédéric. Il se replia sur le camp de Pirna, qui était une position considérée comme imprenable en raison de ses défenses naturelles. Marie-Thérèse lui envoya le général Brown avec une armée de secours. Pour empêcher la jonction des deux armées, qui l'eût mis en posture fâcheuse, Frédéric détacha une partie de ses forces et livra à Brown une bataille indécise, mais suffisante pour décourager les Autrichiens. Ce qu'apprenant l'Electeur de Saxe tenta une sortie désespérée et se fit écraser par les Prussiens. Frédéric le laissa s'enfuir en Pologne; il relâcha ses officiers, mais incorpora de gré ou de force les soldats saxons à l'armée prussienne.

En France, le sabotage perpétré par le Parlement et par ses amis culminait. D'Argenson notait dans son Journal qu'une révolte couvait sous la cendre; que tous les peuples étaient devenus «grands amateurs de parlements»; qu'on craignait d'apprendre qu'il y eût des prêtres ou des jésuites massacrés; que le nouveau vingtième ne rentrait pas et que les parlements provinciaux étaient encore plus irrités que celui de Paris.

Parallèlement, le conflit se développait. La czarine avait envoyé cent mille hommes en Lituanie, sous les ordres du feld-maréchal Apraxin. Le 17 mars 1757, la diète germanique mit Frédéric II au ban de l'Empire, ce qui entraîna l'alliance de la plupart des princes allemands avec Marie-Thérèse. Il ne manquait plus que l'intervention militaire de la France pour sonner l'hallali de la Prusse. Le 1er avril, les plénipotentiaires français et autrichiens signèrent un nouveau traité. Les conditions d'une action commune y furent stipulées, mais aussi les conditions de la paix future, car personne ne doutait de l'écrasement définitif de Frédéric II. L'Autriche aurait la Silésie, la Saxe récupérerait les territoires perdus, la Suède reprendrait la Poméranie, la France recevrait en dédommagement Ostende, Nieuport, Furnes, Ypres et diverses autres places flamandes. En contrepartie, elle s'engageait à soutenir la candidature du fils de Marie-Thérèse à l'Empire et à reconnaître à l'Electeur de Saxe, Auguste III, la possession héréditaire du trône polonais. Il est certain que, si pareil traité de partage était entré en application, l'histoire de l'Europe eût été toute différente, en particulier celle de l'Allemagne. Mais il fallait d'abord vaincre Frédéric II! A nouveau, le roi de Prusse devança ses adversaires. Il attaqua la Bohême, et le 6 juin, remporta sur les Autrichiens une éclatante victoire près de Prague. Il assiégea ensuite cette ville, mais ne put repousser l'armée de secours envoyée par Marie-Thérèse, et dut renoncer.

Les Français, commandés par d'Estrées, envahissaient la Westphalie. Les Anglo-Hanovriens de Cumberland se replièrent sur un camp retranché. D'Estrées qui progressait avec lenteur (et que l'on surnommait à cause de cela «le Temporiseur») se décida enfin à attaquer Cumberland. Il le délogea de son camp et le contraignit à reculer de place en place, jusqu'à l'embouchure de l'Elbe. La Westphalie, le Hanovre et le Brunswick furent occupés. Mais d'Estrées, desservi à Versailles, fut, malgré ses succès, relevé de son commandement. On lui substitua le duc de Richelieu, encore auréolé par la facile victoire de Mahon. Il mit l'Allemagne du Nord en coupe réglée, au point de recevoir de ses soldats l'éloquent sobriquet de «Père La Maraude». Au lieu de battre définitivement Cumberland, empêtré dans les marécages de l'Elbe, il signa avec lui un armistice et libéra les Hanovriens contre la seule promesse de ne plus servir aux côtés de nos adversaires. Il accumula ensuite les fautes les plus graves et, surtout, négligea de s'emparer de Magdebourg qui lui eût ouvert les portes de la Prusse. Or les Russes étaient arrivés à Kœnigsberg et leur flotte bloquait les ports prussiens. Le 30 août, Apraxin remportait la victoire de Jaegerndorf. De leur côté, les Suédois envahissaient la Poméranie. Si l'armée française de Hanovre l'avait alors attaqué, Frédéric II n'aurait pu faire face, malgré son génie militaire. Mais le maréchal-duc de Richelieu préférait piller et s'enrichir.

«Des généraux de cabinet, écrivait Duclos, avides d'argent, inexpérimentés et présomptueux, des ministres ignorants, jaloux ou malintentionnés, des subalternes prodigues de leur sang sur un champ de bataille et rampant à la cour devant les distributeurs de grâces; voilà les instruments que nous avions employés!»

Sans doute, mais Louis XV manquait de chefs militaires comme il manquait d'hommes d'Etat. Maurice de Saxe n'avait pas de successeur. Il existait pourtant des officiers généraux (brigadiers, maréchaux de camp) qui étaient aptes à assumer le commandemnet suprême et dont le loyalisme était entier. Mais, à cette époque encore, tout ce qui provenait de la roture ou de la petite noblesse n'atteignait pas le grade de lieutenant-général. La noblesse de cour se réservait les hauts commandements. Mais Versailles l'avait «énervée» et corrompue. Les colonels-ducs n'eussent pas accepté d'obéir à un général de carrière, issu d'un milieu modeste. Ils avaient toléré Maurice, parce que c'était un étranger et un bâtard de Saxe. A ce point de l'Histoire, si proche de la tragédie où la monarchie bourbonienne va sombrer, on voit bien que le roi n'était plus libre de choisir, mais prisonnier des coteries de privilégiés. A force d'émietter son autorité, le régime n'était plus qu'une façade.

VIII

ROSSBACH

Pourtant la situation de la Prusse, menacée de toutes parts, semblait désespérée. Que notre armée de Hanovre rejoignît l'armée franco-autrichienne de Soubise et du feld-maréchal Hildburghausen, et c'en était fait de Frédéric II. Le Vieux Fritz[1] était résolu à se battre jusqu'au dernier homme. Il comptait sur la cohésion, l'entraînement et la discipline de son armée, plus encore sur sa mobilité. Connaissant la désunion des alliés, leur absence de plan, l'hétérogénéité de leurs troupes, il pensait pouvoir attaquer et battre séparément leurs corps d'armée, conserver l'initiative des opérations, ce qui compensait dans une certaine mesure son infériorité numérique. On disait qu'il portait sur lui une fiole de poison, pour ne pas tomber vivant aux mains de ses adversaires. Ce n'était point tant les Autrichiens ou les Russes qu'il redoutait, mais les Français: la victoire de Fontenoy l'avait impressionné. Mais l'immobilisme de Richelieu dans le Hanovre le rassurait, outre que les exactions de celui-ci et ses pillages enrageaient les populations de haine et travaillaient contre la France.

Soubise et Hildburghausen concentrèrent leurs troupes dans le Thuringe. Le feld-maréchal avait ordre de chasser Frédéric II de la Saxe et d'en reprendre les positions-clefs. Soubise avait reçu comme instruction de ménager ses soldats, donc de laisser le gros de la besogne aux Autrichiens. Leur armée comptait 50.000 hommes, dont environ 30.000 Français, le reste étant composé de contingents disparates provenant des principautés allemandes alliées de Marie-Thérèse: disparité totale dans les

1. Surnom de Frédéric II.

uniformes, les commandements, l'organisation, la langue! Par surcroît certains éléments (les Wurtembourgeois et les Franconiens) ne cachaient pas leur sympathie pour la Prusse. L'intendance était pareillement fragmentée et médiocre: on vivait donc sur le pays, situation dont les Français s'accommodaient assez bien!

Une autre armée autrichienne avait envahi la Basse-Silésie et la Lusace. Son avant-garde, pénétrant dans le Brandebourg, atteignit Berlin, qui fut mis à contribution. Le trait de génie de Frédéric fut d'abandonner sa capitale et de ne se soucier que de Soubise-Hildburghausen. L'idée d'une jonction possible à Magdebourg de Soubise et de Richelieu l'obsédait, et c'était de fait le plus grand péril couru par les Prussiens. Lorsque Soubise fit mouvement, le Vieux Fritz ne chercha point la bataille. Il se livra à de savantes manœuvres pour le tromper sur ses intentions. On le crut réduit à la défensive, trop faible pour affronter les alliés. Or il attendait une occasion favorable, car il ne disposait que de 20.000 hommes.

Le 4 novembre 1757, on aperçut son camp au fond d'un vallon protégé de part et d'autre par des collines, non loin du village de Roosbach. L'observant des hauteurs opposées, Hildburghausen fut d'avis de l'attaquer aussitôt. Soubise, qui n'avait point les talents militaires du feld-maréchal, proposa de tourner les Prussiens par le sud, puis de remonter vers le nord, afin de couper leurs communications. Le feld-maréchal se laissa convaincre. L'écrasement des Prussiens coincés par les collines environnantes, sans aucune protection naturelle, semblait certain. Toutefois on perdit un temps précieux en discussions.

Le 5 novembre, aux premières heures de la matinée, l'ordre fut donné à l'armée de faire mouvement. Mais il fallut quelques heures pour rassembler les détachements dispersés et pour récupérer la multitude des maraudeurs. Il était finalement 11 h 30 quand on se mit en marche, non point discrètement, mais glorieusement, au son des fifres et des trompettes et au roulement des tambours, les étendards déployés. On se dirigea vers le sud, puis on remonta vers le nord-est. On apercevait au loin l'alignement impeccable des tentes prussiennes, les batteries d'artillerie posées comme des jouets au fond du vallon et, derrière, les collines de Janus et de Pölzen. Le feld-maréchal eut à nouveau des velléités d'attaquer. Soubise le retînt; son propre plan lui paraissait infaillible.

Soudain, à 2 h 30, les tentes prussiennes s'abattirent comme tirées par une ficelle. En quelques minutes, l'armée de Frédéric avait disparu derrière les deux collines. Le feld-maréchal crut que Frédéric lui échappait et résolut de le poursuivre. Soubise acquiesça. Leurs cinq grosses colonnes firent un quart de tour plus au nord ...

A quoi tient le sort des batailles! disait le maréchal de Saxe après Fontenoy. Le Vieux Friz était grand stratège, mais médiocre tacticien; son humeur changeante le portait à des mesures extrêmes, voires à une fausse sécurité. Il déjeunait avec ses généraux pendant que les alliés amorçaient l'enveloppement de son armée. Un officier les observait du haut d'un clocher; il interpréta inexactement leur marche. Le Vieux Fritz, jugeant sur les informations qui lui parvenaient, paraissait tranquille. Seul, Seydlitz flairait le piège. De sa propre initiative, fort discrètement, il donna l'ordre à la cavalerie et à l'artillerie de se tenir prêtes. Seydlitz avait trente-six ans; c'était le plus jeune brigadier de l'armée prussienne, il portait encore l'habit jaune paille de son régiment de cuirassiers. Il pria, supplia Frédéric II de lui permettre d'occuper les hauteurs de Janus et de Pölzen, pour barrer éventuellement la route à l'adversaire. Frédéric II céda, sans conviction, et lui confia le commandement de toute la cavalerie. Seydlitz fit sonner le boute-selle. Ses trente-huit escadrons et soixante canons lourds prirent position sur les collines. Les cuirassiers autrichiens, formant l'avant-garde alliée, s'approchaient. Soudain Seydlitz jeta sa pipe de terre et le sol trembla sous les sabots de ses escadrons. Les cuirassiers autrichiens se défendirent âprement. Broglie, l'un des lieutenants de Soubise, se porta à leur secours avec toute la cavalerie de réserve. Mais ses cavaliers appartenaient à toutes les nations, comprenaient mal ou ne comprenaient point ses ordres. Une seconde charge de Seydlitz les bouscula. Ils se débandèrent et fuirent qui vers le sud, qui vers l'ouest. Seydlitz arrêta la poursuite, ce qui montre assez ses talents et la discipline de ses cavaliers. Il voulait réformer ses escadrons en vue d'une troisième charge, celle-là décisive. Devant ce retournement brusque de la situation, Frédéric II fit déployer son infanterie face aux colonnes alliées. Ses bataillons attaquèrent férocement cet agrégat de troupes inégales et mal disposées. Pourtant certains régiments français tenaient bon, en dépit de pertes effroyables. Ce fut alors que Seydlitz conduisit sa troisième charge, en prenant les colonnes ennemies par le flanc. Elles se disloquèrent et prirent la fuite, malgré l'héroïsme de certains vétérans. L'armée de Soubise n'existait plus. Les fuyards s'efforçaient de gagner Thuringe. Le Vieux Fritz, encore une fois, était sauvé! Il n'avait perdu que 548 hommes. Les alliés comptaient 5.000 tués et un très grand nombre de prisonniers. Sans l'autorité brutale de leurs officiers les grenadiers prussiens n'eussent pas fait quartier. Seydlitz, qui était le véritable vainqueur, reçut l'Aigle Noir et fut promu lieutenant-général. Rossbach eut un retentissement énorme en Europe et valut à Frédéric II un regain de popularité. La haine des Prussiens à l'égard des Français est née dans ce vallon: on en sait les conséquences!...

Mme du Hausset: «Un courrier ayant apporté une lettre à Madame (de Pompadour), elle fondit en larmes; c'était la nouvelle de Rossbach, que lui mandait M. de Soubise, avec des détails. J'entendis Madame dire au maréchal de Belle-Isle, en s'essuyant les yeux: «M. de Soubise est inconsolable; il ne cherche point à s'excuser, il ne voit que le désastre qui l'accable.

– Cependant, dit M. de Belle-Isle, M. de Soubise aurait beaucoup de choses à dire en sa faveur, et je l'ai dit au roi. – Il est beau à vous, M. le maréchal de ne point laisser accabler un malheureux; le public est déchaîné contre lui; que lui a-t-il fait?

– Il n'y a pas, dit M. de Belle-Isle, un plus honnête homme et plus obligeant. Je ne fais que mon devoir en rendant justice à la vérité à un homme pour qui j'ai la plus grande estime. Le roi vous expliquera, Madame, que M. de Soubise a été forcé de donner bataille par le prince Hildburghausen, dont les troupes ont fui les premières et entraîné les Français.» Madame aurait embrassé le vieux maréchal, si elle l'eût osé, tant elle était contente.»

L'opinion l'était moins! Soubise fut tourné en dérision, traîné dans la boue par les libellistes et les chansonniers. Depuis Fontenoy, on ne doutait pas de l'invincibilité du soldat français. On mit la défaite de Rossbach sur le compte de Soubise et de son état-major en dentelles. L'impopularité de l'alliance autrichienne, du roi, de ses ministres, de la Pompadour, prenait des proportions inquiétantes.

Pendant ce temps, Frédéric II chassait les Autrichiens de Silésie et de la Lusace, battait les Russes et les Suédois. L'Europe entière s'inclina devant son génie. Un revirement soudain s'opéra dans l'opinion parisienne, auquel Voltaire n'était pas étranger. Frédéric devint l'objet d'une admiration enthousiaste. Les salons se «prussianisèrent». On y comparait les mérites du nouveau César aux démérites de Louis XV. On y critiquait plus que jamais l'alliance autrichienne, «source de nos malheurs», œuvre supposée de la Pompadour. Bref on s'était entiché du Vieux Fritz, par goût du dénigrement. «Nos Parisiens, écrivait d'Alembert, ont aujourd'hui la tête tournée du roi de Prusse ; il y a cinq mois qu'ils le traînaient dans la boue.»

Nul n'apercevait que Frédéric était devenu le grand homme de l'Allemagne et que ses victoires, tout autant que les rapines de Richelieu, cimentaient l'union d'un peuple entier et réveillaient la vieille âme germanique assoupie depuis des siècles! L'étrange comportement de Richelieu avait largement contribué à la défaite de Rossbach, mais plus encore dressé toute l'Allemagne du Nord contre nous. Louis XV dut le rappeler. Il le remplaça par le comte de Clermont (de la famille de Condé). Ce dernier ne put que rétrograder précipitamment vers le Rhin, en abandonnant parfois ses blessés, son artillerie et ses bagages. Bernis conseilla de traiter, pour éviter le pire. Selon lui, faute d'argent et de généraux, nous ne pouvions poursuivre ; l'armée était déliquescente, démoralisée, au dernier degré de l'indiscipline. Louis XV rejeta ces propositions défaitistes. Il enleva le secrétariat de la guerre à Paulmy, pour le donner au maréchal de Belle-Isle. Ce dernier prit d'utiles mesures. Il n'empêche que Clermont rétrogradait toujours. Mais Soubise, qui avait reçu un nouveau commandement malgré Rossbach, peut-être grâce à la marquise, remporta deux victoires, rétablit la situation et reçut le bâton de maréchal en récompense. Frédéric ne cessa pour sa part de combattre les Autrichiens, mais avec des fortunes diverses. L'année 1758, extraordinairement mouvementée et sanglante, n'aboutit en fin de compte à aucun résultat. Cependant, sous l'impulsion de William Pitt, les escadres anglaises redoublaient d'activité. Elles avaient essayé en vain de s'emparer de Cherbourg et de Saint-Malo, mais elles nous enlevèrent l'île de Gorée et Saint-Louis au Sénégal et, au Canada, la place stratégique de Louisbourg.

Bernis reparla de la paix. Il fut disgracié, pour ainsi dire sur sa demande. Il venait de recevoir la barrette de cardinal. Louis XV le remplaça par Stainville, créé duc et pair sous le nom de Choiseul. Ce n'était pas un mauvais choix. Choiseul était laborieux et instruit. Il cachait une ambition illimitée sous des dehors volages. Mme de Pompadour l'aimait, ce qui facilitait les choses. Le premier acte de Choiseul fut de renouveler le traité d'alliance avec Marie-Thérèse. Il tablait sur les ressources en hommes de l'empire autrichien et sur son bellicisme et, quant à la France, sur le fait que l'Etat restait démuni au sein d'un pays prospère. La recette annuelle du Trésor était d'environ deux cents millions; la dépense représentait plus du double et, depuis le début des hostilités, la dette s'était encore augmentée. Louis XV nomma un nouveau contrôleur général répondant au nom pittoresque de Silhouette. C'était un esprit fertile en inventions. Il rassura promptement l'opinion redoutant l'instauration du papier-monnaie, révisa le bail des fermiers généraux, augmenta tous les droits qui étaient susceptibles de l'être, pratiqua quelques coupes sombres, établit un vingtième supplémentaire. Louis XV, comme l'avait fait jadis son bisaïeul, invita les particuliers à porter leur vaisselle d'argent à la Monnaie et donna l'exemple. La mesure ne procura au Trésor que douze millions et fit la fortune des fabricants de porcelaine (Sèvres lui dut son essor), mais la guerre sur terre et sur mer était un gouffre que rien ne pouvait combler.

Il serait fastidieux d'entrer dans le détail des opérations militaires. 1759 fut d'ailleurs à l'image de l'année précédente, sanglante et négative, même pour le roi de Prusse dont aucune des entreprises n'aboutit : il ne lui restait que 80.000 hommes, bien qu'il en fût réduit à recruter les vagabonds et les déserteurs de toutes nationalités; il avait perdu plusieurs de ses lieutenants; il était usé, mais les alliés n'étaient guère en meilleur état.

Louis XV s'était persuadé, non sans clairvoyance, que la décision tenait à la maîtrise des mers. Mais il n'avait pas les moyens de se l'assurer; le retard de notre marine était trop grand. Choiseul reprit alors la vieille idée d'un débarquement en Angleterre. On arma frénétiquement dans tous les ports de guerre et l'on bâtit même une flotille de chaloupes canonnières, dont Napoléon se souviendra au camp de Boulogne. Le commandement de la flotte fut donné à Conflans, promu maréchal pour la circonstance; celui des troupes de débarquement à l'inévitable Soubise et à d'Aiguillon. Mais l'amiral anglais Hawke bloqua la rade de Brest, cherchant le combat, qui eut lieu entre Quiberon et Belle-Isle, le 20 novembre 1759. Cette défaite, connue sous le nom de «journée de M. de Conflans» ruina nos espoirs maritimes. Elle annonçait la perte prochaine, et totale, de nos colonies.

Les Anglais s'emparèrent de la Guadeloupe, et des Petites Antilles. Résolus d'en finir avec le Canada, ils formèrent trois armées, dont la principale, commandée par le général Wolf, s'empara de Québec après une défense mémorable. Il est certain qu'ils eussent échoué, si les agents de l'administration accusés de prévarication, n'eussent trahi l'héroïque Montcalm. Québec perdu, Montréal ne pouvait longtemps résister. Cette place, défendue par le chevalier de Lévis, tomba l'année suivante. Les Anglais étaient désormais les maîtres de toute l'Amérique du Nord !

La perte de nos comptoirs de l'Inde suivit celle du Canada. Les Anglais s'étant emparés de Chandernagor, les actionnaires de la Compagnie demandèrent l'envoi de secours pour sauver Pondichéry et leurs établissements. On expédia une escadre de douze vaisseaux commandé par d'Aché et emmenant le général Lally-Tollendal avec un corps expéditionnaire. Cette escadre, retardée par des épidémies, mit un an à atteindre les Indes. D'Aché se heurta à l'escadre anglaise, livra un combat honorable, mais indécis. On put néanmoins débarquer Lally et ses soldats: par malheur trop peu nombreux. Ce général avait pris pour devise : «Plus d'Anglais dans la péninsule». Mais il avait plus d'énergie que de sagacité, et ne comprenait point qu'il convenait de ménager les auxiliaires cipayes. Il bénéficia de l'effet de surprise, remporta quelques succès, mais échoua dans le siège de Madras et perdit finalement Pondichéry, malgré le soutien de l'escadre de d'Aché. On l'accusa de témérité et de férocité : il avait par trop affiché son mépris à l'égard des agents de la Compagnie, des fonctionnaires et des vieux officiers coloniaux, les accusant en bloc d'impéritie et de corruption. La perte de nos comptoirs demandait une victime expiatoire: il était tout désigné et, cinq ans après la capitulation de Pondichéry, il porta sa tête sur l'échafaud.

En Europe, c'était la même alternance de victoires incomplètes et de revers limités. La situation n'avait donc pas évolué. Pourtant Frédéric II reconnaissait qu'il ne lui restait plus que deux alliés: la valeur et la persévérance.

IX

LE TRAITÉ DE PARIS

L'Europe était lasse de la guerre. L'impératrice Marie-Thérèse semblait elle-même près de renoncer à la Silésie. Frédéric de Prusse était aux abois, mais, pareil au phénix, il renaissait de ses cendres et chaque campagne se déroulait selon un processus immuable : faute de plan concerté, ses adversaires se faisaient battre séparément et, finalement, la Prusse échappait à la submersion totale. En France, le Trésor était à bout d'expédients ; l'opinion réclamait la paix, pour une large part inspirée par les philosophes involontairement complices du Vieux Fritz. Les Anglais avaient les mains pleines, ils avaient achevé leurs conquêtes, réussi au-delà de leurs espérances. Cependant Pitt rejeta hautement les propositions de Louis XV. L'intraitable Premier voulait continuer la guerre, s'emparer de nos îles à sucre, ruiner notre flotte et nos installations portuaires, ajouter aux captures et aux destructions d'inutiles humiliations. Mais il fut obligé de demander aux Communes, le doublement des subsides. Il se heurta à l'hostilité générale et George III le remplaça par lord Bute. Louis XV n'avait pas attendu sa chute pour prendre une initiative qui paraissait susceptible de hâter la conclusion de la paix. Il avait signé avec l'Espagne, sortant enfin de sa neutralité, ce que l'on appela le Pacte de Famille. La retraite de Pitt accabla le roi de Prusse. Le Premier anglais n'avait-il pas déclaré qu'il avait conquis l'Amérique en Allemagne ? Comme Frédéric II pouvait s'y attendre, lord Bute lui supprima les subsides. Mais toujours servi par son extraordinaire fortune, Frédéric II fut sauvé par la mort de la czarine Elisabeth et le retrait des Russes.

En 1762, les Anglais attaquèrent simultanément toutes les colonies espagnoles et capturèrent des convois estimés à deux cents millions. En Allemagne, la guerre languissait, bien que Frédéric II en fût réduit à la défensive. Louis XV reprit alors ses négociations. Elles aboutirent à une suspension d'armes qui fut signée le 3 novembre à Fontainebleau et au Traité de Paris du 10 février 1763.

La France abandonnait à l'Angleterre le Canada et ses dépendances, c'est-à-dire les territoires situés sur la rive gauche du Mississippi, exception faite de la Nouvelle-Orléans partie intégrante de la Louisiane. Elle recouvrait la Guadeloupe, la Martinique, la Désirade, Sainte-Lucie et Marie-Galante, Saint-Pierre-et-Miquelon, et ses droits de pêche dans les eaux de Terre-Neuve. L'Angleterre nous rendait l'îlot sénégalais de Gorée et nos possessions en Inde telles qu'elles étaient avant 1749. Mais nous devions, une fois de plus, démanteler Dunkerque. L'Espagne recouvrait la Havane, mais perdait la Floride et divers territoires.

«La paix que nous venons de faire, écrivait Louis XV n'est ni bonne ni glorieuse, personne ne le sent mieux que moi ; mais dans ces circonstances malheureuses elle ne pouvait être meilleure, et je vous réponds bien que, si nous avions continué la guerre, nous en aurions fait encore une pire l'année prochaine.»

L'Autriche, se retrouvant seule en face de Frédéric II, se résigna à traiter. De son côté, le roi de Prusse n'avait quasi plus d'armée ; son pays était à peu près ruiné et à bout de souffle. Il fut très mesuré dans ses prétentions. L'Autriche lui céda définitivement la Silésie, mais il promit sa voix à l'élection du successeur de Marie-Thérèse.

Ainsi se termina cette guerre de Sept Ans, au seul profit du Vieux Fritz. Elle avait coûté neuf cent mille morts. La France en comptait pour sa part plus de deux cent mille ; elle avait dépensé treize cent cinquante millions et perdu presque toutes ses colonies, sans parler de son prestige. Le roi de Prusse était devenu le héros de l'Europe : avec les décennies, la monarchie des Hohenzollern finirait par dominer toute l'Allemagne, au détriment de l'Autriche. Ce qu'il y avait de pire, et l'on y insiste, c'était que la haine, ou si l'on préfère un nationalisme exacerbé, allait désormais animer les cœurs anglais et prussiens contre la France, haine génératrice de conflits périodiques, de plus en plus vastes et sanglants. En Angleterre, elle atteindra son paroxysme pendant les guerres de l'Empire et s'éteindra progressivement après Waterloo. Au contraire, elle ne cessera de s'amplifier en Allemagne après la chute de Napoléon, jusqu'à provoquer les deux guerres mondiales.

L'intelligentsia française reprocha à Louis XV de s'être engagé dans ce conflit aux côtés de l'Autriche, en tout cas de n'avoir pas su préserver la paix. Mais on a suffisamment montré ses efforts pour éviter une guerre voulue, préparée de longue main, par les Anglais. Eût-il prorogé l'alliance avec le roi de Prusse, ce dernier nous eût lâchés à la première occasion. Mais dans le même temps que Voltaire et ses amis critiquaient Louis XV, ils célébraient honteusement la perte des «arpents de neige» et le triomphe de Frédéric II (qui pensionnait d'ailleurs certains d'entre eux). Ils avaient fait leur possible pour aider le Prussien, en sapant l'autorité royale et le moral de l'armée, qualifiée de «lie des nations»! Ils s'étaient servis du Parlement pour discréditer le clergé et affaiblir par là son alliance traditionnelle avec la monarchie. Ils avaient, sans le moindre examen, exploité la complaisance, relative, du roi envers Mme de Pompadour pour enlever tout crédit à chaque nouveau ministre. Sans doute travaillaient-ils à réaliser leur grand projet qui était d'instaurer une monarchie mixte. Mais le désarroi qu'ils jetèrent et entretinrent dans l'opinion, alors que l'Etat soutenait une implacable guerre terrestre et maritime, touchait par bien des côtés à la trahison. Quant au Parlement et à ses annexes provinciales, bien qu'ils fussent composés d'hommes éminemment intelligents et cultivés, on ne peut s'empêcher de regretter qu'ils se fussent pareillement laissé manipuler, sinon les sabotages fiscaux qu'ils perpétrèrent seraient sans excuses.

Quant à l'armée – si l'on excepte bien entendu la marine qui fit ce qu'elle put! – on peut expliquer ses échecs par le mauvais choix de ses chefs, leurs jalousies et leur médiocrité, mais aussi par l'indiscipline. Pour connaître son état d'esprit en profondeur, il faut parcourir le recueil des lettres écrites par M. de Popinot, capitaine au Royal-Dauphin, et les réponses de Mme de C..., sa correspondante anonyme. C'est le plus curieux échange de lettres à la fois amoureuses et militaires! La première observation qu'elles appellent, c'est l'innocente indiscrétion de Popinot. Il rend compte, au jour le jour, du mouvement des troupes à Mme de C..., du dispositif arrêté par les généraux, du nombre d'hommes occupant tel ou tel point, de la mise en défense des places allemandes ou de leur abandon prochain, de l'état des vivres et des munitions. Il ne croit point mal faire ; il a toute confiance en son amie, mais quelle n'est pas son imprudence ! Car ses lettres portées par un cavalier pouvaient tomber aux mains de l'ennemi. Ce n'est pas tout ! Il relate des incidents tristement significatifs, déplore le manque de moral du soldat, tout en rendant hommage à sa bravoure. En contact permanent avec le troupier, on perçoit fort bien qu'il traduise simplement ses craintes, son désappointement, son amertume, ses plaintes quotidiennes, et ses aigreurs, mais aussi son immense fatigue. Ce n'est qu'un officier subalterne, sans talents particuliers, semble-t-il ; pourtant il critique acerbement ses supérieurs et c'est ici l'indication majeure, car, s'il est vrai que les généraux agissaient par trop isolément, au gré de leurs rivalités ou de leurs caprices, ils ne pouvaient faire fond sur l'obéissance des simples capitaines. Leurs ordres étaient passés au crible de la critique, voire tournés en dérision, et, pour une part, sabotés.

«Vous êtes toute ma consolation, écrit Popinot, dans la pétaudière d'armée où je suis, et où il est si désagréable d'être ; les talents, la bravoure, les bons services n'y sont nullement considérés ; le zèle est ridicule, le patriotisme absurde ; j'y suis on ne peut pas plus déplacé, car tous ces sentiments sont encore en moi, et ils restent, quoique je veuille quelquefois les chasser.»

Un peu plus tard, à la suite d'un fait d'armes qu'on lui a fait manquer : «Voilà ce que c'est que d'être en sous-ordre, et d'avoir un chef ignorant et entêté.»

Plus loin : «Qu'il est douloureux de voir tant de braves gens périr parce que les chefs sont ignorants et ne savent pas faire la guerre ! Le régiment du Dauphin a actuellement, depuis le 10, perdu la moitié de ses hommes et de ses chevaux ; j'en pleure de douleur, ils étaient bien braves. Malgré tout ce chaos où se trouve notre armée, j'entrevois que la campagne va finir...»

En 1761, il se moque de Soubise inaugurant sa prise de commandement par la mesure qui suit : «M. de Soubise, par un effort de génie qui justifie bien le choix qu'on a fait de lui pour conduire les meilleures troupes et la plus haute noblesse de France, a trouvé un moyen facile et très ingénieux de reconnaître infailliblement tout le monde. Par cette célèbre ordonnance, les vivandiers, boulangers, marchands suivant l'armée, porteront sur leurs habits une plaque de fer-blanc, où sera écrit : vivandier, ou boulanger, ou marchand suivant l'armée de France. Tous les laquais ou domestiques porteront la livrée de leurs maîtres, ou au moins une aiguillette des couleurs de la livrée. Voici où l'esprit brille: les gens employés dans les fourrages porteront une cocarde verte; ceux employés dans les boucheries, une cocarde rouge; ceux employés dans les vivres une cocarde jaune; ceux employés dans les hôpitaux une cocarde noire; les secrétaires, valets de chambre, officiers de maison, une cocarde bleue. Une pareille ordonnance et une suite de soixante-dix aides de camp, voilà assurément de quoi intimider les ennemis; aussi préparez-vous à chanter des *Te Deum* pour nos victoires ou pour la paix.»

Ailleurs, il donne des détails sur les factions qui divisent les états-majors: «Ce n'est que depuis quatre jours que les officiers retournent chez M. de Soubise; jusque-là, il avait dîné seul avec les aides de camp; il y a quatre partis décidés dans l'armée, d'Estrées, de Soubise, de Broglie, de Stainville qui, tous quatre, sont très animés à élever leur parti et à abaisser leur adversaire …»

Et du camp de Krumbach, le 4 août 1762: «Nous ne sommes plus une nation propre à la guerre. Imaginez-vous que je connais plusieurs officiers de grands noms, qui ont déjà été pris trois fois par l'ennemi sans avoir la moindre blessure; il n'y a pas un de nos courtisans qui sache se défendre et ils en font gloire; le moindre goujat de l'armée ennemie vous en prend deux et les fait marcher devant lui à coups de bâton… Je tremble et je suis furieux d'être avec tant de lâches qui sont mes supérieurs de grade et de nom. On a tort en vérité de crier contre nos maréchaux; que peuvent-ils faire avec des troupes qui sont conduites par d'aussi indignes officiers?»

Pour essayer de détourner l'opinion de vérités trop cruelles, on célébra la paix de façon grandiose. Une statue équestre de Louis XV fut ensuite érigée sur l'actuelle place de la Concorde. Elle était entourée de quatre figures symbolisant les vertus. Un matin, on découvrit ces vers placardés sur le socle:

> *Grotesque monument, infâme piédestal:*
> *Les vertus sont à pied et le vice à cheval.*

QUATRIÈME PARTIE

L'EFFACEMENT

1763-1774

I

L'INDÉFINISSABLE

Usé par la vie de cour et par l'inquiétude de perdre le roi, Mme de Pompadour vieillissait prématurément. Elle s'efforçait de déguiser ses malaises de plus en plus graves et fréquents, obstinée à paraître, à briller. Mais à qui faisait-elle illusion, sinon à elle-même? La marquise de Créquy a laissé de la divine Pompadour ce portrait très féminin, je veux dire sans indulgence: «C'était une petite personne assez chétive avec des yeux tirant sur le bleu, mais des plus ternes, des cheveux jaunes environ de la couleur de sa peau, ce qui faisait que le grand deuil (sans poudre, et sans rouge) était un rude écueil pour elle. Les cils de ses paupières étaient exigus, inégaux et rares; elle avait deux marques rouges à la place où il aurait dû se trouver des sourcils; elle avait des dents comme on en peut avoir des morceaux d'ivoire et des fils d'or, moyennant un rouleau de cinquante louis. Elle avait aussi des mains écourtées, ignobles, et ses pieds mal attachés et rabougris, plutôt que mignons, étaient ridiculement tournés au-dehors, à la façon chorégraphique. Enfin cette amante adorée du grand monarque et du plus beau prince de la terre avait toujours l'air souffreteux, la mine afflictive, et le propos languissant.

«Il est à remarquer que Mme de Pompadour prenait la physionomie la plus inquiète et la plus troublée aussitôt qu'elle se trouvait en regard avec une femme de bien, et c'était depuis la Reine Marie de Pologne, jusqu'à sa pomponière, Mlle Sublet...»

On a déjà dit ce qu'il faut penser de l'attitude de la marquise envers Marie Leczinska, et les raisons qu'elle avait de ménager le parti dévot. Ce qu'elle redoutait par-dessus tout, c'était que Louis XV tombât dans les rets de quelque grande dame de l'espèce altière de Mme de Châteauroux. Mais, connaissant les appétits sexuels du roi et ne pouvant, avec ce qu'elle appelait son tempérament «de macreuse»[1], les satisfaire, elle préférait fermer les yeux sur ses aventures galantes et sur ses visites au Parc-aux-Cerfs. Cette petite maison, située dans un quartier discret de la ville de Versailles, et qui n'était rien de plus qu'une «folie», défrayait la chronique, mais il est probable que l'on exagérait beaucoup. Cela permettait aux pamphlétaires de comparer Louis XV à un sultan dans son sérail. Le propos de ce livre n'est point de faire le dénombrement des aimables personnes qui hantèrent le Parc-aux-Cerfs, et dont la plus connue fut Mlle de Romans. Il faut pourtant dire que cette maison était si petite qu'elle ne pouvoir recevoir qu'une pensionnaire à la fois, sous le chaperon d'une austère «gouvernante». On accusait la Pompadour d'être, faute de mieux, l'entremetteuse du roi. Cette anecdote rapportée par Mme du Hausset définit assez bien le rôle qu'il advenait à la marquise de remplir:

«Madame me fit appeler un jour et entrer dans son cabinet où était le roi, qui se promenait d'un air sérieux. «Il faut, me dit-elle, que vous alliez passer quelques jours à l'avenue de Saint-Cloud, dans une maison où je vous ferai conduire; vous trouverez là une jeune personne prête à accoucher.» Le roi ne disait rien, et j'étais muette d'étonnement. «Vous serez la maîtresse de maison, et présiderez, comme la déesse de la fable, à l'accouchement. On a besoin de vous pour que tout se passe suivant la volonté du roi, et secrètement. Vous assisterez au baptême et indiquerez les noms du père et de la mère». Le roi se mit à rire, et lui dit: «Le père est un très honnête homme». Madame ajouta: «Aimé de tout le monde et adoré de tous ceux qui le connaissent.» Madame s'avança vers une petite armoire, et en tira une petite boîte qu'elle ouvrit. Elle en sortit une aigrette de diamants, en disant au roi: «Je n'ai pas voulu, et pour cause, qu'elle fût plus belle – Elle l'est encore trop», et il embrassa Madame en disant: «Que vous êtes bonne!» Elle pleura d'attendrissement, et mettant la main sur le cœur du roi: «C'est là que j'en veux» dit-elle. Les larmes vinrent aussi aux yeux du roi, et je me mis aussi à pleurer, sans trop savoir pourquoi».

1. Variété d'oiseau aquatique, passant alors pour avoir le sang froid.

Certes, c'était au cœur du roi qu'elle en avait, mais aussi à la fraction de pouvoir qu'elle détenait. Louis XV la laissait protéger les artistes, construire et décorer des bâtiments. Il écoutait d'une oreille complaisante les recommandations, qu'elle lui faisait. Elle avait sa petite cour, ses flagorneurs avides de pensions, de charges ou de commandements. Elle pouvait se flatter d'avoir facilité l'ascension de ses amis à plusieurs ministères et provoqué la chute de ses adversaires, tels que Maurepas et d'Argenson. Toutefois, dans quelle mesure Louis XV subissait-il son influence? Les ministres s'usaient vite à son service; il détenait sur chacun d'eux les informations les plus précises, les plus quotidiennes. S'il agréait l'un des amis de la favorite, c'était à titre d'essai: il ne garda que dix-sept mois le cardinal de Bernis qui s'avéra incapable, malgré toute son intelligence, de faire face à ses obligations... Ce qu'il demandait plutôt à Mme de Pompadour, c'était ce que la reine Marie ne pouvait lui donner: une tendresse reposante, une amitié indulgente, l'illusion d'un foyer où il pût se détendre, parler sans défiance, se montrer tel qu'en lui-même, pour quelques instants. L'empire de Mme de Pompadour n'était pas autre chose, mais en raison du caractère de Louis XV, homme d'habitudes, il n'en était que plus durable. Cependant que d'émois dans cette existence que tant de dames de la cour enviaient, tout en feignant le mépris.

«Ma vie est comme celle du chrétien, dit-elle un jour ingénument à Mme du Hausset, un combat perpétuel. Il n'en était pas ainsi des personnes qui avaient su gagner les bonnes grâces de Louis XIV. Mme de La Vallière s'est laissé tromper par Mme de Montespan, mais c'est sa faute, ou pour mieux dire, le produit de sa bonté. Elle était sans soupçon dans les premiers temps, parce qu'elle ne pouvait croire son amie perfide. Mme de Montespan a été ébranlée par Mme de Fontanges, et supplantée par Mme de Maintenon. Mais sa hauteur, ses caprices, avaient aliéné le roi. Elle n'avait pas, au reste, des rivales comme les miennes: mais aussi leur bassesse fait ma sûreté, et je n'ai en général à craindre que des infidélités, et la difficulté de trouver des occasions pour les rendre passagères. Le roi aime le changement, mais aussi il est retenu par l'habitude; il craint les éclats et déteste les intrigantes. La petite maréchale (de Mirepoix) me disait un jour: C'est votre escalier que le roi aime; il est habitué à le monter et à le descendre. Mais s'il trouvait une autre femme à qui il parlerait de sa chasse et de ses affaires, cela lui serait égal au bout de trois jours».

On comprend pourquoi, en dépit de sa mauvaise santé, elle était de tous les «voyages» dans les châteaux royaux et de toutes les fêtes. Souriante, fardée, étincelante de diamants, elle ouvrait l'œil et l'oreille, montant une épuisante garde auprès de l'homme de son cœur dont la double nature était celle d'un fauve et d'un prince.

Le 29 février 1764, se trouvant à Choisy, elle tomba malade. Les médecins diagnostiquèrent «une grosse fluxion de poitrine». En réalité, elle crachait le sang, étant probablement atteinte de tuberculose. Le septième jour de la maladie, une fièvre miliaire se déclara, et, le onzième, une fièvre perdue. Le roi ne quittait guère son chevet. Elle se confessa, fort dévotement. Déjà, les courtisans supputaient les chances de telle ou telle dame à prendre la succession de la moribonde. Celle-ci parut se rétablir. On la transporta à Versailles où peut-être voulait-elle mourir. Ce n'était en effet qu'un mieux passager. Le 13 avril, elle rechuta et les médecins désespérèrent tout de suite de la guérir. Selon le duc de Croy, Louis XV s'était déjà résigné à une séparation qu'il savait prochaine: pour reprendre son expression, «il s'était fait un calus». Dans la nuit du 14 au 15 avril, la marquise reçut les sacrements. Ce fut Louis XV qui lui indiqua lui-même que le moment approchait: il y a là une indication précieuse de son caractère. Après quoi, pour des raisons faciles à saisir, il ne reparut plus dans sa chambre. Alors elle fit appeler son mari, M. d'Etioles, pour lui demander son pardon; il répondit qu'étant malade, il ne pouvait se rendre à Versailles. La marquise suffoquait. Il fallut la lever. Elle mourut dans son fauteuil, courageusement. C'était le dimanche des Rameaux. Lorsqu'on emporta le corps, il était six heures du soir et il faisait un ouragan épouvantable. Louis XV prit par le bras Champlost, son premier valet de chambre, et sortit avec lui sur le balcon dominant la cour. Il suivit des yeux le misérable convoi, jusqu'à ce qu'il disparût au bout de l'avenue de Paris. Quand il rentra dans son cabinet, deux grosses larmes coulaient sur ses joues. Il dit à Champlost:

— Voilà les seuls devoirs que j'aie pu lui rendre!

Mais il s'était tellement exercé à paraître insensible que nul

ne douta de son indifférence. Il n'y eut aucun changement à la
cour, ni au programme des festivités. Les soupers des petits
appartements continuèrent, mais la marquise n'était plus là
pour les animer. Seuls, les amis intimes du roi comprenaient
qu'il s'enfonçait encore un peu plus dans la tristesse. Des intrigantes s'offraient de le distraire, sans la moindre vergogne. Il
détournait la tête avec dégoût. On crut qu'il allait se ranger,
comme avait fait jadis Louis XIV, soit qu'il se rapprochât de la
reine et de ses enfants, soit qu'il fît une fin avec quelque dévote
à la manière de la Maintenon. Mais la reine l'ennuyait. Quant
au dauphin, inconsistant et gras, il jugeait sévèrement la
conduite de son père, et très certainement son manque de talents décevait celui-ci. Il chérissait ses filles, mais, quoiqu'elles
fussent pleines de respect envers lui, il les sentait du parti de
leur mère, comme il est naturel. C'était sa compagne de jeunesse, la solitude, qu'il retrouvait, douloureusement, avec son
cortège de tristesses secrètes, de doutes, d'amertumes. Et cette
solitude tenait à la fois à son état de roi et à lui-même.

Il avait alors cinquante-quatre ans. L'âge n'avait point entamé sa robustesse physique, mais non davantage modifié fonda-
mentalement son caractère introverti. Il redoutait la solitude,
et il la recherchait. Il restait le prince le plus majestueux d'Europe et gardait son visage fascinateur; on l'eût dit né pour
régner, pour présider par destination aux fastes de Versailles,
comme le symbole vivant de la monarchie. Et le fait de paraître
en public, la perpétuelle parade de l'étiquette, lui pesaient
presque intolérablement: d'où cette attitude d'une déconcertante froideur, cette indifférence qu'on lui prêtait et qui faisait
dire que le métier de roi l'ennuyait. Cette vieille bête de Villeroy n'avait su que lui apprendre à «représenter», c'est-à-dire à
se tenir, à marcher, à saluer, à s'exprimer majestueusement;
cette tête creuse de courtisan limitait la fonction royale à son
décorum et à ses symboles. Il n'avait, par ses insipides leçons
de maintien, réussi qu'à dégoûter son élève des cérémonies
officielles. Ce dégoût avait, par la suite, trouvé son aliment
dans la timidité de Louis, qui lui enlevait une partie de ses
moyens quand il était en public, en sorte qu'il s'enfermait dans
son mutisme, ou au contraire prenait un ton bref et cassant.

Mais, puisque l'on tente ici de cerner ce caractère, si souvent
qualifié d'indéchiffrable, d'incompréhensible, faut-il rappeler

que Louis XV n'avait eu pour éducateurs que des étrangers : Mme de Ventadour, le maréchal de Villeroy ? Orphelin à deux ans, il avait grandi sans frères ni sœurs, au milieu de vieillards, à l'ombre du vieux roi, son arrière-grand-père et de Mme de Maintenon, sans guide et sans gaieté. Le régent, son oncle, ne pouvait lui servir de père, ni de modèle. La seule affection qu'il rencontra fut celle du futur cardinal de Fleury. On perçoit combien il est alors sensible, à la recherche de tendresse ! Il croit l'avoir trouvée en la personne de Marie Leczinska ; il la proclame naïvement la plus belle femme de la cour. Est-ce déjà pour s'en persuader ? Lorsque la reine, accablée par dix grossesses successives, le repousse, il se donne une maîtresse presque laide, comme pour se punir. Il rencontre enfin Mme de Pompadour et trouve auprès d'elle une sorte de paix. Elle le tire de ses rêveries, de ses réflexions, de ses soucis. Elle a l'art de le distraire. En réalité, elle le rend à lui-même. Car, dépouillé de la majesté royale, c'est un homme plein de délicatesse et d'esprit ; il aime d'être gai, mais n'y parvient pas toujours ; il sait admirablement conter, mais sans une once de méchanceté ; il est parfois factieux. Dans son intérieur, il est simple et modeste, très bon avec les domestiques. Mme de Pompadour le connaît mieux que personne. Tous ceux qui ont réellement approché le roi, ou qui ont travaillé avec lui, louent son extrême bonté, sa patience, mais aussi sa lucidité et sa justesse d'esprit. Mme de Pompadour sait qu'il est extrêmement intelligent et que sa mémoire est parfaite, mais aussi qu'il doute continuellement de lui-même et, partant, n'ose toujours imposer sa volonté. Le cardinal de Fleury l'a tenu trop longtemps en tutelle. Pour ne pas perdre le pouvoir, l'onctueux vieillard freinait les initiatives de Louis, l'empêchait doucement de prendre des décisions, sans se rendre compte qu'il aggravait en lui le manque de confiance. Le mérite de la Pompadour a été au contraire de stimuler son royal ami, en feignant au besoin l'admiration. Elle savait aussi combien il était appliqué aux affaires, sans qu'il y parût, et quels étaient parfois ses scrupules. Mais encore combien en lui la foi restait exigeante : il gardait une telle notion de péché que, tant que dura leur liaison, il se priva des sacrements pour ne pas les profaner. Cependant il ne doutait pas de la miséricorde divine et tablait sur sa protection de Saint-Louis, son aïeul. Combien aussi il fait foi dans la monarchie de droit divin et dans le caractère surnaturel du sacre de Reims. On le croyait inculte et frivole: il aimait tout ce qui touchait aux sciences et travaillait plus que le Roi-Soleil. Indifférent, et rien ne lui échappait dans les agissements de ses ministres; rien ne lui était plus précieux que d'être aimé par son peuple! Distant, et il savait être le meilleur des maîtres et des amis! Anémié par les plaisirs, mais il était de telle complexion que le service de l'Etat n'en souffrait point! Despote, et sa timidité l'eût, par nature, empêché de l'être, ainsi que son humanité sans apprêt!

Dualité de l'être et du paraître, certes inhérente à toute créature, mais spécialement contrastée en lui. N'ayant point les talents de metteur en scène du Roi-Soleil, il maintint cependant l'étiquette de Versailles et joua son rôle avec ennui: c'était malheureusement pour lui le premier. Aimant sa famille, il courait les maîtresses et fit de la Pompadour sa compagne de dilection. Rempli de talents (intelligence, savoir, sagacité, intuition et courage, sans même parler de sa beauté physique et de sa bonne santé), il doutait de ses capacités et suivait parfois l'avis de gens qui lui étaient inférieurs sur tous les points. Doué d'une foi très vive, avec un sens aigu du péché, il ne pouvait se défendre de l'adultère. Conscient de sa mission, pétri d'intentions louables, animé de la volonté de bien faire, il parvenait mal à se décider, parce que l'immobilisme systématique de Fleury continuait à l'influencer. On ne lui avait que trop appris à ne pas s'émouvoir, à dissimuler, à prendre le temps de la réflexion, à peser les conséquences possibles. Il n'avait de hardiesse que dans le silence du cabinet, au milieu de ses dossiers et de ses notes personnelles. C'est là qu'il réfléchissait efficacement, décidait, agissait en roi, et que l'on peut enfin peut-être percer l'énigme de sa personne!

II

JE VAIS MON CHEMIN

De même qu'il donnait en public l'impression d'être impersonnel, dans son existence quotidienne il n'avait point l'air de s'occuper du gouvernement, si l'on en croit du moins les auteurs de mémoires, tels que le duc de Croy ou Dufort de Cheverny. Mais Croy, quoique honnête homme et militaire exact, était courtisan. Il ne connaissait de Louis XV que le veneur enragé, le roi l'invitant à partager ses parties de chasse; il avait parfois l'honneur de souper dans les petits appartements; le portrait qu'il donne du monarque est celui d'un parfait maître de maison, heureux de bien traiter ses intimes, d'écouter leurs anecdotes et leurs bons mots, d'en conter lui-même. Pour le reste, il ne fait que répéter les propos de cour, variant à peine selon les circonstances et les coteries. Tout ce beau monde perdu d'intrigues jugeait Louis XV à sa ressemblance et l'imaginait plus soucieux de cabales que d'affaires d'Etat. Quant à Dufort de Cheverny, il était introducteur des ambassadeurs et lui aussi n'apercevait que l'extérieur du roi; il est plus nuancé toutefois que de Croy au sujet du travail de son maître; il le montre fréquemment se retirant dans les petits Cabinets, mais il ne sait trop à quoi Louis XV passe son temps. Nombre d'historiens ont fait fond sur ces témoignages et sur les diatribes des philosophes, pour juger le ci-devant Bien-Aimé. Ils ont même parfois repris à leur compte l'atroce, l'injuste portrait qu'a tracé de lui le duc de Choiseul:

«J'avoue que je n'ai pas trouvé le Roi inconcevable, pas plus que je ne trouve inconcevable qu'un morceau de terre entre les mains d'un sculpteur représente ou un héros ou un cochon; ce qu'il y a d'étonnant, c'est que cet amas de boue ait assez d'élasticité pour quitter la main du sculpteur qui le tient et se jeter dans une autre. Je ne l'en jugeais plus capable et je croyais les vices de son caractère, dont le premier est d'aimer le mal pour le mal, assez affaiblis par l'inertie totale de son âme, pour penser qu'avec des précautions et des ménagements pour sa vanité, il ferait du mal par son existence, mais que l'on pourrait parer aux grands inconvénients...»

Ces lignes furent écrites, sous le coup de la colère, Louis XV venant de retirer ses ministères à Choiseul, après l'avoir comblé d'argent et d'honneurs. Mais, oubliant les bienfaits de son maître et son attitude jusqu'ici fort déférente, voire respectueuse, il se donne la vulgarité d'écrire: «Après une étude suivie, dont rien ne m'a jamais distrait, je voyais le Roi, un homme sans âme et sans esprit aimant le mal comme les enfants aiment à faire souffrir les animaux, ayant tous les défauts de l'âme la plus vile et la moins éclairée, mais manquant de force, à l'âge où il était, pour faire éclater ses vices aussi souvent que la nature l'aurait porté à les montrer: par exemple, il aurait, comme Néron, été enchanté de voir brûler Paris de Belle-Vue; mais il n'aurait pas eu le courage d'en donner l'ordre...»

Choiseul, ne doutant de rien, avait crut modeler le roi à son profit. Il ne pardonnait pas à la statue d'avoir échappé au soi-disant sculpteur. Il y a là, pourtant, une notation de premier ordre. C'est que personne ne pouvait en définitive se flatter de modeler Louis XV, ni d'exercer désormais sur lui une influence réelle. L'erreur de Choiseul, et de quelques autres, avait été de méjuger le roi, qui n'était point en définitive «sculpté» mais «sculpteur».

Cependant, comment Choiseul pouvait-il ignorer, ou feindre d'ignorer, l'application de son maître? Depuis l'âge de dix ans, Louis XV assistait au Conseil. A treize ans, il commença de présider les séances; et cela dura jusqu'à ses derniers jours: le dimanche conseil d'En-Haut, le mardi conseil des finances, le mercredi à nouveau conseil d'En-Haut, le samedi conseil des dépêches, sauf réunions extraordinaires nécessitées par les événements. En plus de ce travail collectif, le roi recevait chaque semaine au moins une fois chaque ministre et secrétaire d'Etat. Il se levait plus tard que le Roi-Soleil, mais, aussitôt la messe, il se rendait au conseil, ou travaillait avec les ministres. Il dînait vers deux heures, faisant la conversation, puis se retirait pour travailler à nouveau, jusqu'à neuf heures, où il soupait. Sa principale récréation était la chasse, indispensable à son équilibre physique. S'il était contraint d'y renoncer, il souffrait de goutte et son teint jaunissait.

Toutes les affaires d'importance étaient examinées par les différents conseils, en présence du roi. Il est à peine besoin de dire ce que de telles réunions, à longueur d'année, sans périodes de vacances, pouvaient avoir de fastidieux. Certains des ministres, ou des conseillers, étaient prolixes, ou se jalousaient; parfois les débats s'étiraient interminablement. Louis XV écoutait avec patience. On le croyait trop souvent absent ou distrait et soudain il reprochait aux ministres de battre la campagne, émettait brièvement et clairement son point de vue. Mais il n'aimait point décider sur-le-champ; il fallait raisonner, se montrer convaincant, toutefois sans excès. Il était difficile à servir, d'une défiance extrême, avec des réactions souvent imprévisibles. Il usait ses ministres, avec pourtant une dilection pour ceux qui étaient habiles à le convaincre, bien qu'il ne les crût qu'à demi. Cette habileté avait fait naguère la fortune de Choiseul. Mais ses préférences vraies allaient aux conseillers d'Etat et aux maîtres des requêtes: il les avait choisis et nommés (à vie!); c'étaient ces juristes et ces techniciens, souvent de grande valeur, qui étudiaient les dossiers et rédigeaient les mémoires préparatoires.

Lui-même, contrairement à l'opinion reçue, fut le roi le plus bureaucrate que nous ayons eu! On le découvre dans sa vérité, dans le cabinet de Versailles donnant sur la cour de marbre, assis au bureau-tambour de Liesener, mais, plus encore, dans cet obscur arrière-cabinet, tapissé de dossiers rouges et meublé d'une insignifiante table à écrire. C'est là que, bésicles sur le nez, le Bien-Aimé s'enferme, non comme on l'imagine, pour rêvasser ou trousser quelque cotillon, mais pour lire et corriger les mémoires, consulter ses fiches et ses notes méticuleusement classées et tenues à jour. C'est là qu'il écrit de sa grande écriture racée : des milliers de lettres! Il ne veut point de secrétaire. C'est sa correspondance secrète; elle double la correspondance officielle et, parfois, la contrarie. Un maniaque du secret? Non point, mais il craint l'indiscrétion des ministres, leurs complaisances envers les factions, les confidences sur l'oreiller. Il sait

aussi qu'ils prennent des initiatives sans toujours en référer, et
qui peuvent être inopportunes. Il fait contrôler leurs agissements. Il a réuni sur eux une masse imposante de renseignements. Ils se savent épiés, ou plutôt scrutés par un œil sans
complaisance. Par contre, ses connaissances sont trop élémen-
taires en matière de finance, qu'il s'agisse de l'appareil fiscal
ou du système bancaire, pour qu'il puisse se faire une opinion
de valeur. Au fond, son erreur essentielle a été de croire qu'il
pourrait suffire à une tâche aussi considérable. De même que
son bisaïeul, il n'eut jamais de premier ministre (exception
faite du cardinal de Fleury qui s'était pour ainsi dire désigné
lui-même). Or, la prolifération administrative, la complexité
croissante des mécanismes gouvernementaux ne permettaient
pas à un seul homme de faire face. Un partage était encore plus
nécessaire qu'au temps de Louis XIII et de Richelieu. Si le
Roi-Soleil n'avait pas eu de premier ministre en titre, Colbert
en tenait lieu. Mais Louis XV n'eut pas de Colbert. Mon impression personnelle est qu'il espéra, pendant une grande partie de son règne, le collaborateur capable à la fois de saisir sa
pensée et de partager l'effrayante besogne. Il lui est arrivé
plusieurs fois, de se plaindre de n'être pas secondé et de se
reprocher son «manque de talents» pour assumer seul le pouvoir. D'un autre côté, il décourageait passablement les bonnes
volontés. Non qu'il ne fût d'une courtoisie parfaite et d'une
rare bienveillance, mais il était, par système aussi avare de
compliments que de reproches. En sorte qu'il paraissait indifférent à la conduite des affaires et que la brusquerie de ses décisions, dans les nominations comme dans les congédiements des
ministres, n'était pas comprise: on les interprétait comme des
coups d'humeur ou comme le triste résultat des cabales ou
caprices de Mme de Pompadour. Mais, s'il est vrai que Louis
XV laissait faire la marquise, par trop ardente à pousser ses
amis, il est cependant probable que les suggestions de Mme de
Pompadour corroboraient finalement ses choix personnels. Les
hommes qu'il distingua pour en faire des ministres n'étaient
point seulement des flatteurs, ils avaient de réels talents. L'un
des amis les plus chers et des plus constants soutiens de la
marquise était le duc de Richelieu. Le roi lui-même l'appréciait; il n'en fit jamais un ministre car il l'en jugeait indigne.
Choiseul se perdit lui-même par une assurance excessive, une

confiance en son génie qui humiliait sans doute le timide Louis XV, dévoré de scrupules parce qu'il doutait de lui-même. Il se fût par contre accommodé de l'ambition feutrée d'un nouveau Fleury, dont il gardait une sorte de nostalgie. Il eût voulu un premier ministre de fait, efficace mais réfléchi, au besoin nuancé dans ses suggestions, et qui l'eût amené à décider plus vite. Colbert n'avait pas fait autre chose avec le Roi-Soleil, en l'amenant à choisir celle des solutions qu'il estimait lui-même la meilleure. Pour autant l'accusation portée contre Louis XV de se désintéresser du gouvernement, de laisser faire ses ministres par incapacité et paresse, ne résiste pas à l'examen. Tout au contraire, les séances de Conseil quasi quotidiennes, le travail avec les ministres et secrétaires d'Etat, le faisceau des renseignements qui lui parvenaient, la correspondance secrète, les observations manuscrites des rapports et mémoires qu'on lui soumettait, prouvent surabondamment, que Louis XV fut, directement ou indirectement, maître de sa diplomatie, de son armée, de son administration, de sa justice et, certes à un degré moindre de ses finances. Les renversements d'alliances, les négociations pour la paix, la lutte contre le Parlement indocile sont dus à son initiative; personne ne lui a dicté la conduite à tenir. L'opinion, faute de connaître son travail personnel, attribuait certaines mesures et certaines fautes aux ministres, ou à la coterie de la favorite. Il en était de même des succès. Louis XV laissait dire, persuadé qu'étant le roi, il assumait par principe le bon et le mauvais de son règne. Car, on le répète, cet indéchiffrable, ce voluptueux, cet indifférent que ne semblaient pas concerner les revers de ses armées ou les misères du petit peuple, se faisait du métier de roi une idée presque exemplaire. Il estimait tenir son trône non de son peuple, mais de Dieu. La notion de contrat entre son peuple et lui était absente de son esprit, puisqu'il se considérait de droit divin. C'est envers Dieu qu'il se sentait comptable de ses erreurs, à Lui qu'il avait prêté serment d'être en quelque sorte le père de son peuple, de veiller à son bonheur comme à la rectitude de sa foi, et, comme premier devoir, de lui assurer bonne justice. Il y avait dans une telle conception du pouvoir monarchique plus de devoirs que de droits effectifs. On a vu quel réseau d'exemptions, de privilèges, de cours parisiennes et provinciales, tempérait l'arbitraire du roi. Il n'est point exagéré de dire

qu'ils l'amoindrissaient au point de le paralyser. Louis XV, roi
absolu, conscient de la caducité de plusieurs institutions,
n'avait point réellement les moyens de les supprimer; il était
au surplus trop respectueux de la légalité, bien que, par essence, les lois émanassent de lui. Connaissant parfaitement l'état
du royaume et les problèmes posés par l'évolution sociale, il
rencontrait quasi constamment l'obstacle du traditionalisme le
plus aveugle et le plus égoïste. Par ailleurs bien que partisan
lui-même du progrès, il n'envisageait point l'éventualité d'un
partage du pouvoir avec une assemblée élue: un tel système
eût allégé ses responsabilités, mais il tenait à les assumer pleinement, au risque d'être impopulaire. Méditatif, peu bavard,
il se méfiait du verbiage des idéologues et, tout en admirant le
talent stylistique des philosophes, prenait ceux-ci pour des son-
ges creux. Mais il y avait une contradiction fondamentale entre
le glissement de l'absolutisme vers une monarchie administrative (si l'on veut l'impérialisme bureaucratique) et cette volonté
d'être seul à gouverner. Inéluctablement le public se heurtait
aux gens de bureaux, on déplorait la toute-puissance et regrettait de n'avoir plus qu'un roi nominal. Après avoir été le Bien-
Aimé, Louis XV était devenu, comme il le reconnaissait lui-
même tristement, le Bien-Haï. Sans doute souffrait-il de cette
incompréhension. Il avait pourtant la conviction d'agir de son
mieux, tout en conservant l'exacte notion de ses erreurs. Solitaire par nécessité – mais aussi par timidité –, trop modeste en
ce qu'il doutait de la bonté de son raisonnement, il naviguait
au milieu des écueils, serrant au plus près, comme disent les
marins. S'il marquait les distances, ce n'était que pour s'élever
au-dessus des factions et imposer une autorité qu'il lui était
pénible de traduire en compliments ou en reproches.

«Je vais mon chemin, écrivait-il à Broglie, sans me servir des
petites intrigues et tracasseries.»

Ce qui surprend davantage chez ce prince doué d'une intelligence supérieure, c'est qu'il négligea de jouer au philosophe,
d'encenser les Voltaire, les d'Alembert et leurs amis, comme
le pratiquaient cyniquement Frédéric II et la czarine Catherine
de Russie, tous deux despotes, mais «éclairés»! Mais le roi de
Prusse et Catherine étaient athées, ou vaguement déistes, en
tout cas indifférents aux questions religieuses. Louis XV, en
dépit de ses innombrables adultères, restait un catholique

fervent. Le Roi-Soleil n'avait quant à lui que la foi du charbon-
nier. Louis XV avait approfondi le dogme, d'où ses scrupules
relatifs à la communion. Il ne pouvait s'accommoder des attaques des philosophes contre la religion, même s'il goûtait leurs
mots d'esprit. Ainsi le voyons-nous, en fin de compte, à la fois
intemporel et dans son temps.

III

LA SUPPRESSION DES JÉSUITES

Se targuant d'éduquer politiquement la nation, les philosophes faisaient feu de tout bois ; ils n'en étaient pas à une contradiction près. C'est ainsi qu'ils reprirent à leur compte les implacables sanctions prises à l'encontre des jésuites par le roi du Portugal, Joseph Ier, et par son premier ministre Carvalho. Joseph Ier avait été victime d'une tentative d'assassinat, dont les auteurs étaient les amis de trois Pères jésuites. Ce furent les jésuites qui furent accusés d'avoir inspiré l'attentat, malgré les services qu'ils avaient rendus à la couronne. Ils furent arrêtés, puis expulsés du Portugal. Les trois Pères furent jugés après avoir été abominablement torturés. L'un d'eux, le Père Malagrida, fut remis à l'Inquisition qui le condamna au bûcher malgré son grand âge et sa débilité mentale. Les philosophes, bien qu'ennemis jurés de l'obscurantisme, applaudirent à cet auto-dafé, parce qu'il frappait l'ordre maudit. Ils osèrent insinuer que les jésuites de France avaient peut-être armé le bras de Damiens, comme ils avaient manipulé jadis le moine Clément ! Ils rappelèrent perfidement certaines prédications, tirées des écrits du célèbre Molina et justifiant les crimes d'Etat quand on les perpétrait pour défendre la religion. Le terrain était préparé : les jésuites avaient mauvaise presse. On les accusait de s'être constamment infiltrés dans l'entourage du roi, afin d'exercer une influence politique. En tant que partisans de la bulle Unigenitus, d'être les auteurs des persécutions contre le jansénisme, les destructeurs de Port-Royal et de ce qui restait de la religion réformée. En tant que pédagogues avertis, de former des caractères à leur dévotion, c'est-à-dire de futurs

tartuffes d'autant plus exigeants sur le dogme qu'ils s'accommodaient privément avec l'esprit. Par surcroît, un scandale
éclata en 1760 mettant en pleine lumière leur cupidité.

Un des leurs, le Père Lavalette, gérait un établissement de
commerce à la Martinique. Les Anglais saccagèrent ses magasins. Il fit une banqueroute de trois millions. Procès avec ses
commanditaires et clients, qui étaient de gros négociants mar-
seillais. L'affaire, purement commerciale, fut jugée par le tribunal consulaire. Les jésuites furent condamnés à payer soli-
dairement, puisque aussi bien le Père Lavalette agissait, non
comme une personne physique ordinaire, mais comme représentant de son Ordre. Cette condamnation, parfaitement régu-
lière, fut accueillie dans le public avec une joie indécente. Elle
fournit aux philosophes, pour la circonstance alliés aux jansénistes, une arme redoutable. La maladresse des jésuites fut
alors d'invoquer leurs statuts pour ne point rembourser les
marchands de Marseille malgré la décision du tribunal consulaire. Ils avaient tiré des ressources substantielles de la factore-
rie du Père Lavalette ; il était d'autant plus normal qu'ils payas-
sent ses dettes. En refusant de se déclarer solidaires, ils se
déshonoraient. L'affaire fut portée devant le Parlement, où
l'on sait que les jansénistes et les philosophes comptaient beaucoup d'amis. L'occasion était trop belle pour ces magistrats de
régler leurs comptes. Les jésuites se déclarant irresponsables
des fautes commises par l'un des leurs, les parlementaires four-
rèrent le nez dans les statuts de l'Ordre. Ceux-ci furent estimés
abusifs, et contraires à la législation française, comme tels appelant d'urgentes réformes.

Louis XV comprit fort bien que le Parlement tenait une nouvelle pomme de discorde. Mesurant mieux que quiconque l'influence réelle des jésuites dans le domaine politique, plus encore dans le domaine ecclésiastique, il tenta de «dédramatiser»
l'affaire, autrement dit de gagner du temps. Il n'était pas chaud
de rallumer des querelles religieuses, dont le seul résultat avait
été d'anémier la foi et de nuire à l'Etat. Il fit donc prendre un
arrêt renvoyant à un an l'examen des statuts. Le Parlement,
saisi d'un zèle étrange, se rabatti sur son droit de police ecclésiastique ; il interdit à tout sujet d'entrer dans l'Ordre, et à
celui-ci de poursuivre son enseignement ; il condamna divers
ouvrages au feu. Ensuite, il se consacra à l'étude méthodique,

minutieuse, des statuts, en même temps que le conseil du roi et que les parlements provinciaux. Dans ces derniers, les jansénistes étaient majoritaires et militants. L'animosité de tous ces magistrats était manifeste. Le roi seul pouvait sauver les jésuites d'une condamnation massive. Mais Choiseul prédominait alors au ministère. Peu scrupuleux, fort tiède en matière de religion, il se moquait éperdument du Père Lavalette et des statuts de l'Ordre, mais l'occasion lui parut belle d'apaiser le mécontentement général et de flatter le Parlement. Nous avions perdu la guerre de Sept Ans, sacrifié nos colonies et deux cent mille hommes, aggravé dangereusement la dette de l'Etat. Il était impossible d'alléger la charge fiscale, en dépit des promesses réitérées. Il fallait un bouc émissaire. On jeta les jésuites en pâture à l'opinion. Mme de Pompadour, qui avait essayé naguère de gagner leur appui, mais s'était heurtée à leur intransigeance, ne fit rien pour influencer Louis XV en leur faveur. Le roi se trouvait dans un embarras extrême, partagé entre les nécessités de la politique et son respect pour l'Eglise. La plupart des prélats devaient leur promotion aux jésuites. Les aumôniers de la cour, les confesseurs appartenaient à l'Ordre. Mais, quoi qu'il pensât de leur mérites et de leurs démérites, il devait tenir compte de l'opinion: et celle-ci, habilement orchestrée par les philosophes, demandait leur expulsion du royaume, en invoquant le précédent du Portugal! Approfondissant l'examen de leur cause, il lui fallait admettre aussi que leur ingérence dans les affaires n'avait pas toujours été positive: n'avaient-ils pas été les promoteurs ardents des persécutions contre les hérétiques, les partisans indiscrets de la bulle Unigenitus, les ennemis impitoyables des jansénistes, gênant le pouvoir par leurs outrances de langage et par leurs abus? Ils s'étaient par ailleurs emparés de l'esprit du Dauphin et, sous prétexte de le seconder et de servir la reine, avaient la haute main sur le parti dévot et ne se cachaient point de préparer l'avenir! Or ce que redoutaient nombre d'esprits raisonnables, c'était précisément l'accession au trône du dauphin, équivalant, selon eux, à la prise de pouvoir par les jésuites. Mme du Hausset rapporte ce curieux dialogue entre le marquis de Mirabeau et le docteur Quesnay.

Mirabeau – J'ai trouvé mauvais visage au roi; il vieillit.

Quesnay – Tant pis, mille fois tant pis, ce serait la plus

grande perte pour la France s'il venait à mourir!

Mirabeau – Je ne doute pas que vous n'aimiez le roi, et avec juste raison; je l'aime aussi, mais je ne vous ai jamais vu si passionné.

Quesnay – Je songe à ce qui s'ensuivrait.

Mirabeau – Eh bien! le dauphin est vertueux.

Quesnay – Oui, et plein de bonnes intentions, et il a de l'esprit: mais les cagots auront un empire absolu sur un prince qui les regarde comme des oracles. Les jésuites gouverneront l'Etat, comme sur la fin de Louis XIV...

Pour affiner son opinion, aussi pour ménager le dauphin et le parti dévot, Louis XV nomma une commission écclésiastique, en lui confiant le soin d'examiner l'utilité des jésuites dans le royaume, leurs méthodes d'éducation et leur administration intérieure. Les jésuites n'étaient certes pas en odeur de sainteté auprès de tous les prélats français; étroitement assujettis à l'autorité de leur «général», ils n'avaient que trop souvent invoqué leur règle d'obéissance pour préserver leur autonomie et se soustraire au contrôle des évêques. Néanmoins la commission ne contesta pas les services qu'ils avaient rendus à la religion; elle se contenta de proposer des réformes de détail visant à aligner la règle de l'Ordre sur la législation applicable au clergé français.

Sans attendre ces conclusions, les parlements de Paris et de Province poursuivaient ardemment leur action. Au Parlement de Rennes, La Chalotais ne proposait pas moins que la laïcisation de l'enseignement qui serait devenu monopole d'Etat. A Paris, les collèges jésuites furent fermés. Enfin l'arrêt du 6 août 1762, arguant des abus relevés dans les constitutions de l'Ordre, prononçait sa dissolution, interdisait le port de l'habit et fermait les établissements conventuels. Le Parlement ne s'arrogeait point le droit de juger en matière de théologie; il invoquait simplement son droit de police ecclésiastique, estimant que les jésuites formaient indûment un corps politique indépendant, autrement dit un Etat dans l'Etat. Agissant de la sorte, il mêlait de toute évidence justice et politique et sortait de son rôle. L'opinion applaudit à la chute des «ci-devant soidisant jésuites». Libertins, philosophes et jansénistes (qui se croyaient vengés!) triomphaient lourdement. Avouant les objectifs de son parti, Voltaire écrivait à La Chalotais: «Il faut espérer qu'après avoir purgé la France des jésuites on sentira combien il est honteux d'être soumis à la puissance ridicule qui les a établis». Et d'Alembert était encore plus net, en affirmant «que les parlements croyaient servir la religion par cette mesure, mais qu'ils servaient la raison sans s'en douter; qu'ils étaient les exécuteurs de la haute justice pour la philosophie, dont ils exécutaient les ordres sans le savoir.»

Les parlementaires étaient loin de l'irréligion de Voltaire et de d'Alembert. Beaucoup d'entre eux étaient même restés catholiques. Ils flairèrent le piège dans lequel on les avait fait tomber et crurent se redîmer en déclarant que l'arrêt ne sanctionnait point les membres de l'Ordre, mais l'Ordre lui-même en tant qu'institution illégale. Toutefois, le fameux arrêt, bien qu'il fût d'ores et déjà mis en application, n'avait point force de loi. Il lui manquait l'aval du roi. Louis avait consulté le Saint-Siège sur l'opportunité de modifier les statuts de l'Ordre suivant les vœux de la commission écclésiastique. Le pape opposa une fin de non-recevoir. Le parti dévot n'avait pas désarmé. Un courant d'opinion contraire s'ébauchait en faveur des jésuites, que le dauphin s'obstinait à défendre.

Avant de prendre la décision finale, Louis XV chargea Choiseul de rapporter l'affaire devant le conseil. Le dauphin convoqua Choiseul, et de sa propre initiative, pour tenter de l'influencer. Dufort de Cheverny rapporte leur entretien, dont il garantit l'authenticité:

Le dauphin – Je vous ai envoyé chercher, monsieur, pour savoir quel jour vous rapporterez au conseil l'affaire des jésuites.

Choiseul – J'espère, Monsieur, que ce sera pour après-demain.

Le dauphin – On me l'avait dit. Vous êtes donc tout prêt? Je ne doute pas que vous n'ayez examiné cette affaire dans tous les sens?

Choiseul – J'ai fait de mon mieux.

Le dauphin – Sans vous demander quelles sont vos conclusions, je ne puis m'empêcher de vous assurer que j'y prends le plus grand intérêt.

Choiseul – Reste à savoir comment Monsieur l'entend. Je suis ministre chargé de la confiance du roi, et je ne cacherai pas au fils d'un grand monarque, à l'héritier de la plus belle monarchie, ma façon d'agir et de penser. Mes conclusions, Monsieur, sont toutes contre la société.

Le dauphin – Je vous préviens que je m'y opposerai de tout mon pouvoir.

Choiseul – Quoi! Monsieur leur serait attaché au point de leur sacrifier les intérêts les plus forts?

Le dauphin (avec vivacité) – Oui, Monsieur, et s'il fallait donner la moitié du royaume pour les conserver, j'en ferais le sacrifice.

Choiseul – Quoi, Monsieur, c'est l'homme le plus respectable du royaume, l'héritier d'un trône tel que celui de la France, qui me dévoile ainsi ses préjugés! J'ose vous le dire, Monsieur, dussé-je mériter votre courroux et payer de ma tête par la suite mon audace de vous dire la vérité, voici des preuves; je les soumets à votre excellent jugement...

Choiseul se baissa, prit le bas du justaucorps du dauphin et ajouta:

Choiseul – ... J'en appelle, Monsieur, aux vertus qui ont brillé en vous, à votre prudence, à votre honneur. La résistance qu'un sujet met vis- à-vis du fils de son roi, de celui qui sera un jour roi lui-même, vous fera juger de la conviction où je suis qu'il est nécessaire de confirmer l'arrêt du Parlement. Quoi! c'est Monsieur le Dauphin qui sacrifierait la moitié de son royaume pour conserver le reste à une société qui a fait et ferait encore le malheur de la France! J'en appelle à la postérité et à des temps plus calmes. Que cet Ordre trouve des moyens pour atténuer mes conclusions au conseil, qu'il fournisse des pièces pour sa défense, mais rien ne me fera transiger sur mes devoirs. Je préviens Monsieur puisqu'il m'a ordonné de lui dire mon avis.

Le dauphin n'avait aucun crédit, même auprès de son père. En novembre 1764, Louis XV signa l'édit prononçant que «la société n'existerait plus en France; qu'il serait seulement permis à ceux qui la composaient de vivre en particuliers dans les Etats du roi, sous l'autorité spirituelle des ordinaires du lieu, en se conformant aux lois du royaume».

Les Bourbons de Madrid, de Parme et de Naples reprirent cette décision à leur compte; en 1773, le pape Clément XIV décida l'abolition générale de l'Ordre. Pour autant les jésuites ne disparurent pas. Sécularisés, ils restèrent à la cour, auprès des Grands, dans les écoles. Louis XV n'avait vraiment aucun sens de la publicité! Il venait de sacrifier ses derniers défenseurs devant la postérité. L'hostilité des jésuites s'ajoutant à celle des gens de robe, des jansénistes et des philosophes, quelle «biographie» pouvait-il espérer? Les uns et les autres se repasseraient la plume pour le vilipender.

IV

SÉANCE DE LA FLAGELLATION

La suppression des jésuites refroidit encore les rapports du roi et de son fils. Le dauphin n'aimait ni les femmes, ni la chasse, ni les fêtes, ni la cour; il préférait l'étude et la méditation. On se moquait de lui; on disait que c'était un vrai bigot, parce qu'il se divertissait à imiter les basses-tailles de la chapelle de Versailles. Il détestait les philosophes, ostensiblement, s'entourait de dévots et de religieux, et n'avait avec le roi que des contacts quasi officiels. On nota qu'il ne lui disait pas «Sire», ni «mon père», mais par le moyen de périphrases évitait toute expression nominative. On nota aussi qu'il ne lui répondait que du bout des lèvres, avec un air gêné. Le fait qu'il fût l'ami déclaré des jésuites, le chef involontaire de la faction dévote, l'éloignait un peu plus du roi. Il avait en réalité si peu d'importance que le duc de Richelieu se permit un jour cette plaisanterie. Le dauphin lui ayant demandé de faire son portrait, Richelieu répliqua:

– Les princes sont comme les chats qui font patte de velours, mais la griffe est dessous et paraît vite.

Le dauphin insista:

– Je vais vous obéir, reprit Richelieu; mais je suis vrai et il pourra m'échapper des choses qui déplairont peut-être.

Le dauphin insista encore:

– Puisque M. le dauphin l'ordonne, voici son portrait: quand je vois M. le dauphin, je crois être dans le magasin de l'Opéra. On voit dans le magasin, le costume d'un grand-prêtre, d'un guerrier, d'un philosophe, d'arlequin, d'un berger; et tout cela se trouve dans M. le dauphin.

Ce dernier voulut bien en rire, il était l'indulgence même, sauf en matière de religion. Depuis vingt ans, le pauvre arlequin-grand-prêtre se préparait au métier de roi, et souffrait silencieusement de son inaction. Il ne trouvait de consolation qu'auprès de son épouse, Marie-Josèphe de Saxe, qui lui avait donné huit enfants. Il était fort gros, quoique mal portant. Nul ne soupçonnait qu'il était atteint de tuberculose. L'édit de son père contre les jésuites le jeta dans une mélancolie noire. En juillet 1765, il partit pour Compiègne et fit manœuvrer son régiment, le Royal-Dauphin. Il revint à Versailles avec un gros rhume, mais, bizarrement, refusa de se soigner. Le 13 novembre, il reçut le viatique. La dauphine fut admirable de dévouement et d'intelligence. Nul ne savait que Louis XV s'enfermait pour cacher sa douleur. Il avait faire venir l'illustre Cassini, afin de s'entretenir avec lui de questions d'astronomie, et de s'occuper l'esprit. Une fois de plus on le taxa d'insensibilité. Il avait appelé les meilleurs médecins au chevet de son fils. Ils soignaient le malade avec du sagon, des pilules de leur manière, du bouillon de tortue, sans espoir de le sauver. Le dauphin ne se faisait lui-même aucune illusion; il prévoyait sa fin prochaine. Entre ses quintes de toux, il se préoccupait de l'avenir de ses domestiques, de ses amis, s'excusant de leur donner toute cette peine. Le 20 décembre, il était mort. Le peuple, sur sa bonne réputation, voulut bien le pleurer. Le nouveau dauphin, futur Louis XVI, avait alors onze ans.

Le deuil de la cour n'interrompit pas la lutte acharnée que les parlements menaient contre la couronne. On se contenta d'insinuer que Choiseul avait fait empoisonner le dauphin, parce que l'influence de celui-ci le gênait. On rappelait que, lors de l'affaire des jésuites, Choiseul avait osé déclarer au prince que, «s'il était un jour condamné au malheur d'être son sujet, il n'aurait pas celui de devenir son serviteur», phrase qu'il n'avait point prononcée. Au fond, Choiseul avait sacrifié «la société» aux parlementaires, croyant par là les apaiser et Louis XV l'avait suivi dans cette voie pour les mêmes raisons d'opportunité, non sans regrets d'ailleurs. Mais les jésuites dispersés et leur influence réduite à néant, Messieurs du Parlement, suivis par leurs collègues de province, recommencèrent à chercher querelle au gouvernement. Ce fut en vain que Choiseul enleva le contrôle général des finances à Bertin pour le donner à Laverdy, un parlementaire. Il rencontra les mêmes obstacles quant à l'enregistrement des édits bursaux. L'état des finances restait à la vérité pitoyable ; il avait nécessité la prolongation du second vingtième. Mais Laverdy, prétendant modifier à nouveau l'assiette de cet impôt et améliorer le système des corvées indispensable à l'entretien de la voirie, fut bientôt la cible de l'opposition. On eût dit que le Parlement avait pris à cœur de saboter l'œuvre gouvernementale, sous prétexte de défendre les intérêts du peuple. Son but restait inchangé : contrôler les finances de l'Etat, s'approprier le domaine législatif, les parlementaires s'assimilant, selon une doctrine connue, aux députés anglais des Communes, alors qu'ils n'étaient point les élus du peuple, mais les propriétaires de leurs charges, lesquelles, par surcroît, étaient héréditaires. Il y avait là un contresens absolu, dont le public insuffisamment informé n'avait pas la moindre notion. Mais, à dessein, les philosophes entretenaient les Robes rouges dans cette illusion de représentation nationale. Au clivage inférieur, les parlements provinciaux entravaient au maximum l'action des intendants et «commandants» et de leurs administration.

Parmi ces derniers, le Parlement de Bretagne tint la première place, avec son procureur La Chalotais, encyclopédiste convaincu. Les parlementaires bretons protestèrent contre les corvées, affirmant qu'elles «ruinaient et écrasaient les laboureurs ; que ce genre de travail, toujours onéreux, était devenu insupportable en Bretagne par la multitude des routes ouvertes en même temps, par la précipitation avec laquelle on voulait les perfectionner, par les ordres violents qui arrachaient les paysans à la culture». L'état de la voirie bretonne justifiait l'effort demandé aux paysans. Mais le parlement de Rennes et l'intrépide La Chalotais se moquaient des routes et des chemins ; c'était le duc d'Aiguillon, gouverneur de la province, qu'ils voulaient atteindre et, pour ce faire, tous les moyens semblaient licites. Les Etats de Bretagne firent chorus, dont l'esprit réactionnaire était resté tel que les trois ordres y délibérèrent séparément ! De son côté, le duc d'Aiguillon devait appliquer les ordres de l'administration centrale, notamment en matière fiscale. Le parlement et les Etats s'entendant pour contrecarrer son action, il finit par demander au roi des pouvoirs discrétionnaires, qui lui furent accordés. Les Bretons l'accusèrent de porter atteinte à leurs libertés. La Chalotais s'empressa d'établir que les libertés se fondaient sur l'action de réunion de la Bretagne à la France (au temps de la duchesse Anne, de Charles VIII et de Louis XII!). Il obtint sans peine le vote d'un arrêt portant que, désormais, il ne connaîtrait d'ordres qu'émanant directement du roi. Peu après, les Etats saisirent le parlement de Rennes d'une demande tendant à empêcher la levée d'un nouvel impôt. Le parlement suspendit ses séances et fut mandé à Versailles, le 22 janvier 1765, pour y être admonesté par le roi. A leur retour de Rennes, les parlementaires démissionnèrent massivement, ce qui bloquait le cours de la justice. On les porta en triomphe. N'étaient-ils pas les défenseurs des libertés bretonnes en face du despotisme ministériel?

Choiseul pactisait volontiers avec les parlementaires, au risque d'amoindrir l'autorité royale. Il était d'avis de transiger avec les magistrats de Rennes. Louis XV décida de sévir. La Chalotais, son fils Caradeuc, et trois conseillers (dont deux appartenaient à la famille de Charette, le futur chef vendéen!) furent arrêtés, sous l'inculpation d'avoir suscité des troubles en Bretagne, dénigré les agents royaux et adressé des lettres injurieuses et anonymes à Sa Majesté. La Chalotais était spécialement accusé d'avoir conspiré avec les autres parlements. On perquisitionna à son domicile et l'on trouva des preuves convaincantes de sa culpabilité. Restait à faire le procès! Les accusés furent déférés devant ce qu'il restait du Parlement de Rennes (une douzaine de membres). Les accusés demandèrent à être jugés par le Parlement de Bordeaux. Louis XV déjoua le piège en les transférant à Saint-Malo et en les faisant comparaître devant une commission spéciale, composée de conseillers d'Etats et de maîtres de requêtes. En droit, cette mesure était justifiée puisque toute justice émanait alors du roi. Elle fut pourtant jugée abusive et scandaleuse. Toute la magistrature du royaume prit fait et cause pour La Chalotais et ses comparses. La commission de Saint-Malo fut baptisée «Tribunal postiche». Le Parlement de Paris reprocha au roi d'avoir, arbitrairement enlevé les inculpés à leurs juges naturels. C'en était trop ! Et, quelle que fût l'opinion personnelle de Choiseul sur ce conflit de juridiction, Louis XV se rendit au Parlement le 2 mars 1766. Il y prononça un discours aussi ferme que menaçant, dont quelques extraits suivent; ils traduisent excellemment la position du roi:

«Je n'aurais pas d'autre réponse à faire, déclara-t-il, à tant de remontrances qui m'ont été faites sur ce sujet, si leur réunion, l'indécence du style, la témérité des principes les plus erronés et l'affectation d'expressions nouvelles pour les caractériser manifestaient les conséquences pernicieuses de ce système d'unité que j'ai déjà proscrit...

«Je ne souffrira pas qu'il se forme dans mon royaume une association qui ferait dégénérer en une confédération de résistance le lien naturel des mêmes devoirs et des obligations communes, ni qu'il s'introduise dans la monarchie un corps imaginaire qui ne pourrait qu'en troubler l'harmonie. La magistrature ne forme point un corps ni un ordre séparé des trois ordres du royaume; les magistrats sont mes officiers...»

Ce qui signifiait clairement que Louis XV mettait le holà aux prétentions des parlementaires d'être «l'organe de la nation, les protecteurs et les dépositaires essentiels de la liberté». Qu'il leur refusait, comme non fondé, le prétendu droit «d'opposer une barrière insurmontable aux décisions qu'ils attribuaient à l'autorité arbitraire».

Et, pour dissiper toute équivoque, il précisa encore plus sa pensée, rappela le principe qu'il portait chevillé au cœur et qui était celui-là même de la monarchie française:

«C'est en ma personne seule que réside la puissance souveraine, dont le caractère propre est l'esprit de conseil, de justice et de raison; c'est de moi seul que mes cours tiennent leur existence et leur autorité... C'est à moi seul qu'appartient le pouvoir législatif, sans dépendances et sans partage... Mon peuple n'est qu'un avec moi, et les droits et les intérêts de la nation, dont on ose faire un corps séparé du monarque, sont nécessairement unis avec les miens et ne reposent qu'en mes mains!»

Il conclut en disant que, si les cours s'obstinaient, malgré cet avertissement solennel, à donner le «spectacle scandaleux d'une contradiction rivale de sa puissance souveraine», il userait de tout son pouvoir pour y mettre fin et, surtout, éviter les suites funestes de telles entreprises.

Ce discours provoqua une telle stupeur que la séance du 3 mars fut appelée «la flagellation». Mais après ce coup d'autorité, Choiseul, plus diplomate qu'administrateur, conseilla le retour à la légalité et le tort de Louis XV fut de croire que les Robes rouges n'oseraient plus désobéir. La commission de Saint-Malo fut supprimée. La Chalotais et ses complices furent rendus à leurs juges «naturels». Les parlementaires de Rennes, récusèrent ces derniers. Pour en finir, Louis XV les fit transférer à la Bastille et le Conseil d'Etat fut érigé pour la circonstance en cour criminelle. Puis, voulant éviter un procès politique, Louis XV usa de son pouvoir suprême pour annuler la procédure. La Chalotais et ses amis furent simplement exilés à Saintes, sans avoir été jugés.

Le calme semblait revenu. Le duc d'Aiguillon crut pouvoir assurer pleinement ses fonctions. Mais il commit la maladresse de proposer un nouveau règlement des Etats de Bretagne. Ce fut une levée de boucliers! La province entière s'agita, secrètement travaillée par les magistrats démissionnaires. Choiseul n'aimait pas le duc d'Aiguillon, qui passait pour favorable aux jésuites. Il le sacrifia donc aux parlementaires bretons et le remplaça par le duc de Duras. A nouveau tout rentra dans l'ordre. Les Etats de 1768 demandèrent respectueusement le rappel du Parlement de Rennes, afin de rétablir le cours de la justice. Les magistrats reprirent leurs fonctions en juillet 1769, sauf La Chalotais et ses amis qui furent maintenus en exil. Le duc d'Aiguillon ne pardonna pas son rappel à Choiseul et chercha les moyens de se venger. Fait significatif: le roi le couvrit d'honneurs et lui donna le commandement des chevau-légers de sa garde.

Cependant, à peine réinstallés, les parlementaires de Rennes entamèrent une procédure d'instruction contre d'Aiguillon, sous divers chefs d'inculpation dont le principal était l'arbitraire. Les Etats approuvèrent le Parlement, adressèrent au roi un pathétique plaidoyer:

«Nous avons la propriété de notre honneur, de notre vie et de notre liberté, comme vous avez la propriété de votre couronne. Nous verserions notre sang pour conserver vos droits, mais conservez-nous les nôtres... C'est dans le pur droit naturel que nous trouvons aujourd'hui celui qui fait l'objet de notre réclamation... Sire, la province à vos genoux réclame votre justice.»

Que réclamaient-ils? Rien moins que le retour des factieux, La Chalotais et les autres! Le mémoire fut renvoyé sans suite à ses auteurs.

Simultanément, le Parlement de Rennes, avec l'appui chaleureux de celui de Paris, continuait sa procédure contre le duc d'Aiguillon. Le nouveau chancelier, qui était Augustin de Maupeou, conseilla d'évoquer l'affaire devant la Chambre des pairs. C'était un courtisan subtil et ambitieux. Voulait-il perdre d'Aiguillon ou flatter le roi en discréditant Choiseul? Nul n'était à même de lire dans son jeu. Cependant le fait que Louis XV eût convoqué les pairs à Versailles, était lourd de signification, surtout pour Choiseul qui avait allégrement sacrifié le ci-devant gouverneur de Bretagne. Protestations du Parlement, bataille de procédure! Le 27 juin 1770, Louis XV fut obligé de tenir un lit de justice à Versailles. En son nom, le chancelier Maupeou déclara qu'il ne voyait pas sans indignation une instruction faussée par une partialité révoltante et visant à remettre en cause l'autorité royale. En conséquence, usant à nouveau du pouvoir suprême, il annulait toute procédure et défendait au Parlement de poursuivre d'Aiguillon.

Le 2 juillet, ivres de fureur, les parlementairens suspendirent le duc de sa pairie, jusqu'à ce qu'un procès mené en bonne et due forme eût lavé son honneur des inculpations qui le frappaient: et dont la principale, sinon l'unique, était d'avoir vraisemblablement suborné des témoins dans l'affaire La Chalotais. L'arrêt, encore qu'il fut aussitôt cassé par le Conseil d'Etat, fut tiré à dix mille exemplaires et largement diffusé. Un vent de Fronde soufflait sur Paris, gagnait les provinces, dont les parlementaires respectifs entretenaient l'agitation. On murmurait à la cour que Choiseul appuyait secrètement l'action des magistrats. Ces manœuvres exaspérèrent Louis XV, au surplus parfaitement conscient du péril. Le 2 septembre, accompagné de Maupeou, il se rendit au Parlement et fit enlever des registres, en sa présence, toutes les pièces relatives au procès d'Aiguillon. Il était clair que cette épreuve de force, épuisante pour le roi et ses ministres, ne pourrait se prolonger indéfiniment. Ou bien le pouvoir abdiquerait, ou bien les Parlements seraient abolis. Dans l'un et l'autre cas, on pouvait prévoir le pire. On conviendra qu'en 1770 la conjoncture était infiniment plus favorable à une révolution qu'en 1789.

V

LE MINISTÈRE CHOISEUL

Eblouissante ascension que celle de ce soldat-diplomate, qui sut assez habilement faire sa cour à la divine Pompadour, pour conquérir le pouvoir. Quand, en 1758, il était revenu de son ambassade à Rome pour prendre le département des affaires étrangères, on le vit en quelques mois accumuler les promotions et les faveurs: lieutenant-général, gouverneur de Touraine, surintendant des postes (pour assumer le contrôle des lettres et par là, surveiller l'opinion), duc et pair, colonel-général des Suisses et des Grisons. Par la suite, il partagea avec son cousin Choiseul-Praslin trois ministères: les affaires étrangères, la guerre et la marine. Puis il fut décoré de la Toison d'or et continua d'accumuler les prébendes, en sorte qu'il jouissait d'environ 800.000 livres de revenus. Principal négociateur du traité de Paris, il se vantait d'avoir «joué» les Anglais, parce qu'il avait sauvé de notre débâcle coloniale les îles à sucre et les comptoirs de l'Inde. Pendant douze ans, il avait été, sinon le premier ministre, puisque Louix XV s'était fait une règle de n'en point avoir, du moins le ministre prépondérant. Ce fut, en dernière analyse, une période d'expansion économique et même de prospérité, mais aussi d'abaissement de l'autorité royale. Maniant le bluff avec dextérité, sachant choisir ses amis dans les milieux utiles, il s'était taillé la réputation d'être un grand homme d'Etat. Sa chute retentissante le grandit encore aux yeux de l'opinion, qui en fit une victime. En réalité, Choiseul n'était victime que de lui-même.

Il avait une intelligence très vive, trop peut-être, car elle le dispensait de la réflexion, et il agissait alors sous l'impulsion du moment. Il était persuadé d'avoir du génie et ses qualités, sans doute éminentes, étaient gâtées par une confiance excessive, par une hautainerie à peine tempérée par l'éducation et qui souffrait rarement la contradiction. Avec cela vaniteux et prodigue, ne se souciant pas plus de son budget personnel que de celui de l'Etat, augmentant ses bureaux, non par besoin d'efficacité, mais par esprit de domination! On le croyait profond, on lui supposait un plan soigneusement élaboré, et il gouvernait au jour le jour, ou plutôt il adaptait son gouvernement à l'opinion et n'hésitait point, comme on l'a vu, à sacrifier ses créatures. Il avait, mieux que Louis XV, compris la nouvelle puissance de l'opinion. Il était l'ami des gens de lettres, des encyclopédistes, des économistes, des philosophes, bref de tout ce qui tenait bureau d'esprit. On le disait aussi bienveillant aux jansénistes et secrètement favorable aux parlementaires. Mais il n'était l'ami de personne, sauf de son ambition. Croyant servir loyalement le roi, il le conduisait peu à peu à une impasse où la monarchie risquait de se perdre. Il fut en effet grandement responsable du triomphe des Robes rouges. Il crut amadouer les magistrats en leur jetant les jésuites en pâture. Il leur permettait, sans le moindre scrupule, de commettre des iniquités dommageables pour le pouvoir. Qu'on en juge! Ces parlementaires qui appartenaient au Siècle des Lumières et prétendaient être à la pointe du progrès social et politique condamnèrent pendant le ministère de Choiseul, le pasteur Rochette, trois gentilshommes verriers et Jean Calas, pour crime de protestantisme, à la peine capitale : tout le monde connaît l'affaire Calas et le plaidoyer de Voltaire. En 1766, ils condamnèrent aussi le chevalier de La Barre à être brûlé pour sacrilège, sur la foi de ragots improuvés et, le malheureux Lally-Tollendal présumé coupable d'avoir provoqué la perte de l'Inde. De même, Choiseul avait laissé se développer l'affaire du Parlement breton et de La Chalotais. Constamment, il donne une impression de légèreté, sinon de perfidie. Il laisse, sans s'émouvoir, la situation se dégrader, en faisant fond sur son imagination fertile en expédients, assuré de tirer toujours son épingle du jeu, et dédaignant l'avenir. De même encore sacrifia-t-il le duc d'Aiguillon à La Chalotais, sans comprendre que c'était l'autorité du roi qu'il offrait en proie à la magistrature. Cependant Louis XV eut longtemps confiance en lui. L'assurance imperturbable de

Choiseul compensait son inquiétude et ses scrupules, emportant ses hésitations. Au surplus il partageait la plupart de ses vues sur quantité de problèmes, notamment dans le domaine extérieur, plus encore dans la volonté de redressement du royaume. Enfin, dans la lutte épuisante que le pouvoir devait mener contre la magistrature, pour survivre, l'habileté cynique de Choiseul était positive. Mais l'erreur de ce dernier fut de croire qu'il pouvait berner le roi et passer les bornes. Comme beaucoup de ses semblables, la réussite le grisait; il se croyait irremplaçable. Or Louis XV ne le gardait que parce qu'il était temporairement le meilleur, mais il ne cessait de l'observer et, sans qu'il y parût, le tenait en lisière. Peut-être, selon son penchant, croyait-il qu'avec le temps Choiseul se corrigerait. Mais Choiseul était de ces caractères que l'expérience, les échecs eux-mêmes, exacerbent au lieu de les rectifier. Ce qui le perdit, en fin de compte, ce fut moins son hostilité à la nouvelle favorite, la comtesse du Barry, que des fautes politiques lourdes de conséquences, à l'intérieur comme à l'extérieur.

Il ne sut pas plus comprendre l'importance de l'affaire polonaise qu'il n'avait su jauger l'ambition réelle des Parlements. A la mort d'Auguste III de Saxe, roi de Pologne, il trouva plus simple de laisser les Russes et les Prussiens envahir ce malheureux pays et contraindre la Diète à élire Poniatowski, créature de la czarine. C'était en 1764. Les puissances occidentales n'ayant point bronché, la czarine resserra son alliance avec Frédéric II. Ils étaient tous les deux grands admirateurs de Voltaire et des Encyclopédistes, amis déclarés de l'humanité et impitoyables despotes! Ils parlaient donc le même langage! Les pauvres Polonais, poussés à bout par les exactions des troupes étrangères, résolurent de détrôner Poniatowski. Ils prêchèrent la guerre sainte. Leur chef, Krasinski, vint à Versailles implorer le secours de la France. Choiseul promit quelque argent. Pour augmenter l'embarras des Russes, il incita la Turquie à leur déclarer la guerre. Double erreur de sa part: la Turquie était en décadence et l'insurrection polonaise manquait de moyens. Les rebelles furent écrasés par les Cosaques et la Turquie subit une défaite cuisante. La Pologne était cependant indispensable à l'équilibre européen.

Au fond tout ce qui importait à Choiseul, c'était l'alliance avec l'Autriche et le pacte de famille avec les Bourbons. Son seul objectif, de préserver la paix pendant quelques années, afin de prendre sur l'Angleterre une revanche décisive, d'ailleurs réclamée par l'opinion. Détail symptomatique : on lit dans les mémoires du duc de Croy que la pièce de Belloy, «le Siège de Calais», faisait fureur à Paris, que les habitants de Calais placèrent le portrait de l'auteur à l'hôtel de ville et lui envoyèrent un diplôme de citoyenneté dans une boîte en or. Pendant deux mois, le théâtre joua à guichets fermés. Les comédiens, dont Mlle Clairon donnèrent une représentation gratuite qui fut un triomphe.

Avant même la signature du traité de Paris, Choiseul avait fait adopter par Louis XV un plan de réforme de l'armée. Il fixa l'effectif à 160.000 hommes en temps de paix, chiffre qui fut jugé insuffisant par les militaires et que l'on chercha à compenser par la création d'une réserve de trente et un régiments, un par province. Il remania le recrutement, la hiérarchie et l'avancement. Les soldats de carrière reçurent le droit de se retirer avec solde entière après vingt-quatre ans de service. Les règles de la discipline furent étendues aux officiers. On leur retira tout moyen de spéculer sur les vivres et les fournitures, en augmentant d'autant les attributions des bureaux. Le général de Gribeauval fut chargé de réformer l'artillerie. L'effort principal fut porté sur la marine. Un vaste programme de construction fut mis en œuvre dans les arsenaux. Les règlements, le recrutement, l'avancement les appointements des équipages furent actualisés. On créa de nouvelles écoles pour les officiers et la maistrance. Partout, on introduisait le principe d'uniformité cher à Choiseul. En 1770, nous comptions soixante-dix vaisseaux de ligne et cinquante frégates. Ces transformations ne s'opéraient pas sans critiques. Il fallait pourtant se rendre à l'évidence : la France était en train de redevenir une puissance et les Anglais recommençaient à s'agiter.

Pitt accusa Choiseul de fomenter des émeutes aux Indes et au Canada. Rien ne permet de cautionner ces insinuations. Par contre, il est certain que, dès 1763, Louis XV faisait établir le relevé des côtes anglaises par un ingénieur et qu'il avait chargé plusieurs agents de missions secrètes à Londres, parmi lesquels le célèbre chevalier d'Eon.

Choiseul voulait sincèrement que le royaume redevînt aussi fort qu'avant la guerre de Sept Ans. Il crut réparer la perte du

Canada en créant une France équinoxiale à la Guyane. Mais, insuffisamment informé du climat, il occasionna involontairement la mort de dix mille colons transportés d'Alsace. Une tentative semblable eut lieu à l'île Sainte-Lucie et connut le même échec. Choiseul se laissait volontiers séduire par les projets chimériques.

Dans le souci de conserver sa réputation, il ne cessait pourtant de réfléchir au moyen de compenser la perte du Canada. Il jeta les yeux sur la Corse. La grande île appartenait alors aux Génois, qui l'exploitaient sans ménagement. Depuis 1729, les Corses étaient en état de révolte quasi permanente. Incapables de rétablir l'ordre par eux-mêmes, les Génois avaient sollicité l'aide militaire de l'Autriche, puis, à diverses reprises d'ailleurs, de la France. En 1764, ils avaient dû remettre quatre places de sûreté aux Français et la perception provisoire des droits de souveraineté. Choiseul proposa de rendre cette possession définitive. «Je puis, écrivait-il au roi, avancer que la Corse est plus utile de toutes manières à la France, que ne l'était ou que l'aurait été le Canada». Un ouvrage parut, sous son inspiration, vantant les charmes et les ressources de l'île, montrant qu'à l'exception des pelleteries, elle offrait toutes les richesses du Canada, sans l'inconvénient des Peaux-Rouges. Louis XV était réticent ; il redoutait une guerre avec l'Angleterre, car il comprenait parfaitement l'intérêt stratégique de cette île, mais il estimait à juste raison que nous n'étions pas prêts. Il considéra toutefois que la possesion de la Corse faciliterait nos échanges commerciaux avec l'Italie et l'Orient. Le 15 mai 1768, le traité d'achat fut signé avec la république de Gênes.

Les Corses avaient envoyé une députation à Versailles. Ils voulaient jouir de la liberté, tout en reconnaissant la suzeraineté de la France et en payant tribut à Louis XV. En août, le gouvernement Chavelin débarqua avec vingt-trois bataillons. Le général Paoli, chef du suprême conseil d'Etat du royaume de Corse, en appela à l'Europe. Il déclarait solennellement que les insulaires formaient une nation distincte et qu'à ce titre Louis XV aurait dû les consulter avant de prononcer la réunion à la France. Mais Paoli n'intéressa que les Anglais, comme il fallait s'y attendre. Militaire avisé connaissant à fond la topographie de son île, il organisa la guérilla contre les Français. Dans un engagement, il tua même mille hommes à Chauvelin.

Il espérait par là gagner du temps et recevoir les renforts promis par l'Angleterre. En France, la publicité avait été si bien faite que l'opinion se déclarait unanime en faveur de l'annexion. Pourtant qui pouvait croire que la Corse équivalait à l'immense et fertile Canada? Les victoires de Paoli, le bellicisme exacerbé de ses volontaires, montraient, une fois de plus, que Choiseul s'était trompé sur les pronostics. Louis XV fut le premier à s'en émouvoir, et d'autant que l'Angleterre ne dissimulait pas son irritation et interprétait cette annexion comme un défi. Mais il ne pouvait sans perdre la face négocier avec Paoli et retirer les troupes occupantes. Peut-être y eût-il consenti, si le chef des rebelles n'avait pas traité avec les Anglais, c'est-à-dire les adversaires les plus constants et les plus redoutables de la France. L'opposition, toujours acharnée à nuire et à discréditer, répandit que la conquête de la Corse coûterait deux cents millions, plus qu'elle ne valait, cette île étant inculte. Louis XV porta l'effectif français à cinquante bataillons placés sous les ordres du général de Vaux. En deux mois la résistance fut balayée. Paoli se réfugia en Angleterre. Pitt ne lui avait envoyé que de maigres subsides et quelques caisses de fusils! Choiseul se donna l'honneur d'avoir parachevé la conquête; il se vanta même d'avoir endormi les Anglais. Louis XV laissa dire, selon sa méthode mais il inscrivit l'affaire au passif de Choiseul, bien qu'il en partageât la responsabilité. Il devenait clair que l'assurance exagérée du ministre, et sa légèreté accrue en proportion de ses échecs, risquaient à brève échéance d'exposer le royaume à de graves périls.

En dépit de son caractère présomptueux, Choiseul perçut un changement dans ses rapports avec le roi. Il s'interrogeait sur les intentions voilées du chancelier de Maupeou à son égard. L'abbé Terray, qui lui devait pourtant sa nomination de contrôleur-général, ne cessait de lui refuser des crédits, ni de jeter le doute sur sa gestion. Choiseul paya d'audace. Il établit un bilan très clair de ses activités dans les trois ministères. Louix XV sembla convaincu, mais Choiseul connaissait la puissance de dissimulation de son maître. Toutefois, comparant ses mérites et ses services à ceux des autres ministres, il avait la candeur de croire que nul d'entre eux n'était apte à lui succéder. Il ne méconnaissait pas le nombre et la force de ses ennemis, mais il se disait qu'on ne dirige pas trois ministères sans s'attirer de solides inimitiés. Lorsque la comtesse du Barry parut à la cour, il se trompa à nouveau en estimant qu'elle ne serait qu'une étoile filante. Il ne comprit pas, malgré ses expériences innombrables et sa connaissance des hommes, que les dernières amours sont les plus tenaces, car elles sont l'ultime clarté du crépuscule. Méprisant les courtisans, il ne prévit pas davantage qu'ils flagorneraient la du Barry comme ils l'avaient fait de la Pompadour. Cette erreur contribua à sa perte ; elle n'en fut pas la cause essentielle.

Il crut soudain soustraire le roi à la nouvelle favorite, en le mariant à une archiduchesse autrichienne. Louis XV semblait disposé à faire une fin, car, se connaissant bien, il avouait que «le beau sexe autrement le troublerait toujours». Mais l'archiduchesse lui déplut. Choiseul se rejeta alors sur le mariage du dauphin, alors âgé de seize ans. Il espérait par ce moyen gagner l'appui de la famille royale et, à tout hasard, préparer l'avenir. C'était aussi resserrer les liens avec la Maison d'Autriche. La négociation, habilement conduite, aboutit au mariage du futur Louis XVI avec Marie-Antoinette, la plus jeune des filles de l'impératrice Marie-Thérèse. La réception de la nouvelle dauphine, les festivités du mariage, le luxe extravagant des parures et des carrosses, les feux d'artifice, ne coûtèrent pas moins de vingt millions. On se flattait par là de relever le prestige de la monarchie. Par malheur, en plusieurs provinces, la récolte avait été mauvaise ; le prix du pain avait augmenté et les philosophes se déclaraient hostiles à l'Autrichienne : constamment le passé resurgissait dans ces esprits cependant tournés vers le progrès ! Par surcroît au moment où l'on allait tirer le feu d'artifice de la place Louis XV, un incendie détruisit les charpentes et provoqua une panique telle que, place Royale, douze cents personnes furent étouffées ou écrasées. Funeste présage !

Ce mariage ne sauva pas Choiseul de la disgrâce. Déjà, ce qu'on appellera «le triumvirat» (Maupeou, Terray et le duc d'Aiguillon) faisait le siège du roi. Ils insinuaient que Choiseul avait secrètement inspiré les pamphlets et les chansons contre la du Barry ; que sa sœur, l'intrigante duchesse de Gramont, entretenait des relations étroites avec les parlementaires les plus influents. Mais Louis XV hésitait à se débarrasser de cet homme-protée ; il n'ignorait aucun de ses défauts, mais il savait que, sous ses dehors frivoles, Choiseul cachait la volonté de servir. Cependant, si louables que fussent ses intentions, on ne pouvait douter qu'il n'eût en fin de compte avili le pouvoir royal et le prestige français à l'étranger. Pour autant, le roi n'ignorait pas les extrêmes difficultés que son ministre avait surmontées. En outre il était resté homme d'habitude. Il appréhendait de changer d'interlocuteur...

Choiseul commit une ultime faute en essayant d'entraîner la France dans une guerre contre l'Angleterre, peut-être pour garder le pouvoir ! Il prétendait soutenir les Espagnols en conflit avec les Anglais au sujet des îles Falkland (l'archipel des Malouines). Le Trésor était vide et la lutte contre les Parlements battait son plein. Pour éviter un conflit qu'il était incapable de soutenir, Louis XV sacrifia Choiseul, non sans regrets, contrairement à ce qu'affirma ce dernier.

Le 24 décembre 1770, Choiseul se retira, sur ordre, dans son château de Chanteloup. Il se prétendit victime de la du Barry. L'opposition l'encensa, comme le défenseur des idées libérales.

«Sa disgrâce, écrivait Besenval, a été le plus beau moment de sa vie, parce que dans cette lutte jamais son caractère ne s'est démenti, qu'il ne s'est pas permis la moindre démarche contraire à l'honneur, à la délicatesse, et qu'enfin sa chute a été celle du parti de l'honnêteté dont il était le chef.» Mais où était l'honnêteté d'un ministre prodigue des deniers publics, travestissant ses improvisations en programme mûrement élaboré et arrachant à son maître des capitulations dont les conséquences proches ou lointaines lui paraissaient négligeables?

Chanteloup devint le foyer d'une opposition larvée, d'une Fronde intellectuelle et mondaine. Les courtisans eux-mêmes demandaient au roi la permission de s'y rendre. La nouvelle idole tenait table ouverte et se ruinait gaiement. Elle fit élever, sous le nom de «pagode chinoise», un temple à l'amitié, tout ce qui subsiste aujourd'hui du magnifique château.

LA COMTESSE DU BARRY

Louis XV se survivait. Les deuils successifs s'ajoutant aux préoccupations du pouvoir aggravaient ses penchants à la tristesse. Le règne finissait – un des plus longs de notre histoire – sur une impression d'échec. Louis pouvait se demander s'il laisserait à son successeur une autorité intacte, identique à celle que lui avaient léguée ses aïeux. Tout autour de lui se défaisait et les souvenirs eux-mêmes perdaient de leur acuité. Des dix enfants que lui avait donnés la reine Marie Leczinska, cinq étaient morts prématurément: Marie-Louise, infante d'Espagne, en 1759, sa jumelle, Anne-Henriette, en 1752; Louise-Marie, en 1733, ainsi que Philippe, le petit duc d'Anjou, âgé de trois ans; Thérèse-Félicité, en 1744. En 1765, Louis, dauphin de France, avait été emporté par la tuberculose, et la dauphine, en 1767, succombait au même mal. L'année suivante, le 24 juin 1768, la reine Marie Leczinska mourut d'une tumeur scorbutique. Louis XV la pleura pendant quelques semaines, regrettant son indulgente bonté et sentant le poids de ses fautes envers elle. «Cette princesse, écrivait le duc de Croy, qui n'avait jamais fait que le bien, méritait le respect de la nation; la bonté de son caractère se peignait sur sa physionomie qui était des plus gracieuses». Mme de Pompadour, qui avait tant fait souffrir Marie, en dépit de ses prévenances et de son humilité de façade, était morte depuis trois ans. Louis XV déclarait au roi de Danemark en visite à Paris:

– J'ai fait de grandes pertes; mon fils le Dauphin, sa femme, la reine, mes filles aînées; je vieillis et par mon âge je serais le père de la moitié de mes sujets; par mon affection je le suis de tous.

Des quatre enfants qui lui restaient de la reine, l'aînée était désormais la princesse Marie-Adélaïde, née en 1732, femme de caractère, qui tenta, par ambition politique, de s'insinuer dans les affaires et combattit Choiseul auprès du roi. Elle dominait, et dirigeait dans le même sens ses cadettes, Victoire-Louise et Sophie-Philippine, mais non la princesse Louise-Marie, dernière née, que sa dévotion devait conduire au Carmel.

Cinq enfants survivaient du mariage du dauphin: le duc du Berry (futur Louis XVI et qui avait pris le titre delphinal à la mort de son père) né en 1754, le comte de Provence (futur Louis XVIII) né en 1755, le comte d'Artois (futur Charles X) né en 1757, Marie-Adélaïde-Clotilde (future reine de Sardaigne) née en 1759 et Elisabeth, dite Madame Elisabeth, née en 1764 et qui sera guillotinée en 1794.

Louis XV s'était à nouveau rapproché de sa famille. Il faisait un réel effort pour remplir son rôle de père et de grand-père. Se préoccupant de l'éducation de ses petits-fils et se divertissant de leurs jeux. Mais ce fut en vain qu'il essaya d'influencer le futur Louis XVI, appelé dans si peu d'années à lui succéder. Le nouveau dauphin tenait de son père le sérieux et la dévotion. Il aimait comme lui une existence paisible, détestait la vie de cour et les cérémonies publiques, fuyant les devoirs de son rang, répondant avec brusquerie, par timidité, aux compliments. Rien ne pouvait avoir raison de sa gaucherie ni de sa lourdeur physique. Le pauvre prince était né pour faire un bon époux, un bon père de famille et un petit bourgeois, avec le bricolage pour violon d'Ingres, et non pour être roi. Il ne tenait rien de son grand-père: ni la majesté, ni l'élégance, ni la courtoisie et encore moins la diplomatie pour ainsi dire instinctive. Tout au plus avaient-ils en commun la passion de la chasse. Les caractères du comte de Provence et du comte d'Artois se dessinaient différemment: le premier quelque peu sournois mais intelligent et fin, le second impulsif et volontaire. On racontait que le comte d'Artois ayant demandé de quelle manière Louis XIV avait acquis la Franche-Comté, son maître de géographie lui répondit: «Par droit de conquête». Une heure après, les trois princes se trouvaient à table. On donna une belle pêche au dauphin. Pendant qu'il parlait à son frère de Provence, Artois lui souffla la pêche. Le gouverneur le réprimanda:

– Monseigneur, cette pêche n'est point à vous!

– Pardonnez-moi, Monsieur, elle l'est par droit de conquête.

Mais, si plaisante que fût la compagnie de ses petits-enfants, si chaleureuse que fût l'affection de Marie-Adélaïde et de ses sœurs, Louis XV souffrait de solitude. Les amours de passage ne lui procuraient qu'un soulagement éphémère. Une compagne lui manquait et il se sentait d'autant plus libre qu'il n'avait plus à craindre d'offenser la reine.

Ce fut alors qu'intervint à nouveau Richelieu. Le vieux roué, qui ne croyait ni à Dieu ni au Diable, aimait décidément jouer les pourvoyeurs. Il jeta son dévolu sur une beauté qui se nommait Jeanne Bécu, ou plutôt Gomard, ou encore Vaubernier, avant d'être Mme du Barry, et la poussa dans les bras du roi. Elle parut la première fois à Compiègne, et les courtisans n'eurent aucune peine à identifier la dame qui passait les nuits avec le roi.

Elle était née à Vaucouleurs, en 1743, fille bâtarde d'Anne Bécu, dite Quantigny et d'un picpus (tiercelin de Saint-François) nommé Gomard, prétendument de Vaubernier. Anne Bécu s'installa à Paris, où elle épousa un petit commis aux Aides. Sa fille Jeanne entra en apprentissage chez une modiste de la rue Sainte-Honoré puis fréquenta deux maisons accueillantes avant de voler de ses propres ailes (sans jeu de mots!) sous le sobriquet de l'Ange. Elle avait un visage d'un ovale très pur, de grands yeux bleus demi-clos, faussement rêveurs, une ample chevelure d'un brun doré, un air d'ingénuité suave, un corps élégant et fin aux seins admirables, tous les attraits d'un fruit offert. Elle était rieuse, gazouillante, pépiante et zézayante comme un oiseau, mais aussi voluptueuse, amorale et prodigue. Ses joues avaient une fraîcheur de pétale; elles étaient si roses qu'elle n'usait point de fard: la nature l'avait comblée. Sans être à proprement parler une «fille du monde annotée», ni même une «fille à partie», c'est-à-dire une coureuse de passades, elle avait mené la carrière la plus galante, prenant ses amants au hasard des rencontres: du mousquetaire au cuisinier, de l'abbé au colonel ou au financier. Ce fut ainsi qu'elle se lia avec Jean-Baptiste du Barry, se disant marquis et avocat, mais ruiné par la débauche et surnommé «le roué». Il s'occupait vaguement de fournitures militaires, mais sa principale activité était celle de «brocanteur de femmes». Il vit immédiatement le parti qu'il pourrait tirer des charmes de Jeanne Bécu,

alias Gomard de Vaubernier. Il l'éduqua, lui apprit les bonnes
manières et, tenant cercle de débauche, il attirait chez lui des
amants à ruiner. Lebel, pourvoyeur ordinaire de Louis XV,
entendit parler de cette perle. Richelieu, comme on a dit, prit
les choses en main. Toutefois le patronyme de Jeanne, même
augmenté de Vaubernier, sentait par trop la roture. Jean-Baptiste du Barry l'eût volontiers épousée, mais il était marié. Il la
maria donc à l'un de ses frères, Guillaume du Barry, brave
soldat, mais, comme son aîné, perdu de débauche et qui entra
sans hésiter dans la fructueuse combinaison. Désormais Jeanne
avait un nom apparemment honorable, un titre (plus ou moins
fictif), un blason et une livrée; elle pouvait se présenter à la
cour sans provoquer de scandale. Le roi s'éprit de cette jeunesse facile et savoureuse; il était enchanté des services de
Jeanne experte à réveiller les désirs assoupis. Comme il en
faisait confidence à Noailles il s'attira cette réponse d'un goût
douteux:

– C'est que Votre Majesté n'est jamais allée chez les filles!
Et comme, de plus en plus épris, le roi s'inquiétait de ses prédécesseurs:

– On dit que je succède à Sainte-Foix?

– Oui, Sire, répondit ironiquement le même Noailles, comme Votre Majesté succède à Pharamond.

Cependant les courtisans n'attachaient pas plus d'importance à la du Barry qu'aux passantes du Parc-aux-Cerfs. Ils ne
croyaient pas que le roi s'encanaillerait à ce point. Pourtant,
après le voyage de Compiègne, la prétendue comtesse reparut
à Fontainebleau. Louis XV perçut la désapprobation dont il
était l'objet. Son ami Richelieu l'engageait à passer outre.
Choiseul cherchait au contraire à l'en dissuader. Louis XV lui
écrivit: «Elle est jolie, elle me plaît; cela doit suffire. Veut-on
que je prenne une fille de condition? Si l'Archiduchesse était
telle que je la désirerais, je la prendrais pour femme avec grand
plaisir...»

Un accident de chasse, au cours duquel il faillit se casser un
bras, retarda la présentation à la cour. A vrai dire Louis XV se
demandait si les princesses, ses filles n'occasionneraient pas
quelque scandale. Le gouverneur des Enfants de France, le
duc de La Vauguyon (qui appartenait au parti dévot), se chargea de les chapitrer. Mme de Béarn – de l'illustre Maison des

Galard-Béarn aux origines quasi mérovingiennes – accepta de présenter la favorite, selon les usages. Mme du Barry, merveilleuse de grâce et de naturel, fit ses révérences à la perfection; Les courtisans ne purent s'empêcher d'admirer: l'étiquette leur tenait lieu de cœur, de morale et de religion! Le lendemain Jeanne parut dans la chapelle de Versailles et occupa la place de feue la marquise de Pompadour. Elle était désormais sacrée «reine du lit», ou plutôt meuble à plaisirs du roi, assujettie à tous ses caprices et le suivant comme son ombre.

«Ce qu'il y a de plus remarquable, notait le duc de Croy, c'est que c'étaient les libertins qui criaient le plus haut. Les sages qui aimaient le roi pleuraient, priaient et se taisaient.» Dès le lendemain de la présentation, MMmes de Choiseul et de Gramont et leurs amies s'abstinrent de participer aux petits soupers. Ce fut le début de la cabale contre la comtesse menée bien entendu par Choiseul. Mais, très vite, Mme du Barry eut ses propres courtisans: la maréchale de Mirepoix, MMmes de Flavancourt et de Lauragais qui étaient les deux dernières sœurs de Nesle, Marie-Chrétienne de Rouvray-Saint-Simon, descendante du roide petit duc, la princesse de Montmorency, le prince de Soubise, les ducs de Richelieu, de Noailles, d'Aiguillon Saint-Florentin, ministre de la Maison du roi et La Vauguyon, tartuffe professionnel, l'abbé Terray, contrôleur général, et le chancelier de Maupéou qui avait, selon l'expression même de Choiseul, «la face la plus ingrate sur laquelle il soit possible de cracher». Plus saisissant encore : le parti dévot et les jésuites se rallièrent à la du Barry, pour se venger de Choiseul. On comparait cette prostituée de luxe à une «nouvelle Esther qui va chasser Aman».

Louis XV, tout en comblant la favorite de cadeaux (il lui donna le ravissant château de Louveciennes), avait encore besoin de son principal ministre. Il apercevait fort nettement les manœuvres des jésuites et de leurs amis et n'était point dupe de leurs compliments à la comtesse. Grands seigneurs et nobles dames rivalisaient de flatteries, s'appliquant à zézayer pour complaire à la reine du lit. Louis XV essaya de réconcilier sa maîtresse avec Choiseul, au cours d'un souper donné à Bellevue le 25 mai 1769. Choiseul eut l'habileté de se montrer courtois et enjoué. Louis XV crut que la paix était faite. Mais Mme de Choiseul et la duchesse de Gramont provoquèrent un scandale et gâtèrent tout, sans se rendre compte qu'elles enlevaient sa dernière chance à leur époux et frère. En mai 1770, la comtesse du Barry fut de toutes les fêtes qui marquèrent le mariage du dauphin et de Marie-Antoinette. Le 9 juillet suivant, celle-ci écrivait à l'impératrice, sa mère:

«Le roi a mille bontés pour moi et je l'aime tendrement, mais c'est à faire pitié la faiblesse qu'il a pour Mme du Barry, qui est la plus sotte et impertinente créature qui soit imaginable. Elle a joué tous les soirs avec nous à Marly; elle s'est trouvée deux fois à côté de moi, mais elle ne m'a point parlé et je n'ai point tâché justement de lier conversation avec elle; mais quand il le fallait, je lui ai pourtant parlé.»

L'impératrice Marie-Thérèse lui conseillait d'être aimable avec Mme du Barry, et indulgente, par diplomatie. Marie-Antoinette ne put jamais s'y résoudre, non plus que le dauphin, malgré sa bonté. Les autres princes et les princesses s'accommodaient assez bien de la favorite, excepté Mme Louise-Marie.

La présence de Mme du Barry à la cour emplissait son cœur d'amertume et de tristesse. Elle admirait sincèrement et même révérait son père; elle priait sans cesse pour son salut. Elle décida de racheter son inconduite par ses propres vertus. Elle fit timidement part à son confesseur de sa résolution d'entrer au Carmel pour s'y donner entièrement à Dieu et, par ce sacrifice, d'obtenir la rémission des péchés du roi. Le confesseur en référa à l'archevêque de Paris, qui présenta la demande à Louis XV. Ce dernier ne put maîtriser son émotion; il demanda à réfléchir quinze jours avant de prendre une décision. Puis il écrivit cette lettre à Louise-Marie:

«M. l'Archevêque, ma chère fille, m'ayant rendu compte de tout ce que vous lui avez dit et mandé, vous aura sûrement rapporté exactement tout ce que je lui ai répondu. Si c'est pour Dieu seul, je ne puis m'opposer à sa volonté ni à votre détermination... J'ai fait des sacrifices forcés, celui-ci sera volontaire de ma part. Dieu vous donnera la force de soutenir votre nouvel état; car, la démarche faite, il n'y a plus à y revenir. Je vous embrasse de tout mon cœur, et vous donne ma bénédiction.»

La princesse Louise-Marie entra donc au Carmel de Saint-Denis, où elle prit le nom de Sœur Thérèse de Saint-Augustin. Le 3 mai 1770, le roi lui rendit visite et resta trois quarts d'heure enfermé avec elle. La prise d'habit eut lieu le 10 septembre, dans la basilique de Saint-Denis. Maîtresse des novices en 1771, la princesse devint prieure de son couvent. Elle mourut en 1787, juste à temps pour ignorer le naufrage de sa Maison.

VII

LE COUP D'ÉTAT DE MAUPEOU

L'opinion parisienne était en attente, car le fer était engagé entre le Parlement et le roi. Le 27 novembre 1770, un édit de conseil, considérant l'état de quasi-rébellion de la magistrature, interdit à celle-ci de retarder désormais l'enregistrement des édits, d'interrompre les procédures par des démissions concertées et n'ayant d'autre motif que la politique, enfin de conspirer avec les parlements provinciaux au nom d'une indivisibilité inexistante, en fait et en droit, de la justice. Refus du Parlement et nouveau lit de justice tenu le 7 décembre par Louis XV. Poursuivant sa vindicte contre le duc d'Aiguillon, ci-devant gouverneur de Bretagne et le plus constant adversaire de La Chalotais, le Parlement supplia le roi de «le livrer à la vengeance des lois», comme perturbateur de l'ordre public, ce qui était le comble du défi. Le 13, les parlementaires offrirent leur démission, déclarant selon le processus habituel, qu'ils étaient prêts à périr avec les lois, plutôt que de céder à l'arbitraire. Adoptant cette attitude belliqueuse, ils savaient parfaitement qu'ils allaient recevoir des lettres de cachet; ils en prenaient le risque mais en escomptant une capitulation du pouvoir. De plus ils se sentaient soutenus par les philosophes, par les salons, ennemis du despotisme, et par la partie «éclairée» de la bourgeoisie qui n'était encore qu'une minorité. Les courtisans, les soldats de carrière, une large fraction du clergé inspirée par les ci-devant jésuites, abolis mais toujours agissants, condamnaient la désobéissance du Parlement. Le peuple, influencé par les pamphlets, oscillait de l'un à l'autre parti, les Robes rouges étant moins populaires qu'elles ne le suppo-

saient. Le chancelier de Maupeou avait engagé Louis XV dans
une voie décisive; à peine de perdre la face, on ne pouvait plus
céder, à moins de renoncer au pouvoir. Dans une certaine
mesure Choiseul soutenait le Parlement, peut-être pour faire
pièce au chancelier dont il commençait, non sans raison, à
redouter les intrigues. Ce fut à ce moment que Louis XV prit
la décision de le congédier et sans doute n'était-il que temps;
le roi ne pouvait pardonner les capitulations successives, les
sacrifices opportuns; il pouvait craindre que Choiseul, homme
du juste milieu, ne fût prêt, pour se maintenir, à accepter une
monarchie mixte. Praslin, l'*alter ego* de Choiseul, fut également remercié. Maupeou devint le principal ministre. Il cache,
sous des dehors bizarres, parfois triviaux, une pensée politique
très ferme et une volonté sans nuances. D'accord avec Louis
XV, il tendit d'abord la main aux parlementaires, leur proposa
de reprendre leur démission. N'attendant que ce geste et l'in-
terprétant comme un signe de faiblesse, les magistrats acceptèrent, mais pour recommencer immédiatement leurs agitations.
Il n'y eut aucune réaction du pouvoir, mais, dans la nuit du 19
au 20 janvier 1771, deux mousquetaires se présentèrent au domicile de chacun de parlementaires; ils leur mirent sous le nez
l'engagement écrit d'accepter sans réserve l'édit royal et les
invitant à répondre par oui ou par non. La plupart signèrent
«non» et deux qui avaient signé «oui» se rétractèrent le lendemain. Une telle action ne prenait point Louis XV ni Maupeou
au dépourvu. Un arrêt du Conseil, arguant des démissions mas-
sives et réitérées des parlementaires, prononça la confiscation
de leurs charges et leur enleva le titre de membre du Parlement
de Paris. Le 21 janvier, des lettres de cachet les exilèrent en
des lieux éloignés de la capitale. Stupéfaction des magistrats,
non en raison de l'exil car ils comptaient bien être rappelés,
mais de la suppression de leurs charges et de leurs titres: c'était
là une innovation qu'ils n'avaient réellement pas prévue et qui
leur paraissait d'autant plus scandaleuse qu'ils en étaient propriétaires! Ils estimaient aussi que, sans eux, la justice serait
bloquée. Ils crurent, dans leur suffisance, que le peuple se
lèverait en leur faveur. Il n'en fut rien. De même les parlementaires avaient-ils sous-estimé Maupeou. Ce dernier avait,
d'ores et déjà arrêté un plan, qu'il avait fait approuver par le
roi, malgré sa hardiesse extrême. Néanmoins il ne brusqua

pas les choses. Il croyait que certains magistrats se soumettraient d'eux-mêmes et qu'en complétant ce «noyau de Parlement» avec des conseillers d'Etat, il formerait une nouvelle assemblée. En sa présence, les magistrats que l'on appelait «les gens du roi» procédèrent à l'installation des conseillers, non sans réticence. Les Parlements provinciaux protestèrent mais s'abstinrent de démissionner: chat échaudé craint l'eau froide! Ce n'était pour Maupeou qu'une période transitoire.

L'édit du 23 février 1771 fit l'effet d'une bombe dans la judicature. Il abolissait la vénalité des charges, établissait la gratuité de justice par la suppression des «épices», transformait les juges en fonctionnaires appointés, nommés par le roi et révocables en cas de faute grave ou d'insuffisance. Faisant droit aux justiciables se plaignant à juste raison de l'étendue du ressort du Parlement de Paris, il le subdivisa en six conseils supérieur: Arras, Blois, Châlons, Clermont, Lyon et Poitiers, qui devinrent de véritables cours d'appel, aux attributions exclusivement judiciaires. C'était l'amorce de la séparation des pouvoirs, puisque les conseils supérieurs ne pouvaient connaître ni des affaires politiques, ni des conflits administratifs. Jusqu'ici l'organisation de la justice reposait sur la confusion des pouvoirs et il ne fut pas difficile à Maupeou de montrer que le retard apporté aux réformes les plus nécessaires tenait à ce vice radical et à l'obstruction systématique des ci-devant parlementaires. Mais c'était renverser des habitudes séculaires et Maupeou éprouva des difficultés à constituer les nouveaux conseils; il y parvint cependant en alternant la carotte et le bâton. Les magistrats évincés tentèrent d'organiser la résistance. Pamphlets et libelles accablèrent le chancelier, accusé de tyrannie, qualifié de «maire du palais» et autres gentillesses. «Toutes les têtes, écrit Besenval, se tournèrent et l'on entendit jusque dans les rues crier à l'injustice, à la tyrannie. Les femmes se distinguèrent surtout. Selon elles, la monarchie allait s'écrouler, elles ne parlaient des Parlements que comme des victimes qu'on égorgeait sur l'autel du despotisme». Mais quelles «têtes» s'insurgeaient de la sorte contre le chancelier? Celles des salons et de la cour, car la bourgeoisie et le peuple, sans bien comprendre la portée de la réforme Maupeou, ne pouvaient s'empêcher d'approuver une justice proche du justiciable, gratuite et rendue par des magistrats honnêtes. Quant aux philosophes, ils ne cachaient pas leur satisfaction. Voltaire, qui avait naguère pris fait et cause pour Calas et le chevalier de La Barre, écrivait: «Les Parlements n'ont-ils pas été souvent persécuteurs et barbares? En vérité, j'admire les Welches de prendre le parti de ces bourgeois insolents et indociles!» Et sa tragédie «Les lois de Minos», antiparlementaire, fut acclamée. Mais la haute noblesse, les princes du sang, (à l'exception du comte de La Marche) protestèrent contre l'abolition du Parlement; l'esprit de la Fronde n'était point mort! Ils écrivirent: «C'est un des droits les plus utiles aux monarques et les plus précieux aux Français que d'avoir des corps de citoyens perpétuels et inamovibles, avoués dans tous les temps par les rois et par la nation, qui, en quelque forme et domination qu'ils aient existé, concentrent en eux le droit général de tous les sujets d'invoquer la loi.» Ce qui revenait à créditer la thèse selon laquelle les parlementaires eussent été les véritables représentants de la nation. C'étaient les mêmes nobles têtes qui venaient de soulever une querelle de préséance avec les princes de Lorraine, lors du mariage du dauphin et de Marie-Antoinette...

A son tour, Malesherbes, premier président de la Chambre des Aides, éleva une protestation solennelle: «Sire, pour marquer votre mécontentement au Parlement de Paris, on veut enlever à la nation les droits essentiels d'un peuple libre.» Et il conseillait au roi d'interroger la nation, ce qui signifiait en réalité: réunissez les Etats généraux. L'idée était dans l'air, discrète encore, car les souvenirs de la dernière réunion des Etats généraux restaient assez vagues. A défaut le mot fit fortune, tant on était avide de nouveauté.

Louis XV répondit aux remontrances de la cour des Aides en la supprimant. Il en fut de même de la Cour des Comptes, de celle des Monnaies, des Amirautés, et autres organismes devenus inopérants, sinon caducs, et qui se maintenaient par tradition.

Les Parlements provinciaux subirent le sort du Parlement de Paris. Les suppressions, les installations des conseils supérieurs, suscitèrent des foyers d'agitation politique. Cà et là, les nobles prirent le parti des parlementaires déchus, à l'imitation des princes du sang; et quelques gouverneurs refusèrent d'appliquer les édits royaux. Maupeou brisa ces résistances attardées. Certains magistrats évincés acceptèrent de se soumettre et de siéger dans les nouveaux conseils.

L'argumentation des Parlements provinciaux, calquée sur celle du Parlement de Paris, avec les mêmes points forts et les mêmes leitmotive, établit, sinon une véritable conspiration des magistrats, du moins l'existence d'un plan concerté. Les déclarations du président de Brosses (Parlement de Bourgogne) sont à cet égard convaincantes:

«Sire, déclara de Brosses, vous êtes roi par la loi et vous ne pouvez régner que par elle». C'était annuler en peu de mots le principe de la monarchie de droit divin. Précisant sa pensée, de Brosses affirma que la cour de Dijon, en protestant contre la violation des lois, ne faisait que son devoir, disant au roi «ce que son serment l'obligeait de dire, ce que la nation entière eût dit, si elle eût été assemblée». Dans une autre déclaration, il soutint que la vénalité des charges et l'abus des «épices» n'étaient que des prétextes et que l'on pouvait aisément réorganiser la judicature sans toucher aux droits acquis. Invoquant les droits du peuple et de la nature, il réclama la convocation des Etats généraux. La moitié des parlementaires de Dijon fut révoquée; le reste accepta de siéger dans la nouvelle cour. Presque partout, on avait pareillement avancé les droits de la nation et la nécessité d'une réunion des Etats généraux. Les magistrats normands, appuyés par la gentihommerie locale, invoquèrent les privilèges de la vieille Charte de leur province. Le Parlement de Rouen fut remplacé par deux conseils, dont l'un à Bayeux. Le Parlement de Toulouse vit son ressort pareillement amoindri par la création d'un conseil à Nîmes. La résistance des magistrats tourna court, d'autant que l'on s'engagea à leur rembourser le prix de leurs charges. Elle était par nature vouée à l'échec, en ce que l'esprit novateur s'y mariait à l'intransigeance le plus rétrograde et se fondait sur une représentativité fictive des droits de la nation.

Les nouveaux conseils, malgré le discrédit que l'on affecta d'abord à leur égard, entrèrent en fonctionnement. Ils dispensèrent une justice efficace et rapide. Maupeou ne voulait point s'arrêter en si bon chemin. Aidé de son secrétaire, le futur consul Lebrun, il préparait un code unique et la simplification des procédures, projet que Bonaparte reprendra à son compte et qui est, somme toute, la pierre angulaire de notre législation.

Plus tard, Maupeou pourra dire: «J'avais fait gagner au roi un procès qui durait depuis trois siècles!» Et il était exact qu'en

1770, il avait accompli un véritable coup d'Etat, une révolution dont nul n'apercevait l'importance et donc, par la faute du pusillanime Louis XVI, on ne peut dire quels eussent été les fruits. Cette réforme n'était pas seulement un vaste et utile coup de balai en ce milieu de judicature empoussiéré par les siècles. C'était une réforme profonde du personnel judiciaire, et qu'aurait dû normalement suivre l'unification des textes et des procédures. C'était aussi une réforme sociale, signifiante, en ce qu'elle battait en brèche les privilèges d'une caste (la noblesse de robe) et ouvrait l'accès de la magistrature à des hommes qui, faute d'argent, ne pouvaient y entrer : il y avait là une première tentative de démocratisation répondant à l'évolution des mœurs. C'était enfin une démarche politique de grande envergure : en supprimant les Parlements, Maupeou, débarrassait le pouvoir central d'une opposition systématique, frondeuse et paralysante ; il se donnait les moyens de réformer les autres secteurs de l'Etat. Jamais Louis XV n'avait paru plus actif ni plus décidé. Ainsi avait-il suffi d'un peu d'énergie et d'audace pour remettre en selle cette vieille monarchie accablée de sarcasmes par ceux-là mêmes qui en étaient les officiers.

VIII

LE TRIUMVIRAT

Pendant les quatre dernières années du règne de Louis XV (1770-1774), le chancelier Maupeou forma une sorte de triumvirat avec l'abbé Terray aux finances et le duc d'Aiguillon aux affaires étrangères. Maupeou et Terray avaient au moins un point commun: ils bravaient allégrement l'impopularité dont ils étaient l'objet. Cependant Terray, que l'on surnommait «L'abbé Vide-Gousset» était encore plus détesté que le chancelier. Brillant parlementaire, il avait été naguère encensé par ses confrères, ce qui ne l'avait pas empêché, comme Maupeou, de les sacrifier au service du roi. Il avait passablement spéculé; on le disait très riche, ce qui n'était pas nécessairement une garantie de désintéressement; il passait pour amoral, quelque peu débauché, sans principes et sans mœurs et l'on rappelait que sa mauvaise conduite lui avait attiré la censure du clergé. On le savait par ailleurs rogue et brutal. Mais le chancelier connaissait ses talents de courtisan, sa souplesse envers Mme du Barry.

Les gens du monde le jugeaient de la sorte:« On disait le diable de l'abbé Terray, contrôleur général, qui avait eu une femme chez lui; qu'il aurait fallu (le) chasser pour avoir brassé trop d'affaires. Quoique débauché, c'était une forte tête, et il avait été l'aigle du Parlement. Tout son plan avait été de faire cadrer la dépense et la recette : il avait voulu attaquer par des retranchements, comme si on retranche à Versailles! Il y avait trois millions et demi à trouver pour la Maison prodigieuse du comte de Provence et celle du comte d'Artois menaçait d'être aussi grosse. Le goût de M. le Dauphin et même de madame la Dauphine pour la chasse, loin de diminuer les écuries, employait des milliers de chevaux: de plus, Mme du Barry, devant qui il n'y avait qu'à plier, donnait directement ses ordres au Trésor royal: aussi ne pouvait-on savoir où cela allait! L'abbé Terray venait de faire passer le gros édit du sol pour livre sur toutes les entrées, sauf le beurre et les œufs...» (Mémoires du duc de Croy).

Lorsque l'abbé prit les finances, le déficit annuel dépassait soixante millions et la dette flottante exigible, cent millions. Financiers et politiques s'accordaient sur l'inopportunité d'emprunts et d'impôts nouveaux, encore plus d'une banqueroute. Placé devant cette alternative, Terray proposa des retranchements de dépenses au roi (mais on a vu que Versailles ne voulait rien retrancher!) et le remaniement progressif des impôts. Un délai de trois ans lui semblait suffisant pour équilibrer le budget et résorber le déficit.

Il opéra une banqueroute partielle, en suspendant, en mars 1770, le paiement des assignations, titres déjà dépréciés. Cette mesure tirait un trait entre le passé et l'avenir; elle rassurait les épargnants en évitant une banqueroute générale qui eût certainement avancé la révolution. Il rogna ensuite sur les pensions, tontines et rentes diverses; il imposa aux titulaires d'offices un emprunt forcé de vingt-huit millions et un emprunt «volontaire» de cent soixante millions. Il augmenta la caution des receveurs généraux, refit les baux des fermiers généraux dont il diminua la marge bénéficiaire. Il exigea un don gratuit du clergé, mit les villes à contribution et, pour faire de l'argent, rétablit les offices d'échevinage (que l'on avait supprimés pour les rendre électifs!), taxa les anoblis, augmenta la taille et autres droits. Toutes ces mesures eussent été impossibles à promulguer, si Maupeou n'avait abattu les Parlements. On était en paix; pourtant Terray prorogea une sorte de fiscalité de guerre. Les deux vingtièmes furent maintenus (édit de novembre 1771) selon l'assiette prévue en 1749: ils intéressaient tous les revenus, quelle que fût la qualité du contribuable, ce qui portait évidemment atteinte aux privilèges! L'abbé tenta également de réussir cette refonte du cadastre qui avait obsédé plusieurs de ses prédécesseurs. En 1772, il prescrivit aux intendants d'établir un relevé annuel des populations qui fut la première enquête démographique sérieuse du royaume. Passant ainsi des expédients aux mesures plus élaborées, il parvint à réduire le déficit à vingt-sept millions, ce qui assurait au régime une survie de quinze ans. Il eût fait encore mieux si Versailles avait accepté de réduire son train de vie. Louis XV consentit à la suppression des «acquits de comptant» (l'argent de poche du roi, dont le montant était incontrôlable). Mais Terray se heurta à l'insouciance des princes, des Grands Officiers, de Mme du Barry, et à la cupidité de certains d'entre eux. Or il avait l'échine souple et le flair ne lui faisait pas défaut. Il se moquait des quolibets injurieux, non d'un froncement de sourcils de la reine du lit. Le roi, de plus en plus captif de ses sens, n'eût pas toléré qu'on le contrariât.

Terray fut moins heureux dans le domaine de l'économie. Récusant la thèse du laisser-faire, chère aux physiocrates, il en revint au colbertisme pour juguler la hausse du pain en 1770-1771. Il bloqua l'exportation et le trafic intérieur et, pour dissuader les trafiquants, fit procéder à des achats massifs de céréales. Il fut aussitôt accusé de vouloir monopoliser le commerce; on qualifia les sages mesures qu'il venait de prendre de «pacte de famine». Les gros négociants et affairistes, toujours prêts à profiter des crises et à instaurer un marché noir, crièrent le plus fort. Ils répandirent que l'abbé Vide-Gousset, les Grands, le roi lui-même spéculaient sur les grains, au risque d'affamer le peuple. Ce ferment de haine s'ajoutait à l'appétit de vengeance des anciens parlementaires. Il n'en reste pas moins que cet étrange prêtre fut le meilleur contrôleur général que la France ait eu depuis le début du règne.

Aux affaires étrangères, le duc d'Aiguillon montrait moins de talent. Certes, le royaume vivait en paix. L'Angleterre semblait rassurée par le départ de Choiseul et le cabinet de Londres n'était pas loin de considérer la révocation de ce ministre comme une victoire. Sans avoir rompu avec nous, la cour de Madrid s'était singulièrement refroidie à notre égard, depuis que le roi avait refusé d'aider l'entreprise espagnole aux îles Malouines. Malgré le mariage du dauphin avec l'archiduchesse Marie-Antoinette, la cour de Vienne restait sur la réserve: il est vrai qu'elle ne tenait guère, et pour cause, à ce que la France se mêlât de l'affaire polonaise! De façon générale, l'implacable lutte entre Louis XV et les parlements avait fâcheusement impressionné les souverains d'Europe. Ils estimaient que la crise aboutirait fatalement à l'anarchie et provoquerait tôt ou tard un changement de régime. Le coup d'Etat de Maupeou ne les rassurait qu'à demi. Le scandale de la du Barry, ancienne prostituée érigée en quasi-reine par le caprice obsessionnel d'un vieil homme, ajoutait à la déconsidération de Louis.

Le duc d'Aiguillon n'avait que l'habileté du courtisan. Il n'aperçut pas les raisons véritables qui avaient provoqué le rapprochement de l'Autriche et de la Prusse. Il ne décela pas les intentions de Frédéric II. Les Russes étaient en train d'écraser nos alliés turcs. Ils avaient soulevé l'orgueilleuse petite Grèce, détruit la flotte ottomane; leurs avant-gardes occupaient déjà la région du Danube. Il importait de stopper au plus vite leur expansion en Europe. Le Vieux Fritz offrit sa médiation; Il comptait proposer à la czarine d'arrêter les hostilités et de se payer sur la Pologne, dont, bien entendu, il accepterait volontiers une part. Toutefois, ils ne pouvaient agir sans l'accord de l'Autriche. Les pauvres Polonais se battaient toujours, malgré leur infériorité. On se souvient que Choiseul leur avait fait de vagues promesses. Peu avant sa chute, il leur envoya Dumouriez avec une poignée de volontaires. Dumouriez était un excellent officier; il se rendit promptement compte qu'il était impossible d'assurer une discipline quelconque dans cette armée de partisans follement braves mais individualistes forcenés. D'Aiguillon le remplaça par Viomesnil, maréchal de camp, qui éprouva le même échec et pour les mêmes motifs. Les Cosaques désolaient les campagnes, massacraient impitoyablement les partisans et les civils. Les troupes autrichiennes occupèrent plusieurs starosties. Pour ne pas être en reste, Frédéric II fit avancer ses Prussiens. Il ne restait plus qu'à signer le traité de partage de l'infortunée Pologne, dont un morceau devint russe, l'autre prussien et le troisième, autrichien. L'impératrice Marie-Thérèse se montra la plus âpre dans les discussions, ce qui fit dire à Frédéric II: «Elle pleurait, et prenait toujours».

On raconta qu'en apprenant la nouvelle du partage, Louis XV se serait écrié: «Ah! si Choiseul eût été là!» Mais Choiseul était grandement responsable de cette mise à l'écart de la France: n'avait-il pas surestimé la valeur de l'armée turque et les moyens des rebelles polonais? Quant à Louis XV, qui dirigeait lui-même sa diplomatie en correspondant secrètement avec ses agents, ne partageait-il pas la responsabilité de ses ministres?

Le démantèlement de la Pologne était non seulement un crime contre son peuple; c'était pour nous la perte d'un allié traditionnel, et, pour l'Europe, la disparition d'un facteur d'équilibre. Nous perdions en même temps l'estime et l'alliance de la Turquie.

Tout ce que put réaliser d'Aiguillon fut un pacte avec Gustave III de Suède, dans le dessein d'inquiéter la Prusse. Sur ses instances, le pape Clément XIV signa le bref prononçant l'abolition des jésuites, comme sujets de troubles et de discussions dans l'Eglise, maigre compensation...

Broglie qui dirigeait alors le Secret de Louis XV l'exhortait à sortir de sa neutralité. Le roi comprenait la nécessité de dissocier l'Autriche de la Prusse et de la Russie. Mais il attendait pour agir d'avoir achevé les réformes intérieures de l'Etat et la construction d'une flotte digne de ce nom. Car, nonobstant les dires de Broglie, c'était toujours à l'Angleterre, qu'il pensait, sachant que ce serait à nouveau cette puissance qui pèserait sur le destin de l'Europe. Mais, en son for intérieur, très certainement, il était humilié de ce que cette France dont le rayonnement intellectuel et artistique culminait, comptât politiquement si peu aux yeux de l'étranger. Cette perte de prestige, durement ressentie par l'opinion, fut mise à son débit. Lui seul connaissait le but qu'il s'était fixé. C'était dans les arsenaux et les ports militaires que se préparait la grandiose rentrée en scène de notre pays, à condition que le silence des éternels frondeurs perdurât.

IX

LE 10 MAI 1774

La vie se poursuivait à Versailles, inchangée, futile, brillante, les jeux succédant aux bals, à la comédie, à la chasse à courre et à tir. Le mariage du comte d'Artois avait donné lieu à des fêtes splendides. Suivant la coutume, Paris avait illuminé et, selon le duc de Croy, le peuple avait paru «plus content qu'aux autres». Louis XV avait soixante-quatre ans, mais l'âge ne l'avait ni courbé, ni flétri, ni rendu rhumatisant. Il restait alerte et vif et conservait son étrange beauté. Il était plus amoureux que jamais de Mme du Barry. On le croyait indestructible et sans doute eût-il pu sans accident atteindre ou dépasser l'âge du Roi-Soleil. L'unique signe de vieilllissement était chez lui une facilité à s'attendrir : surtout quand la chère favorite était insultée par les chansonniers et les libellistes. Il ne comprenait pas pourquoi on lui portait une telle haine et qu'elle était le seul obstacle à ce que le bon peuple se remît à l'appeler le Bien-Aimé. Cependant, chaque fois, qu'il revenait du Carmel de Saint-Denis, car ses visites à Louise, sa fille, étaient assez fréquentes, il semblait rentrer en lui-même, décidé à se ranger. Mais esclave de ses sens, il renonçait invariablement à congédier sa belle maîtresse. Elle était vraiment quasi-reine, et, dans une certaine mesure toute-puissante. C'est à dessein que j'écris: dans une certaine mesure, car la du Barry n'était point assez intelligente pour exercer une influence politique réelle sur son amant. Cependant les courtisans, besogneux ou ambitieux, s'efforçaient de lui plaire, afin de ne pas offenser le roi. Comment pouvait-il en être autrement? La ci-devant l'Ange, fille quasi publique, avait désormais pour dames d'honneur les duchesses d'Aiguillon et de Mazarin!

Quelque temps avant la catastrophe, l'aimable Voltaire lui envoya ce poulet: il se mordit ensuite les doigts de l'avoir écrit, d'autant qu'il en circula des copies, dont une tomba entre les mains de Mme de Créquy:

«Madame,

«Monsieur de La Borde, qui est assez heureux pour avoir l'honneur et le bonheur de vous faire souvent sa cour, m'a, j'oserai vous l'assurer, comblé de joie! car il m'a dit que vous lui aviez ordonné de m'embrasser de votre part et des deux côtés.

«Quoi! deux baisers sur la fin de ma vie,
«Quel passeport vous daignez m'envoyer.
«Deux! c'en est trop, adorable Egérie;
«Je serai mort de plaisir au premier!

«Il m'a montré votre portrait; ne vous offensez pas, Madame le Comtesse, car j'ai pris la liberté de lui rendre les deux baisers avec un transport de passion que mon profond respect avait grand'peine à tempérer.

«Vous ne pouvez empêcher cet hommage,
«Faible tribut de quiconque à des yeux,
«C'est aux mortels d'adorer votre image,
«L'original était fait pour les Dieux.

«M. de La Borde m'a fait entendre plusieurs morceaux de *Pandore:* ils m'ont paru dignes de la protection dont vous honorez le compositeur. La faveur accordée par vous, Madame, aux véritables talents est la seule chose qui puisse augmenter l'éclat dont vous brillez. Daignez, Madame, agréer l'hommage et le tribut d'admiration d'un vieux solitaire, dont le cœur n'a presque plus d'autre sentiment que celui de la reconnaissance… Voltaire»

Le vieux galant n'avait plus que quatre ans à vivre; il aurait pu éviter cette flagornerie indigne de sa réputation et de son esprit. Mais avait-il cessé de flatter le pouvoir, tout en le frondant, ce qui d'ailleurs ne le distinguait pas des gens du monde?

Pendant les offices de Pâques, l'évêque de Senez prêcha fort âprement sur le thème: «Malheur à celui par qui le scandale arrive!». Louis XV, qui assistait au sermon, parut impressionné. Mme du Barry l'emmena à Trianon, pour lui changer les idées, et, comme l'écrit la marquise de Créquy qui ne mâche pas ses mots, «lui procurer des distractions bien dignes d'elle et bien indignes de lui». Il avait mauvais visage et éprouvait des malaises, depuis une semaine. Le mardi 26 avril, étant à souper avec la favorite et leur suite ordinaire, il fut «écœuré» et ne put avaler une bouchée: ce qui, chez les Bourbons était l'indubitable signe d'une maladie grave et imminente. Le lendemain, il voulut pourtant aller à la chasse. Mais le temps était humide. Louis frissonnait. Contre son habitude, il suivit en voiture. De retour à Trianon, il ne put se réchauffer, car la fièvre augmentait. Le 28, elle se déclara tout à fait, avec de violentes nausées. On appela le premier chirurgien, La Martinière. Mme du Barry et ses amis faisaient l'impossible pour rassurer Louis, à dessein de le garder à Trianon, c'est-à-dire assez loin de la famille royale pour n'avoir rien à craindre! Le souvenir de la maladie de Metz et du départ de Mme de Châteauroux sous les huées du peuple, les hantait. Or en supposant que le roi prît peur, il voudrait se confesser et ne serait absous qu'à la condition de congédier la favorite. Celle-ci devrait alors rassembler ses bagages et quitter Versailles; du même coup, ceux qui avaient misé sur elle perdraient leur position et certains d'entre eux recevraient même un billet d'exil. Parmi ces derniers le duc d'Aiguillon était le plus compromis. Ainsi, avant que la maladie de Louis XV fût déclarée, la lutte politique la plus inhumaine s'ébauchait entre le parti des honnêtes gens et ceux que l'on appelait «les barriens» et les «aiguillonistes». Mais le chirurgien La Martinière flairait, très vaguement, le péril et, avec sa brutalité coutumière, décida le roi à se faire transporter au palais.

– C'est à Versailles qu'il faut être malade! lui dit-il.

Vers le soir, endossant un manteau sur sa robe de chambre, Louis monta en voiture. Il cria au cocher: «A toutes jambes.» La voiture parcourut la distance de Trianon à Versailles en trois minutes. Il attendit chez Mme Adélaïde que son lit fût prêt et se coucha aussitôt.

Les médecins de la cour, Bordeu et Leroi, appelés de Paris,

se concertèrent avec La Martinière et tombèrent d'accord sur la gravité de la maladie, sans pouvoir toutefois diagnostiquer celle-ci. Aucun d'entre eux ne songea que ce pouvait être la petite vérole, d'autant que le roi passait pour l'avoir eue naguère, à Fontainebleau. Mais ce n'avait été qu'une rubéole légère, puisque, le cinquième jour, il entrait en convalescence. La vaccination antivariolique commençait à se propager. La plupart des princes des cours étrangères avait été «inoculés». Mais, par suite de l'hostilité de la Faculté, Louis XV et sa famille n'étaient pas vaccinés. En outre, plusieurs enfants de domestiques en service à Trianon étaient morts, récemment, de cette maladie. Mais personne dans l'aréopage médical qui entourait Louis XV n'eut seulement l'idée qu'il pouvait s'agir de la petite vérole. A tout hasard, on prescrivit de l'émétique et une saignée du bras. Le mal de tête et des reins, les vomissements et la fièvre ne diminuèrent point. Ce que voyant, les médecins ordonnèrent une seconde saignée, plus «copieuse» que la première, dans la soirée du 29. La maladie semblait ne vouloir pas se déclarer, ce qui troublait fort messieurs de la Faculté, habitués «à plus de régularité». Leurs rivaux, «les inoculateurs», dirent ensuite que la seconde saignée, administrée sans autre motif que l'ignorance des confrères, avait enlevé au roi sa dernière chance de guérir.

Les courtisans, alarmés, incertains, commentaient l'événement et disaient «le oui et le non» (selon de Croy). Les «aiguillonistes» et les «barriens» s'efforçaient de cacher leur inquiétude et tenaient par ordre, des propos optimistes. Les honnêtes gens tremblaient pour la vie et pour le salut de l'âme du roi. Mais enfin personne ne savait au juste quelle était la maladie et, comme on avait barré l'accès de l'Œil-de-Bœuf et interdit les entrées, nul n'était à même de se faire une opinion. Paris était encore dans l'ignorance, car le duc d'Aiguillon veillait à ce que la nouvelle ne se répandît pas. Il ne put cependant empêcher quelques familiers (Croy, Brissac, Broglie, Marsan et quelques autres) de pénétrer dans la «Chambre réelle» de Louis. On venait de le changer de linge, il était dans un petit lit de camp au milieu de la pièce. De Croy, s'étant appuyé à une console, en profita pour examiner les trois palettes de sang que l'on venait de tirer au malade et qui lui parut «sain et de bonne qualité». De Croy:

«Je l'entendis plusieurs fois parler; il parut avoir une voix rauque, qui annonçait beaucoup de fièvre et d'agitation. Il appelait souvent Laborde, son valet de chambre de confiance, et l'envoya chez Mme du Barry; on fit sortir les assistants, la chambre étant trop chaude et rien ne resta que le service et la Faculté, toujours trop nombreux. Toute la famille royale y était venue souvent dans la journée, et Mme Adélaïde y entra alors. Du reste, les siens rôdaient sans cesse dans l'appartement, dans une agitation incessante.»

Il était à peu près dix heures du soir. Vers dix heures et demie, comme les médecins lui donnaient à boire, ils crurent apercevoir des rougeurs et s'exclamèrent:

– Avancez donc la lumière, le Roi ne voit pas son verre!

Se poussant l'un l'autre, ils sortirent de la chambre pour alterquer, puis revinrent un quart d'heure après, examinèrent la langue du patient et constatèrent l'éruption de variole. Ils envoyèrent aussitôt prévenir la famille. A minuit, de Croy retourna chez le roi et fut «étonné» de trouver si peu de monde. Il apprit des valets de chambre que, l'éruption étant sortie, le roi semblait moins agité; qu'on lui avait donné une forte dose d'émétique; mais qu'il ignorait sa maladie.

Les médecins interdisaient l'entrée de la chambre royale aux princes. Mais les trois filles de Louis, Mme Adélaïde, Mme Victoire et Mme Sophie, bravèrent cette interdiction. «Ce courage et cette piété filiale, écrit Bésenval, qui méritaient certainement des éloges, ne firent pas grand effet; outre que ce siècle, porté à blâmer avec acharnement, par cette même raison se refuse à la louange, l'objet de ce dévouement était plus qu'indifférent, ce qui ternissait l'éclat du sacrifice. D'ailleurs, Mesdames n'étaient pas aimées …»

La présence de ses filles dut certainement alléger l'inquiétude de Louis; elle contribuait à l'égarer sur la gravité de son état. Nul n'osait encore lui dire la vérité, de peur de l'effrayer. Il devenait l'enjeu d'une sordide lutte d'influences, les uns cherchant à différer par tous les moyens la confession, les autres n'osant encore la conseiller. Les médecins eux-mêmes obéissaient à l'une ou l'autre faction, l'intérêt le plus égoïste aggravant leur incompétence.

«Quelque maladie qu'aient les princes, ajoute Besenval, jamais ce qui les entoure, ni les médecins, ne conviennent qu'ils soient mal, que lorsqu'ils sont morts. La flatterie et la politique les conduisent jusqu'au tombeau. Quoique la petite vérole du roi fût concluante et d'assez mauvaise espèce, qu'il eût beaucoup de fièvre et des redoublements, ainsi que des disparates, on publiait, les premiers jours, que cela allait à merveille. M. d'Aiguillon, Madame du Barry, et leurs partisans, s'en flattaient ; le parti opposé le craignait. Comme ce dernier espérait beaucoup des sacrements, et que la décence seule exigeait qu'ils fussent administrés dans une maladie de cette nature, il ne cessait de les demander, et l'on entendait crier au scandale, des hommes et des femmes qu'on savait ne pas croire en Dieu. » Tout ce que ces derniers espéraient, c'était la liquidation de la du Barry, du duc d'Aiguillon et de leur clan.

Quant au roi, persuadé d'avoir eu la petite vérole à Fontainebleau, il ne croyait pas avoir cette maladie. Au plus fort de l'éruption, il n'hésita pas à laisser Mme Adélaïde lui toucher les mains, bien qu'elles fussent couvertes de boutons. Mme Adélaïde ne montra pas la moindre émotion, tant elle avait d'empire sur elle-même. De même se fit-il frotter le front par Mme du Barry, qu'il chérissait trop pour l'exposer sciemment à la contagion. Cependant, examinant les pustules qui lui piguelaient le corps, il ne cessait de s'étonner. Les médecins se taisaient, chapitrés par d'Aiguillon. Celui-ci avait d'ailleurs placé ses gens, de manière à écarter les indiscrets et éviter qu'on ne détrompât le malade. Pourtant il ne peut empêcher que le parti adverse prévînt l'archevêque de Paris. Le vieux maréchal de Richelieu, allié du duc d'Aiguillon, s'arrangea pour retenir le prélat. Mais, le 3 mai, au début de l'après-midi, le roi, regardant ses mains boutonneuses, dit soudain :

– C'est la petite vérole !…

Il examina les boutons de plus près, répéta :

– Mais c'est la petite vérole !…

Nul n'osa lui répondre.

– … Pour cela, cela est étonnant !

Bordeu parvint à le dissuader et l'archevêque n'eut avec le malade qu'un entretien de pure forme, après quoi il regagna Paris ; cette attitude fut jugée scandaleuse de la part d'un prélat jouissant d'une aussi bonne réputation. Ses amis cherchaient à l'excuser en déclarant que la confession de Sa Majesté ne le concernait en rien, mais relevait du Grand aumônier, le cardinal de La Roche-Aimon. Ce dernier était à la dévotion du duc d'Aiguillon et de la du Barry; il ne se risquerait pas à la contrarier pour si peu de chose que le salut du Maître! De leur côté, les médecins avaient convaincu les filles du roi du péril de mort auquel l'émotion d'avoir à se confesser ne manquerait pas de l'exposer. Plusieurs évêques prirent l'initiative d'intervenir auprès du Grand aumônier. Cruel dilemme pour le cardinal courtisan: si le roi mourait sans confession, c'était se perdre; provoquer la confession, c'était s'attirer la vengeance de la du Barry et du duc d'Aiguillon, mais si le roi guérissait, se perdre aussi. Il répondit courageusement qu'il ne pouvait contrevenir aux recommandations des médecins. Ces nœuds de serpents autour d'un moribond inconscient de son état et couvert de pustules suintantes! Mais le venin des gens de cour n'était pas moins brûlant et mortel que la variole... Solitaire, Louis XV l'avait toujours été, jamais pourtant il ne le fut davantage qu'en cette maladie! Ces présences à son chevet n'adoucissaient point son angoisse, ne l'aidaient en rien. Désormais, les antibarriens et les antiaiguillonistes raisonnaient sur l'âge du roi (soixante-quatre ans) et tablaient sur sa mort probable. Dès lors, il leur paraissait superflu de se battre pour la confession: Louis XV disparu, Mme du Barry n'avait plus qu'à s'effacer et M. d'Aiguillon ne pouvait garder son ministère. De toute façon, l'objectif serait atteint.

De rares fidèles continuaient à manifester leur sollicitude. Le duc de Croÿ, par exemple, approchait plusieurs fois par jour du lit du malade. Il donne les détails les plus exacts sur l'évolution de la maladie et garde assez de simplicité de cœur pour condamner l'attitude des uns et des autres. Le mardi 3 mai, il note: «A 9 heures du soir, à l'ordre, nous entrâmes chez le roi, et je fus près d'une demi-heure à côté de son lit. Il était traité plutôt à la méthode froide que chaude, car rien ne fermait les côtés de son lit de camp, et les fenêtres ouvertes, dans les chambres voisines, faisaient circuler et traverser un bon air frais, bien différent de celui dans lequel on s'étouffait jadis. Cependant, il était couché, et paraissait très légèrement couvert. On lui tenait les mains dans le lit, et il les en tirait sans cesse; la tête paraissait toujours grosse et rouge. Il nous sembla, comme il était alors, bien mieux. Il soutint la conversation d'un ton de voix ordinaire; il parla, suivant la coutume, de choses noires, de la mort de M. de Vaulgrenant, et se rappela avec sa grande mémoire, ce qu'il avait été, même à des époques reculées. Enfin, le roi était si bien aux aguets, qu'il y avait apparence qu'il s'en tirerait à merveille et que cela ne ferait aucun changement, au grand scandale de Paris.»

Mais, le 4 mai, quand revint le duc de Croy, il aperçut des visages consternés; le duc de Ligne, lui dit: «La catastrophe va avoir lieu.» Il interrogea les médecins qui lui annoncèrent que les boutons avaient rentré, ce qui ne laissait pas d'espoir. De Croy: «Sur cela, à midi et demi, on nous laissa entrer; j'avançai jusqu'au fond de la chambre du Roi, sa tête me parut moins grosse et moins rouge. Il parla assez à son ordinaire, mais d'un ton inquiet, et comme s'il était fâché. Je songeai d'abord à examiner les physionomies, et j'ai vu peu de spectacles aussi caractérisés. Tous ceux, en grand nombre et bien connus, du parti de la dame, marquaient nettement la fureur et le désespoir. Tous ceux qui n'étaient attachés qu'au Roi, comme nous, marquaient la douleur et l'inquiétude. En ce moment, je me retraçai le tableau de tous les caractères et de toutes les situations. Enfin, pour cette fois, je considérai tous les miroirs de l'âme à découvert.»

En sortant de la chambre, il apprit que le roi, au cours de la nuit, avait fait appeler Mme du Barry et lui avait dit:

– Madame, je suis mal; je sais ce que j'ai à faire. Je ne veux pas recommencer la scène de Metz; il faut nous séparer. Allez-vous-en à Rueil, chez M. d'Aiguillon; soyez sûre que j'aurai toujours pour vous l'amitié la plus tendre.

La nouvelle se répandit dans le palais et jeta la plupart dans la perplexité, car les uns se demandaient si la favorite, protégée par d'Aiguillon, consentirait aisément à partir, et les autres, se disant que Rueil n'était qu'à deux lieues de Versailles, si le roi guérissait, Mme du Barry reprendrait sa place; à moins qu'il ne reçut les sacrements. Mais comment savoir ce que pensait le roi? Seul, il avait décidé le renvoi de Mme du Barry, et n'avait laissé à personne le soin de lui notifier sa décision. Un peu plus tard, il avait convoqué d'Aiguillon. Il lui ordonna de faire partir la dame «honnêtement»: la duchesse d'Aiguillon l'accompagnerait à Rueil. Vers quatre heures de l'après-midi, on vit Mme du Barry monter dans un carrosse avec un laquais gris et Mme d'Aiguillon. On crut alors que Louis allait se réconcilier avec l'Eglise. La journée s'écoula pourtant sans que le confesseur fût mandé. Vers le soir, le roi appela La Borde, son premier valet de chambre:

– Allez chercher Mme du Barry!
– Sire, elle est partie ...
– Où est-elle allée?
– A Rueil, sire.
– Ah, déjà!»

On crut qu'il délirait, mais son esprit ne s'égarait que par intervalles. Croy se disait qu'il différait sa confession «pour ne pas se donner inutilement des entraves». Personne n'osait encore prévenir le malade de sa mort probable. Les médecins feignaient de trouver une amélioration. Les «barriens» et les «aiguillonistes» s'employaient à effrayer l'archevêque de Paris et le Grand aumônier. Nul ne remarqua que le roi avait suivi la messe, célébrée dans sa chambre, avec une ferveur inaccoutumée. On ne soupçonna pas davantage qu'il étudiait le progrès de la maladie, sans rien dire, ayant résolu de ne point donner le spectacle de sa faiblesse aux courtisans. L'archevêque de Paris et le Grand aumônier l'incitèrent en vain à se confesser. Le duc de Richelieu avait essayé, une fois de plus, de les dissuader de tenter cette démarche, selon lui, de nature à tuer le malade; toute la cour avait été témoin de leur altercation. Les uns et les autres perdaient leur peine, car le roi suivait son idée.

Le 7 mai, avant l'aube, il demanda l'abbé Maudoux. Ce prêtre exemplaire attendait, prosterné dans la chapelle. Il accourut. La confession dura seize minutes. Ensuite, Louis demanda ses petits-enfants, mais il interdit qu'on les laissât approcher du lit, par crainte de la contagion: il voulait seulement les revoir. Puis il reçut le Saint-Viatique. Après quoi, le Grand aumônier déclara:

– Messieurs, le roi me charge de vous dire qu'il demande pardon à Dieu de l'avoir offensé, et du scandale qu'il a donné à son peuple. Que si Dieu lui rend la santé, il s'occupera de faire pénitence et de soutenir la religion et de soulager ses peuples.

– J'aurais voulu avoir la force de le dire moi-même, ajouta faiblement le roi.

Dès lors, on attendit impitoyablement le dénouement. Dans le clan d'Aiguillon, «suivant le style de cour», on feignait de croire que le roi n'était pas en danger. Dans le clan opposé, «on se réjouissait ouvertement au plus petit détail fâcheux qui perçait de l'état du roi». Et Besenval raconte qu'il ne manquait pas de gens qui étaient alternativement tristes et gais, et rapportaient à chaque parti ce que se passait dans l'autre.

La dernière fois que de Croy vit Louis XV vivant, ce fut le 9 mai et ces images tragiques se gravèrent en lui: «Dans un lit de camp, au milieu de la chambre, tous les rideaux ouverts et très éclairé par quantité de cierges que tenaient des prêtres en surplis, entourant son lit à genoux, le Roi que nous avions vu tel, à très peu près, personne n'en ayant connu d'autre, avec un masque comme du bronze, et grossi par les croûtes, ce qui était son buste, sans mouvement, la bouche ouverte sans que le visage, d'ailleurs, fut déformé, ni montrât d'agitation, enfin comme une tête de More de nègre, cuivreux et enflé...»

Dans la chambre voisine, des ministres se disputaient et nombre de courtisans ne pouvaient celer leur joie malsaine.

Il était trois heures, le 10 mai, lorsqu'un huissier vint à l'Œil-de-Bœuf et dit simplement:

– Le Roi est mort!

Versailles, selon l'usage, se vida comme par enchantement. Ne restèrent auprès du défunt que les domestiques et deux ou trois dignitaires de service. On le mit dans deux cercueils de plomb. Deux jours après, on le chargea dans un carrosse et, avec une mince escorte, on l'emporta à Saint-Denis, nuitamment. Au passage les curieux l'injuriaient. Non seulement le peuple ne manifestait aucun respect, mais les épitaphes, les placards, les épigrammes, les chansons flétrirent sa mémoire. Dont ces vers, qui résument tout le reste:

> *«Te voilà donc, pauvre Louis,*
> *Dans un cercueil, à Saint-Denis!»*
> *C'est là que ta grandeur expire.*
> *Depuis longtemps, s'il faut le dire,*
> *Inhabile à donner la loi,*
> *Tu portais le vain nom de roi,*
> *Sous la tutelle et sous l'empire*
> *Des tyrans qui régnaient pour toi...*
> *Ami des propos libertins,*
> *Buveur fameux, et roi célèbre*

Par la chasse et par les catins :
Voilà ton oraison funèbre. »

X

LE VIEIL ARBRE DE LA MONARCHIE

Il y a vingt ans, cette partie du Poitou, que l'on nomme Vendée, gardait encore plusieurs de ses chemins creux. Ce sont d'anciennes pistes entaillant profondément le sol, creusées elles-mêmes d'ornières et recouvertes d'une épaisse voûte de feuillages. Quiconque emprunte ces fosses humides, herbues et sombres, ne peut être aperçu. La veille terre pétrie d'histoire et de sang a le goût des mystères, des marches furtives, elle est peuplée d'ombres frémissantes, elle se souvient, sans cesse ... Or, un soir d'été, où les blés embaumaient à cause du grand soleil de la journée, dans l'un de ces chemins creux, tout à coup, derrière un rideau de noisetiers, un chant éclata dans la lumière éblouissante, aussi pur et vif que le chant de l'alouette. C'était une fille de la campagne qui poussait ainsi la note, pour célébrer la fin du jour ou déverser le trop-plein d'un cœur joyeux. Elle avait un corsage de la couleur du ciel au bord de l'horizon. Un gros chien velu la précédait, surveillant le retour au bercail de quatre bœufs de labour. La fille allait ainsi derrière eux, chantant cet air qui me revient en mémoire, au terme de ce livre, avec cette image champêtre d'un temps disparu:

> J'ons vu le poème fringant
> Fait par ce Monsieur Voltaire.
> Quoiqu'il ait de l'esprit tant
> Est-ce que nous devons nous taire?
> Pour briller tout comme lui
> Je n'avons qu'à chanter Louis

Aux plaines de Fontenoy
Si t'avais vu ce monarque,
Son air inspirant l'effroi
Semblait commander la Parque;
Ses ennemis criaient tous:
Le voilà, morbleu, sauvons-nous!»...

Cette chanson populaire relatait la victoire de Fontenoy; elle datait de cette année 1745 où Louis XV se faisait peindre en cuirasse et s'appelait encore le Bien-Aimé. Une fois de plus, par la voix de cette fille en fichu bleu, la vieille terre se souvenait des Bourbons, qui l'avaient pourtant dédaignée, jusqu'au jour où, sur les cheminées campagnardes, fleurirent les images de Louis XVII, comme des violettes dans la forêt...

Il est pourtant probable qu'en cette région comme dans tout le reste de la France, le Bien-Aimé était devenu peu à peu le Mal-Aimé puis le Bien-Haï: tant de soldats du pays étaient morts inutilement pendant la guerre de Sept Ans, tant de parents jadis émigrés au Canada ne donnaient plus signe de vie et les impôts de l'abbé Vide-Gousset tombaient si dru! On disait sans doute que le roi dilapidait l'argent avec des femmes de mauvaise vie, qu'il n'approchait plus des sacrements depuis trente ans et plus, tant il avait honte de ses péchés et qu'à son modèle toute la cour de Versailles n'était que vice et corruption. De petites gazettes, des chansons imprimées, vendues dans les hameaux les plus reculés par des colporteurs enseignaient déjà les mots de peuple, de république et de liberté, dont, à la vérité, on ne comprenait pas encore le sens.

Qui donc, en ces contrées quadrillées de haies, découpée de forêts et parsemées d'ajoncs, pouvait imaginer la solitude du roi, sa lutte pathétique contre les philosophes et le Parlement, pour sauver la monarchie, et, contre lui-même, pour surmonter ses doutes? Pas même ces hobereaux plus qu'à demi campagnards, qui prenaient leur retraite avec le grade de capitaine et la croix de Saint-Louis: ils n'étaient point nobles de cour; on les avait menés à Versailles, une fois, pour voir le roi; les peintures et les miroirs dorés de la Galerie des Glaces les avaient éblouis; ils n'avaient qu'entrevu la haute et majestueuse silhouette du roi au milieu des courtisans, qui se dandinaient comme des paons. Les plus sagaces d'entre eux avaient cependant lu Montesquieu et Voltaire, les gazettes de Paris, les libelles politiques ; ils sentaient que la monarchie s'en allait, comme un vieillard à bout de souffle mais portant beau, par habitude. Ils avaient au cœur cette blessure secrète...

A la vérité, ici comme ailleurs, la manie de dénigrement était devenue si commune qu'il ne venait à l'idée de personne d'essayer de faire un bilan sincère du règne de Louis XV. Malgré les erreurs, les échecs, l'œuvre accomplie restait cependant considérable, digne de respect ! La France s'était accrue de la Lorraine et de la Corse : elle semblait définitivement à l'abri des invasions ; l'hexagone, aux proportions si harmonieuses, était enfin achevé ! L'armée avait recouvré sa puissance. La marine, après quelques années d'efforts, serait enfin en mesure d'affronter victorieusement les Anglais. Les routes, les ponts, refaits, rénovés, nous étaient enviés par toute l'Europe. L'administration, dotée de structures nouvelles, étendait ses ramifications à tous les domaines, première ébauche d'un Etat moderne. La prospérité de nos campagnes surprenait les voyageurs étrangers. Sans doute la vie des paysans était-elle encore difficile : la taille, les droits seigneuriaux, la dîme, les corvées grevaient les budgets ; il n'empêche que l'augmentation des prix agricoles assurait une aisance relative et facilitait l'acquisition de terres. En tout cas, les paysans vivaient infiniment mieux sous Louis XV que sous le Roi-Soleil. De plus la libre circulation des céréales évitait désormais les famines. De même l'artisanat, libéré des contraintes corporatives, se transformait progressivement en industries, bien que les Français, en majorité laboureurs ou descendants de laboureurs, fussent rétifs aux investissements : pour eux la pierre et la terre restaient les seules valeurs solides ! Le commerce, libéré lui aussi de ses entraves, facilité par un réseau routier adapté aux besoins, était en plein essor, enrichissant la bourgeoisie et rendant à mesure les privilèges nobiliaires plus insupportables. La population approchait les vingt-cinq millions d'habitants, soit un excédent de huit millions par rapport au règne de Louis XIV. Aucun pays d'Europe n'était aussi peuplé, n'offrait autant de ressources ni de richesses acquises : il suffit pour s'en convaincre de regarder les monuments du XVIIIe siècle à Paris et dans la région parisienne (ceux qui ont échappé aux destructions révolutionnaires !), plus encore dans certaines villes de province.

Par surcroît le rayonnement intellectuel et artistique de la France dépassait celui du siècle classique : nos meubles, nos tableaux, nos objets de porcelaine, nos sculptures, nos écrits, étaient répandus dans toute l'Europe. Le français était devenu non seulement la langue diplomatique, mais celle des milieux cultivés, à Vienne comme à Berlin ou à Saint-Pétersbourg.

En revanche, notre prestige politique était amoindri. On rendait Louis XV responsable de cet effacement. C'était ignorer délibérément les difficultés intérieures auxquelles il avait dû, quasi continuellement, faire face ! Tout avait été prétexte pour discréditer son action et paralyser ses réformes, les Parlements multipliant les obstacles, les philosophes abreuvant l'opinion de leurs critiques, les privilégiés défendant pied à pied leurs prérogatives, tout en soutenant les philosophes. On reprochait au roi son manque d'énergie, cependant qu'il s'épuisait à négocier avec des magistrats rebelles, s'efforçait de satisfaire l'opinion du moins dans ses exigences raisonnables, comme d'obtenir de ses ministres – si fréquemment changés – la cohésion et l'efficacité nécessaires. A ces difficultés s'ajoutait l'âpreté des courtisans, toujours à l'affût de pensions, ayant pour la plupart perdu jusqu'à la notion de bien public. Les princes eux-mêmes, par leur insignifiance et leur avidité, constituaient parfois une gêne, quand ils ne patronnaient pas imprudemment les cabales.

Les concepts d'honneur, d'honnêteté, de religion, s'étaient lentement dégradés, d'abord par réaction contre l'austérité apparente des dernières années de Louis XV, puis à la faveur du laxisme de la Régence, et des bouleversements consécutifs au système Law, ensuite sous l'influence grandissante des écrits philosophiques. Pendant les soixante années du règne de Louis XV, le monde avait marché ! Un immense fossé séparait « *L'Esprit des lois* » du sage Montesquieu, du « *Contrat social* » de Rousseau. Montesquieu avait dominé la première moitié du XVIIIe siècle ; c'était un monarchiste et un déiste convaincu. La seconde moitié du siècle avait vu l'antimonarchisme progresser de conserve avec l'anticléricalisme, l'engouement pour les sciences se substituer à la réflexion religieuse. Toutes les doctrines nouvelles, plus ou moins subversives, éparses et informelles, venaient de confluer dans le « *Contrat social* » qui contenait déjà l'arsenal idéologique et même la terminologie révolutionnaires. L'idée se précisait d'un changement radical, la monarchie parlementaire représentant le moindre mal, en tout cas la transition souhaitée. Mme du Hausset entendit un jour cette conversation entre le marquis de Mirabeau et le conseiller Mercier de La Rivière:

– Ce royaume, disait Mirabeau, est bien mal; il n'y a ni sentiments énergiques ni argent pour les suppléer.

– Il ne peut être régénéré que par une conquête comme à la Chine, ou par quelque grand bouleversement intérieur; mais malheur à ceux qui s'y trouveront: le peuple français n'y va pas de main morte!

Or, on a vu que, par suite de son éducation, Louis XV ne pouvait concevoir un amoindrissement de son autorité. Pour autant il appartenait à son époque, et plus encore qu'il ne l'imaginait! Il avait lu les philosophes. Chose curieuse, il lui arrivait d'employer dans sa correspondance le mot de «citoyen» à la place de «sujet». Comme beaucoup de ses contemporains, il portait aux sciences exactes un intérêt passionné. Cependant il croyait tenir son pouvoir de Dieu seul, non des hommes; être lié mystiquement à son peuple par l'onction de Reims, non politiquement. D'où le fracassant discours de la Flagellation! D'où l'abolition des Parlements obstinés à faire prévaloir la notion de contrat entre le roi et les citoyens. Louis XV mourut trop tôt pour que l'on sache ce qui serait, en définitive, advenu de ce retour à l'absolutisme. Il est cependant symptomatique que cette révolution n'agita que les salons, non tous!

Mais il n'était pourtant que trop réel que le vieil arbre de la monarchie était malade, philosophes et privilégiés s'acharnant à le dépouiller, à le mutiler! Peut-être restait-il plus robuste et plus sain, mieux enraciné qu'on ne voulait le dire... Après coup, c'est un jeu d'enfant que de décrire les causes et les effets d'une catastrophe et de cerner les influences. Mais l'Histoire est substance vive et mouvante, avec des imbrications infinies et des stratifications invisibles. Voltaire, Rousseau, les encyclopédistes ont certes modelé l'opinion. Mais laquelle? L'opinion des salons où voletaient des papillons-philosophes impatients de se rôtir les ailes, celle d'une certaine bourgeoisie crûe en richesse et en ambition, d'une élite cultivée, d'une partie des francs-maçons? Mais l'immense majorité du peuple échappait à l'irréligion et à l'antimonarchisme parisiens. Par contre l'hostilité contre les privilégiés, dont l'inutilité était évidente, semblait s'être généralisée.

Un prince tel qu'Henri IV, après avoir balayé la caste des robins, eût renvoyé les nobles dans leurs manoirs, au lieu de ruiner l'Etat à les nourrir et à les amuser; il les eût pourvus d'emplois; il eût affecté les jeunes dans ses régimes. La monarchie, libérée de Versailles, pouvait à nouveau rencontrer le peuple, recouvrer les prestiges perdus. Henri IV eût osé cela, mais il avait été élevé pieds nus, parmi les bergers de Béarn, suçant la gousse d'ail et croquant le pain bis. Louis XV avait mangé les petits blancs de Versailles. Il était persuadé que la monarchie ne pouvait exister hors de ce palais. Or, en ce point de l'évolution des mœurs et des idées, le roi de France ne pouvait plus être monarque de droit divin, et moins encore roi de Versailles! Le peuple ne demandait pas mieux que de lui déléguer le droit de gouverner. Mais, pour Louis XV, le peuple était une simple entité, un être inconnu dont il ignorait le caractère, les aspirations, les besoins, les problèmes. Il ne le voyait qu'à travers le miroir déformant de la cour.

Un jour M. de Saint-Germain se trouvait chez Mme de Pompadour. Le roi entra. Ils nouèrent conversation.

– Pour estimer les hommes, dit Saint-Germain, il ne faut être ni confesseur, ni ministre, ni lieutenant de police.

– Et roi! s'exclama Louis XV.

– Ah! Sire, vous avez vu le brouillard qu'il faisait il y a quelques jours, on ne voyait pas à quatre pas. Les rois, je parle en général, sont environnés de brouillards encore plus épais, que font naître autour d'eux les intrigants, les ministres infidèles; et tous s'accordent dans toutes les classes pour lui faire voir les objets sous un aspect différent du véritable.

Les mêmes brouillards empêchaient le peuple de voir le roi. Dès lors, il était aisé de taxer Louis de paresse, d'égoïsme, d'indifférence, et de le comparer aux volupteux empereurs orientaux. Le temps n'était plus où les petites gens disaient: «Ah! si le roi savait!» On les avait persuadés que le roi ne voulait plus «savoir». En fin de compte, il apparaît que la solitude, qui était le refuge de Louis, était aussi sa pire ennemie. Elle l'enveloppait d'un indéchiffrable mystère. Nul ne connaissait le fond de sa pensée, ses intentions louables, ses

scrupules, son labeur, sa volonté de léguer une monarchie intacte à son successeur, ses craintes, malré tout, de l'avenir, la
justesse de ses jugements et de ses pronostics, sa clairvoyance
même trop souvent confondue avec le scepticisme. Jamais il
n'aurait osé dire: «Après moi, le déluge»!

On mettait sur le compte des intrigues, ou des caprices des
favorites, les changements de ministères. C'étaient essentiellement le manque d'étoffe, les erreurs ou la déloyauté des ministres qui motivaient ces changements. Louis n'était bien servi
que par ses conseillers d'Etat et ses hauts fonctionnaires, personnages de second rang. Après la disparition du cardinal de
Fleury, il ne trouva personne pour le seconder, alors qu'il devenait impossible à un seul homme de contrôler l'énorme machine administrative. Au fond la monarchie mourrait d'avoir trop
bien réussi la centralisation amorcée par Louis XIV en 1661,
lors de sa prise de pouvoir. Mais Louis XV n'avait point l'autorité souveraine de son bisaïeul. C'était à Louis XIII qu'il ressemblait politiquement du moins, par ses doutes, ses scrupules,
sa timidité, son dédain de la publicité, sa volonté secrète, sa
méfiance. Mais c'était un Louis XIII sans Richelieu.

LOUIS XV PAR LUI-MÊME

LETTRE AU ROI D'ESPAGNE (1754)

«Monsieur mon frère et cousin,

«La tendre amitié qui nous unit ne serait pas telle qu'elle doit être et que mon cœur la désire, si elle ne nous inspirait pas la confiance de nous communiquer réciproquement nos sentiments les plus intimes, surtout dans les circonstances où il peut être question du bonheur de nos peuples, des avantages de toute notre maison et de la grandeur de nos deux monarchies. C'est dans cette vue que j'ai cru qu'il était important d'informer Votre Majesté que j'ai été averti, par des voies sûres et certaines, que les cours de Londres et de Vienne se flattent à présent plus que jamais d'exécuter le projet formé entre elles depuis longtemps d'altérer la bonne intelligence et l'union qui règnent entre l'Espagne et la France, et que ces deux cours ont envoyé de nouvelles instructions à leurs ministres à Madrid pour chercher les moyens de parvenir à cet objet.

«Je sais de plus qu'elles n'oublient rien pour répandre de malignes et fausses imputations sur les vues et la conduite de la France, et que l'on ne fait pas difficulté de m'y peindre comme un prince ambitieux qui ne cherche qu'à troubler la tranquillité de l'Europe.

«Ce n'est pas aujourd'hui que les cours de Vienne et de Londres ne voient qu'avec des yeux de chagrin et d'envie la splendeur et la puissance de Notre Maison. La Cour de Vienne ne pardonnera jamais à la France d'avoir établi Philippe V sur le trône d'Espagne. La cour de Londres veut envahir les trésors du nouveau monde et se procurer la monarchie universelle sur la mer. Les Anglais ont été de tous temps les ennemis constants et implacables de notre sang et de notre maison; nous n'en n'aurons jamais eu de plus dangereux. Sans en chercher les preuves dans les siècles reculés, quels efforts n'ont-ils pas faits pour empêcher Philippe V, père de Votre Majesté et mon oncle, de régner en Espagne! Sans les sacrifices que Louis XIV, notre commun bisaïeul, a fait de ses trésors et du sang de ses peuples, sans sa constance et sa fermeté qui n'ont pu être ébranlées par les dangers qu'a courus plus d'une fois sa couronne, les Anglais auraient enlevé la couronne d'Espagne et des Indes à sa postérité.

«C'est le souvenir de ces importants objets profondément gravés dans l'esprit du feu roi Philippe V, votre père et mon oncle, qui a été le principe de l'amitié et de la tendresse profonde qu'il a eues toujours pour moi et pour la France, et ce sont les mêmes objets qui m'attachent intimement à l'Espagne.

«Je suis bien convaincu que Votre Majesté pense de même, c'est cet accord mutuel d'intérêts et de sentiments qui doit resserrer de plus en plus les liens qui unissent nos personnes, nos maisons, nos Etats et nos peuples. Il ne dépendra pas de moi que les liens respectables de cette union durent à jamais, ce sera le but constant de mes soins, et le fruit de l'amitié la plus tendre que je conserverai toute ma vie pour Votre Majesté.»

SON TESTAMENT (1766)

Au nom du Père, du Fis et du Saint-Esprit. Amen.
Ce qui suit sont mes dernières volontés.

Je remets mon âme à Dieu mon créateur, et le conjure d'avoir pitié d'un grand pécheur, soumis entièrement à la sainte volonté et aux décisions de son Eglise catholique, apostolique et romaine. Je prie la Sainte Vierge, tous les saints, et particulièrement Saint Louis, mon aïeul et mon patron, d'intercéder pour moi près de Jésus-Christ, mon divin sauveur et rédempteur, pour que j'obtienne le pardon de mes péchés, l'ayant si souvent offensé et si mal servi ; je demande pardon à tous ceux que j'ai pu offenser ou scandaliser, et les prie de me pardonner et de prier Dieu pour mon âme. Je prie de tout mon cœur le Tout-Puissant d'éclairer celui de mes petits-fils qui me succédera dans le gouvernement du royaume qui m'a été confié par la Providence divine (puisqu'il lui a plu d'appeler à lui mon cher fils unique, auquel je ne m'attendais pas de survivre), pour qu'il le gouverne mieux que moi. Si j'ai fait des fautes, ce n'est pas manque de volonté, mais manque de talents, et pour n'avoir pas été secondé comme je l'aurais désiré, surtout dans les affaires de la religion. Je défends toutes les grandes cérémonies à mes funérailles, et j'ordonne que mon corps soit porté à St-Denis dans le plus simple appareil que faire se pourra. J'ordonne que mon cœur soit porté où celui du feu Roi, mon seigner et bisaïeul, sera. J'ordonne que mes entrailles soient portées à Notre-Dame à Paris, pour y être placées en arrière de celles de Louis XIV. J'ordonne qu'il soit fondé un service solennel au jour de ma mort et une messe basse chaque jour pour le repos de mon âme, et un pareillement dans la paroisse du lieu où je mourrai, et un à Versailles si je meurs ailleurs. Je donne à mon petit-fils le Dauphin, qui me succédera, tout ce qui se trouvera chez moi dans toutes mes maisons, et j'ordonne que toutes les clefs lui en seront remises à lui-même, ou au régent ou régente s'il avait le malheur d'être mineur ; et je désire qu'il partage mes bijoux avec mes enfants, petits-enfants, qui seront en France, de tout sexe, selon leurs désirs. Je veux que mes filles aient chacune deux cent mille livres de pension, leurs maisons et tables payées, et que celle qui survivra aux autres en jouisse de trois cent mille livres. Je charge aussi mon successeur de bien récompenser ceux de mes domestiques particuliers qu'il ne gardera pas dans leurs emplois.

Fait au château de Versailles, ce sixième jour de janvier, l'an de grâce mil sept cent soixante-six.

Louis.

O Dieu, qui connoissez tout, pardonnez-moi de nouveau toutes les fautes que j'ai faites et tous les péchés que j'ai commis: vous êtes miséricordieux et plein de bontés; j'attends en frémissant de crainte et d'espérance votre jugement; ayez en pitié mon peuple et mon royaume et ne permettez pas qu'il tombe jamais dans l'erreur, comme des états nos voisins, qui étoient jadis si catholiques, apostoliques et romains, et peut-être plus que nous.

Louis.

INDEX BIOGRAPHIQUE

AIGUILLON (Emmanuel du Plessis de Richelieu, duc d'), 1720-1788. Après de brillants services aux armées, il fut nommé gouverneur de Bretagne. Dans cette fonction il s'attira, par son autoritarisme, la haine du Parlement de Rennes, notamment de La Chalotais. Rappelé à Versailles, il garda la faveur de Louis XV. A la chute de Choiseul, il constitua avec Maupeou et Terray le «Triumvirat». Ministre des Affaires étrangères et de la Guerre, il ne sut pas empêcher le partage de la Pologne et perdit l'alliance turque. Il démissionna à l'avènement de Louis XVI.

ARGENSON (Marquis d'), 1652-1721. Personnage de premier plan sous la régence de Philippe d'Orléans, il fut nommé lieutenant-général de police et remplit son rôle avec une rigueur confinant à l'arbitraire. Garde des sceaux et secrétaire aux Finances en 1718, son hostilité au système de Law provoqua sa disgrâce.

AUGUSTE II (Electeur de Saxe et roi de Pologne), 1670-1733. Elu roi de Pologne en 1697 à la mort de Jean III Sobieski, il perdit son trône à la suite d'une invasion suédoise, au profit de son rival Stanislas Leczinski (père de la reine de France, Marie Leczinska), mais il le recouvra en 1714. Maurice de Saxe était son fil naturel.

AUGUSTE III (de Pologne), 1696-1763. Fils du précédent, lui succéda sur le trône de Pologne en 1733, malgré le soutien de Louis XV à Stanislas Leczinski (guerre de succession de Pologne). Il est le père de Marie-Josephe de Saxe, seconde épouse du dauphin et mère de Louis XVI, Louis XVIII et Charles X.

BAVIERE (Charles-Albert, Electeur de), 1697-1745. Fils de l'Electeur Maximilien-Emmanuel et d'une fille de l'empereur d'Autriche, Joseph Ier, il espéra ceindre la couronne de l'empire à la mort de Charles VI. Soutenu par la France et par la Prusse (Frédéric II désirant annexer la Silésie), il se fit proclamer empereur sous le nom de Charles VII. Il se heurta à la résistance de Marie-Thérèse (fille de Charles VI). Quand il mourut, la Bavière était aux mains des Impériaux.

BESENVAL (Pierre-Victor, Baron de), 1722-1792. Lieutenant général, il est surtout connu pour ses Mémoires, recueil d'anecdotes souvent scandaleuses, mais donnant une idée assez précise des mœurs de la haute société française au XVIIIe siècle.

BOURBON (Louis-Henri, duc de), 1692-1740. Arrière-petit-fils du Grand Condé, il était sous la régence devenu Chef de la Maison de Condé. Poussé par la marquise de Prie, sa maîtresse, il se fit octroyer le titre de Premier ministre à la mort du Régent. Il conserva le pouvoir pendant trois ans, multipliant les erreurs et les maladresses. Ce fut lui qui négocia le mariage de Louis XV avec Marie Leczinska, fille d'un roi détrôné. Louis XV le congédia en 1726 au profit du cardinal de Fleury.

CATHERINE I (de Russie), 1684-1727. Fille de ferme, puis fille à soldats, elle devint aux termes d'aventures picaresques l'épouse du tsar Pierre le Grand. A la mort de celui-ci, elle fut nommée régente et montra d'exceptionnels talents d'homme d'Etat.

CATHERINE II (de Russie), 1729-1796. Fille du prince d'Anhalt-Zerbst, elle épousa en 1745 le tsarévitch Pierre, futur Pierre III. Après la mort de la tsarine Elisabeth, en 1762, elle fit étrangler son mari et s'empara du pouvoir. Extraordinairement douée, elle réforma la vieille Russie, l'agrandit (notamment lors du partage de la Pologne) et en fit une puissance européenne. Amie des philosophes, elle maintint cependant le servage et les structures féodales de son pays!

CHATEAUROUX (Marie-Anne de), 1717-1744. Fille du marquis de Nesle, veuve du marquis de La Tournelle à vingt-cinq ans, elle devint favorite de Louis XV, de même que ses sœurs, Mme de Mailly et Mme de Vintimille. Cette dernière mit au monde un fils dont le ressemblance avec Louis XV était si frappante qu'on le surnommait «le demi-louis»!

CHAUVELIN (Germain-Louis de), 1685-1762. Avocat général au Parlement de Paris, devint garde des sceaux et secrétaire d'Etat aux Affaires étrangères sous le cardinal de Fleury. Montrant un peu trop hâte de succéder à ce dernier, il fut disgrâcié.

CHOISEUL (duc de), 1719-1785. Maréchal de camp en 1748, le futur duc de Choiseul-Stainville passait pour le protégé de Mme de Pompadour. Ambassadeur à Rome puis à Vienne (surnommé «diplomate de boudoir»), il succéda en 1759 au cardinal de Bernis comme ministre des Affaires étrangères. Surintendant des postes, ministre de la Guerre et de la Marine, de part avec son parent Choiseul-Praslin, il choisit le parti de l'Autriche et par le Pacte de Famille, resserra l'alliance entre les Bourbons régnant en Europe. L'acquisition de la Corse ne compensa pas les erreurs graves qui amenèrent sa disgrâce, imputée à l'influence de la du Barry. Il vécut ensuite en Touraine dans le superbe château de Chanteloup.

CREQUI ou CREQUY (Anne Lefèvre d'Auny, marquise de), 1714-1803. Mourut presque centenaire. Connut Louis XIV et Bonaparte. Ses souvenirs (sept volumes) traduisent à la perfection le ton de la conversation de son temps et l'état d'esprit de la vieille noblesse non corrompue par la cour.

CROY (prince puis duc de), 1718-1787. Maréchal de France, connu par ses Mémoires militaires et ses Mémoires sur la cour de Louis XV et Louis XVI.

DIDEROT (Denis), 1713-1784. Fils d'un artisan de Langres, il fut l'un des promoteurs du parti philosophique et athée. Il est aussi le principal auteur de l'Encyclopédie, dont le premier tome fut publié en 1751, et à laquelle collaborèrent toutes les «Lumières» de l'époque: d'Alembert, Buffon, Rousseau, Voltaire, Montesquieu, Helvetius, Marmontel, Condillac... Œuvre gigantesque, mais inégale et ne valant en fin de compte que par ses articles scientifiques et techniques.

DUBOIS (Guillaume, abbé puis cardinal), 1656-1723. Fils d'un médecin ou d'un apothicaire, de Brive-la-Gaillarde, il

devint précepteur de Philippe d'Orléans et le détermina à
épouser Mlle de Blois, fille légitimée de Louis XIV et de la
Montespan. Conseiller d'Etat en 1715, il se lança dans la
diplomatie et conclut avec l'Angleterre une alliance contre
l'Espagne. Ministre des Affaires étrangères, il déjoua la
conspiration de Cellamare. Devenu Premier ministre et cardinal, il tenta d'améliorer les finances et fit enregistrer la
bulle Unigenitus par le Parlement. C'était sous des dehors
peu flatteurs et avec une conduite détestable, la meilleure
tête politique de la Régence.

DUCLOS, 1704-1772. Littérateur et historiographe du roi, il
est l'auteur de Mémoires secrets sur le règne de Louis XIV,
la Régence et le règne de Louis XV.

ELISABETH DE RUSSIE, 1709-1762. Fille de Pierre le
Grand et le Catherine I, elle fut évincée du trône par les
boyards à la mort de Pierre II en 1730, au profit de sa
cousine Anna Ivanovna. Elle la détrôna en 1741 et s'installa
à St-Petersbourg. Servie par des ministres éminents, elle
amorça la modernisation de la Russie. Pendant la guerre de
Sept Ans, ses troupes parvinrent à occuper Berlin. Son neveu, l'incapable Pierre III, lui succéda.

ENCYCLOPEDIE, 33 volumes, 1751-1772, voir DIDEROT.

FLEURY (André-Hercule, Cardinal de), 1653-1743. Fils d'un
fonctionnaire royal du Languedoc, il entra en religion, gagna la confiance de Louis XIV, devint évêque de Fréjus (on
le nommait alors «M. de Fréjus») et précepteur de Louis
XV. Intrigant, ambitieux, sous des dehors modestes, il
exerça une influence grandissante sur Louis XV, parvint à
évincer le Duc de Bourbon et fut dès lors Premier ministre
de fait. Résolument pacifique, il ne put cependant éviter la
guerre de Succession d'Autriche.

FREDERIC Ier (de Prusse), 1657-1713. Grand Electeur de
Brandebourg, devenu roi de Prusse en 1701.

FREDERIC-GUILLAUME Ier (de Prusse), 1688-1740. Fils
du précédent, surnommé le Roi-Sergent. Il consacra toutes
ses activités et ses ressources à former un Trésor de guerre
et une armée qui assureront le triomphe de Frédéric II.

FREDERIC II (de Prusse, Frédéric le Grand), 1712-1786. Fils
du précédent, lui succéda en 1740. Il agrandit la Prusse de
la Silésie et d'une partie de la Pologne. Dénué de scrupules,

ami des philosophes et autocrate, aussi bon diplomate qu'habile stratège, il assura à la Prusse le rang de grande puissance. Parmi ses victoires, celle de Rossbach contribua le plus à sa réputation d'invincibilité.

HABSBOURG-LORRAINE (François Ier de), 1708-1765. Duc de Lorraine, il épousa en 1736 Marie-Thérèse, fille de l'Empereur Charles VI. Dépossédé de la Lorraine à la suite de la guerre de succession d'Autriche, au profit de Stanislas Leczinski, beau-père de Louis XV, il devint prince consort à la mort de Charles VI, puis empereur en 1745. Il est le père de Marie-Antoinette, futur reine de France, et des futurs empereurs Joseph II et Léopold II.

HAUSSET (Mme du). Veuve d'un pauvre gentilhomme, la misère l'obligea à accepter la place de première femme de chambre de Mme de Pompadour. Après la mort de la marquise, elle se retira en province. Ses Mémoires, retrouvés par le collectionneur anglais Craufurd, relatent la vie quotidienne et secrète de Louis XV.

HELVETIUS (Claude-Adrien), 1715-1771. Fermier général, il scandalisa ses contemporains par la publication de son essai philosophique «*De l'Esprit*». Il résumait la condition humaine en deux mots: matérialisme et intérêt, et prônait l'égalité des individus.

KAUNITZ (Venceslas Antoine), 1711-1794. Conseiller de l'empereur Charles VI, il fut ambassadeur d'Autriche à Turin et à Paris, et participa activement aux négociations du traité d'Aix-la-Chapelle (1748). Sous son influence, l'impératrice Marie-Thérèse et François de Lorraine infléchirent leur politique extérieure et se rapprochèrent de la France: d'où sortit la guerre de Sept Ans.

LA CHALOTAIS (Louis-René de), 1701-1785. Procureur général du Parlement de Rennes, il s'opposa véhémentement au gouvernement du duc d'Aiguillon. Incarcéré à St-Malo, puis exilé en Saintonge, il fut réintégré par Louis XVI en 1775.

LUYNES (Charles-Philippe d'Albert, duc de), 1695-1758. Petit-fils par sa mère du célèbre marquis de Dangeau, il poursuivit le journal de celui-ci pour le règne de Louis XV. Sa femme était dame d'honneur de Marie Leczinska. Aussi méticuleux que Dangeau, Luynes est plus complet et plus nuancé.

MACHAULT D'ARNOUVILLE (Jean-Baptiste), 1701-1794. Fils d'un lieutenant général de police, il fut conseiller, puis président de Chambre au Parlement de Paris. Il devint contrôleur général des Finances en 1745 et inventa l'impôt du vingtième dans un souci d'équité. En butte à l'hostilité des privilégiés, il dût abandonner les finances et prit la marine. Les revers de la guerre de Sept Ans et l'hostilité de Mme de Pompadour provoquèrent sa disgrâce. Arrêté sous la Terreur, il mourut en prison.

MARIE-THERESE (d'Autriche), 1718-1780. Fille de l'Empereur Charles VI et d'Elisabeth de Brunswick, habilitée par la pragmatique sanction à succéder à son père, elle dût affronter les pires dangers pour faire prévaloir ses droits. Conseillée par son mari, François de Lorraine, elle fit montre d'un rare courage en soutenant une lutte d'abord inégale contre Frédéric II de Prusse et l'Electeur de Bavière, proclamé empereur sous le nom de Charles VII. Elle parvint à transmettre à son fils un empire agrandi d'une partie de la Pologne mais amputé de la Silésie désormais prussienne.

MAUPEOU (René-Nicolas-Charles-Augustin de), 1714-1792. Fils de magistrat, il succéda à son père dans les fonctions de chancelier de France, en 1768. Il forma avec d'Aiguillon et Terray, le «Triumvirat» qui provoqua, partiellement, la disgrâce de Choiseul. Il est le principal auteur de la suppression des Parlements et de la réforme de Justice. Congédié en 1774 par Louis XVI (qui s'empressa de rappeler les Parlements).

MAUREPAS (Jean-Frédéric Phelippeaux, comte de), 1701-1781. Petit-fils du chancelier de Pontchartrain, fut très jeune secrétaire d'Etat, responsable de la Maison du Roi. Il contribua activement à l'embellissement de Paris et protégea les savants. Disgrâcié en 1749, il fut rappelé par Louis XVI en 1774, fit chasser le «Triumvirat» et recruter Necker et Turgot, dont il provoqua ensuite la chute. Léger, superficiel, il contribua par son aveuglement à la perte de la monarchie.

MIRABEAU (Victor Riquetti, marquis de). Père d'Honoré-Gabriel, le célèbre tribun révolutionnaire.

NOAILLES (cardinal de), 1651-1729. Frère du maréchal de Noailles, archevêque de Paris, il prit une part active aux conflits entre les jésuites et les jansénistes. Nommé conseiller par le régent en 1715.

ORRY (Philibert), 1689-1747. Conseiller au Parlement de Paris, puis intendant, il devint contrôleur général en 1730 et se distingua par sa compétence et sa probité.

PARIS (les frères). Fils d'un hôtelier-cabaretier du Dauphiné, les quatre frères (Antoine, 1688-1733; Claude, 1670-1745; Joseph, 1684-1770 et Jean, 1690-1766) s'associèrent pour fonder une entreprise de transports militaires, puis de ravitaillement. Devenus banquiers, ils furent hostiles au système de Law, et après sa déconfiture, devinrent intendants des finances.

PITT (William), 1708-1778. Fils d'un gros négociant, il fut élu à la Chambre des Communes, usa et fit basculer le pacifique Walpole et entraîna l'Angleterre dans la guerre de Sept Ans. Disgrâcié par le jeune roi George III, en 1761, il borna dès lors ses activités à combattre les hommes en place. Il avait donné à son pays l'Inde et le Canada! Son fils (William Pitt II) poursuivra la politique anti-française de son père pendant la Révolution, le Consulat et l'Empire.

POLOGNE, voir AUGUSTE II, AUGUSTE III.

PONIATOWSKI (Stanislas), 1732-1798. Favori de Catherine II, il fut élu grâce à l'appui Russe, roi de Pologne en 1764. Homme du monde plutôt qu'homme d'Etat, il fut le jouet de la tsarine et ne put empêcher le partage de la Pologne. Il abdiqua en 1795 et mourut en Russie blanche, dévoré par le remords.

RUSSIE, voir CATHERINE I, ELISABETH, CATHERINE II.

STUART (Charles-Edouard), 1720-1788. Petit-fils de Jacques II d'Angleterre, il rêva toute sa vie de reconquérir la couronne d'Angleterre, tout au moins celle d'Ecosse. Débarqué en 1744, il parvint à se maintenir deux ans, mais fut battu à Culloden. Il mourut proscrit en Italie.

TERRAY (Joseph-Marie, Abbé), 1715-1778. Conseiller au Parlement de Paris, et plus courtisan que religieux, menant par surcroît une existence scandaleuse, il parvint à se faire nommer contrôleur général des finances et fut l'un des «triumvirs» du ministère Maupeou. Les mesures fiscales qu'il fut amené à prendre pour éviter la banqueroute, sa complaisance envers la comtesse du Barry, le discréditèrent.

WALPOLE (Robert), 1676-1745. Chef du parti Whig, il fut Premier ministre d'Angleterre de 1715 à 1717 et de 1721 à 1742. Résolument pacifiste, il s'entendit parfaitement avec le cardinal de Fleury pour différer, puis limiter la guerre de succession d'Autriche, malgré les sarcasmes de l'opposition.

BIBLIOGRAPHIE

ANTOINE (Michel), *Le gouvernement et l'administration sous Louis XV* (dict. biographique). Paris, CNRS, 1978.

ANTOINE (Michel), *Les comités des ministres sous le règne de Louis XV*. Paris, Sirey, 1951.

ANTOINE (Michel), *Une séance royale au Conseil d'Etat privé sous le règne de Louis XV*. Paris, Revue historique de français et étranger, 1950.

ANTOINE (Michel), *Le conseil des dépêches sous le règne de Louis XV*. Paris, Bibliothèque de l'Ecole des Chartes, 1955.

ANTOINE (Michel), *Les conseils des finances sous le règne de Louis XV*. Paris, P.U.F., 1958.

ANTOINE (Michel), *Inventaire des arrêts du conseil du roi sous le règne de Louis XV (1715-1720);* Paris, SEVPEN, 1968.

ANTOINE (Michel), *Les bâtards de Louis XV*. Paris, Revue des Deux-Mondes, août 1961.

ANTOINE (Michel), *Le mémoire de Gilbert de Voisins sur les cassations*. Paris, Sirey, 1958.

ANTOINE (Michel), voir OZANAM.

ARGENSON (Marc Pierre, cte d'), *Correspondance avec les maréchaux*. Paris, 1922-1924 (2 vol).

ARGENSON (Mis de), *Journal et mémoires*. Paris, Renouard, 1859 (4 vol.).

AUBERTIN (Charles), *L'esprit public au 18e s. (1715-1789)*. Paris, Perrin, 1889.

BABEAU (Albert), *La lutte contre la cherté de 1724. Paris, Leroux, 1892.*

BARBIER (E.), *Journal historique et anecdotique du règne de Louis XV, publié par A. de Villegille*. Paris, Renouard, 1847-1856 (4 vol.).

BAUDRILLART (Mgr), *Philippe V et la cour de France*. Paris, Didot, 1890 (5 vol.).

BLART (Louis), *Les rapports de la France et de l'Espagne*. Paris, F. Alcan, 1915.

BOFFRAND (Germain), *Livre d'architecture*. Paris, G. Cavalier, 1745.

BONNEFOY DE BONYON (François-Lambert, abbé de), *Eloge historique de Louis, dauphin de France, père de Louis XVI*. Paris, Merigot, 1780.

BOURDON (Louis Gabriel), *Le parc aux cerfs. Paris. Sur les débris de la Bastille*, 1790.

BOUTARIC (Edgar), *Correspondance secrète inédite de Louis XV sur la politique étrangère*. Paris, Plon, 1866 (2 vol.).

BROGLIE (Charles, duc de), *L'alliance autrichienne*. Paris, Lévy, 1895.

BROGLIE (Charles, duc de), *Le secret du roi, correspondance secrète de Louis XV avec ses agents diplomatiques, 1752-1774*. Paris, Lévy, 1879 (2 vol.).

BROGLIE (Charles, duc de), *Frédéric II et Louis XV*. Paris, Lévy, 1885 (2 vol.).

BUVAT (Jean), *Journal de la régence (1715-1723), publié par E. Campardon*. Paris, Plon, 1865 (4 vol.).

CAHEN (Léon), *Les querelles religieuses et parlementaires sous Louis XV*. Paris, Hachette, 1915.

CALAN (C. de), *La charte du duc d'Aiguillon*. Vannes, Revue Bretagne et Vendée, Lafolve, 1894.

CARRE (Henri), *Le règne de Louis XV (1715-1774), tome VIII de l'Histoire de France de Lavisse*. Paris, Hachette, 1909.

CHAMPARDON (Emile), *Mme de Pompadour et la cour de Louis XV au milieu du 18e s.* Paris, Plon, 1867.

CHEVERNY (J.N. de Durfort, cte de), *Mémoires sur les règnes de Louis XV, Louis XVI et la Révolution*. Paris, Plon, 1886 (2 vol).

CHOISEUL (Etienne-François, duc de), *Mémoires*, Paris, Buisson, 1790 (2 vol).

CHOISY (abbé de), *Mémoires pour servir à l'histoire de Louis XV*. Paris, Librairie des bibliophiles, 1888 (2 vol.).

COLIN (Jean-Lambert), *Louis XV et les jacobites*. Paris, Chapelot, s.d.

CREQUI (Mise de), *Souvenirs (1710-1803)*. Paris, Garnier, s.d.

CROY (duc de), *Mémoires sur les cours de Louis XV et Louis XVI*. Paris, Nouvelle revue rétrospective, s.d.

CURZON (Alfred), *L'ambassade du cte des Alleurs à Constantinople (1747)*. Paris, Plon, 1914.

DACIER (Emile), *L'art au XVIIIe siècle (régence, Louis XV)*. Paris, Le Prat, 1951.

DANGEAU (Mis de), *Journal publié par Feuillet de Conches*. Paris, Didot. 1860 (tomes 16, 17 et 18).

DUCLOS (Charles Pinot), *Mémoires secrets sur les règnes de Louis XIV et de Louis XV*. Paris, Foucault, 1829 (2 vol.).

DUFOURCQ (Norbert), *La musique à la cour de Louis XV*. Paris, Picard, 1970.

EGRET (Jean), *Louis XV et l'opposition parlementaire (1715-1774)*. Paris, Colin, 1970.

ERLANGER (Philippe), *Le régent*. Paris, Gallimard, 1939.

GAXOTTE (Pierre), *Le siècle de Louis XV*, Paris, Fayard, 1936.

GODARD (Philippe), *La querelle du refus des sacrements (1730-1765)*. Paris, Domet, 1937.

GOUDARD, *Les intérêts de la France mal entendus*. Amsterdam, 1756 (3 vol.).

HARDY, *Mes loisirs, journal d'événements (1764-1789), publié par M. Vitrac et M. Tourneux*. Paris, Picard, 1912.

HAUSSET (Mme du), *Mémoires*. Paris, Baudoin, 1824.

HERISSAY (Jacques), *Scènes et tableaux du règne de Louis XV*. Paris, Gautier-Languereau, 1936.

JOBEZ (Alphonse), *La France sous Louis XV (1715-1774)*. Paris, Didier, 1865 (6 vol.).

JOURDAIN (B.), *Mélanges historiques, satiriques, anecdotiques...* Paris, Chèvre et Chanson, 1807 (3 vol.).

KUNSTLER (Charles), *La vie quotidienne sous Louis XV*. Paris, Hachette, 1953.

LABBE (Marie-Elisabeth), *inventaire des arrêtés du conseil du roi, 1740. Paris, Sirey, 1940*.

LACOMBE (Bernard de), *La résistance janséniste et parlementaire au temps de Louis XV*. Paris, SGAF, 1948.

LACOUR-GAYET (Georges), *Les projets de débarquement en Angleterre*. Paris, de Saye, 1901.

LAVISSE, voir CARRE.

LECLERCQ (Dom H.), *Histoire de la régence pendant la minorité de Louis XV*. Paris, Champion, 1922 (3 vol.).

LEMOINE (Jean), *Sous Louis XV le Bien-Aimé, correspondance amoureuse et militaire d'un officier pendant la guerre de Sept Ans (1757-1765). Paris, Calmann-Lévy, s.d.*

LEROY (Alfred), *Louis XV*. Paris, Albin-Michel, 1938.

LEVRON (Jacques), *Secrète Mme de Pompadour*. Paris, Arthaud, 1961.

LOUIS XV, Edits, *lettres patentes et déclarations royales rendues en 1771- 1772*, s.l.n.d.

LOUIS XV, *Code Louis XV, recueil des principaux édits sur la justice, la police, les finances (1722-1740)*. Paris, Gérard. 1750-1758 (12 vol.).

LUYNES (duc de), *Mémoires sur le règne de Louis XV (1735-1758),* publié par L. Dussieux et E. Soulié. Paris, Didot, 1860-1865 (17 vol.).

MARAIS (Mathieu), *avocat au parlement de Paris, Journal et mémoires sur la régence et le règne de Louis XV (1715-1737), publiés par Lescure*. Paris, Didot, 1863-1868 (4 vol.).

MAUPEOU (Cte François de), *Remontrances du Parlement à Louis XV - 27 novembre 1755.*

MARTIN (Germain), *La grande industrie en France sous le règne de Louis XV*. Paris, Fontemoing, 1900.

MENTION (Léon), *Documents relatifs aux rapports du clergé avec la royauté du 1682 à 1789*. Paris, A. Picard, 1893-1903 (2 vol.).

MILLOT (abbé), *Mémoires politiques et militaires pour servir à l'histoire de Louis XIV et de Louis XV, composés par le duc de Noailles*. Paris, Moutard, 1776-1777 (6 vol.).

MONTAIGU (Cte François de), *Correspondance diplomatique du cte de Montaigu, ambassadeur à Venise*. Paris, Plon, 1915.

MOUFFLE D'ANGERVILLE, *Vie privée de Louis XV*. Londres, J.P. Lyton, 1781.

NOAILLES (Duc de), voir MILLOT.

OZANAM (Didier), *Un projet de mariage entre l'infante Maria Antonia, sœur de Ferdinand II et le dauphin, fils de Louis XV (1746)*. Barcelone, Zarita, 1951.

OZANAM (Didier) et ANTOINE (Michel), *Correspondance secrète du cte de Broglie avec Louis XV (1756-1766, 1767-*

1774). Paris, Société de l'Histoire de France, 1956 (2 vol.).

PIMODAN (Cte de), *Le cte de Mercy-Argenteau, ambassadeur impérial à Paris sous Louis XV et Louis XVI*. Paris, Plon, 1911.

Recueil manuel des principales ordonnances du royaume. Paris, 1785-1788 (16 vol.).

RICHELIEU (maréchal de), *Mémoires (1725-1757), publiés par Boislile*. Paris, Socité de l'Histoire de France, 1918.

ROCQUAIN (Félix), *l'Esprit révolutionnaire avant la révolution (1715-1789)*. Paris, Plon, 1878.

SAINT ANDRE (Claude), *Mémoires sur Paris*. Paris, Emile-Paul, 1921.

SAINT-SIMON, *Mémoires* (éditions Boislile ou Cheruel).

SARTINES, *Journal des inspecteurs de M. de Sartines sous le règne de Louis XV*. Paris, Dentu, 1863.

STRYIENSKI (Casimir), *Mesdames de France, filles de Louis XV*. Paris, Emile-Paul, 1911.

STRYIENSKI (Casimir), *Le XVIIIe siècle*. Paris, Hachette, 1909.

STRYIENSKI (Casimir), *La mère des trois derniers Bourbons*. Paris, Plon, 1903.

TELEKI (Cte Joseph), *Journal de voyage*. Paris, P.U.F., 1943.

THOMAS (Ernest), *Recherches historiques sur les droits du roi aux XVIIe et XVIIIe siècles*. Paris, Dentu, 1883.

TOCQUEVILLE (Cte Hervé de), *Histoire philosophique du règne de Louis XV*. Paris, Amyot, 1847 (2 vol.).

TOUSSAINT (Vincent-François), *Anecdotes curieuses de la cour et du règne de Louis XV, publiées par P. Fould*. Paris, Plon, 1908.

TRINITZUIS (René), *John Law et la naissance du dirigisme*. Paris, SFELT, 1950.

VANDAL (Albert), *Louis XV et Elisabeth de Russie*. Paris, Plon, 1896.

VATEL (Charles), *Histoire de Mme du Barry*. Versailles, L. Bernard, 1883 (3 vol.).

VRIGNAULT (Henri), *Les enfants de Louis XV (illégitimes)*. Paris, Perrin, 1954.

WARREN (baron de), *Correspondance et notes (1740-1761), publiées par L. Lallement*. Vannes, Galles, 1893.

TABLE DES MATIÈRES

DANS LA MÊME COLLECTION
(Paru ou à paraître)